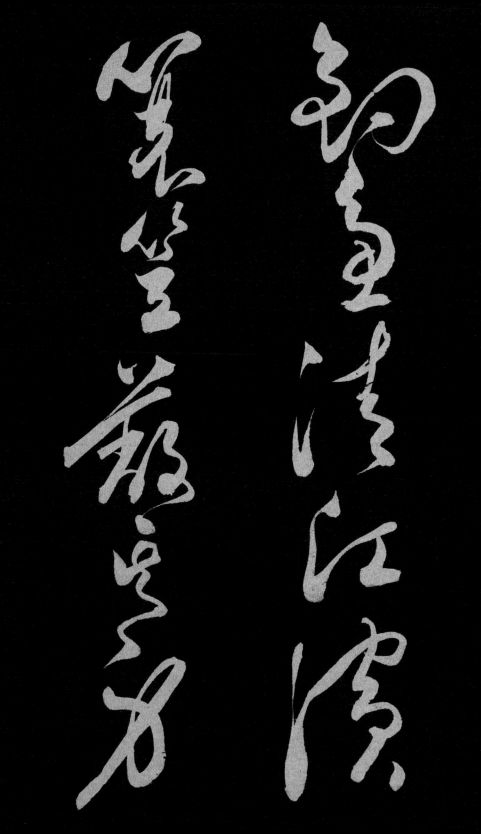

碧里清江瀉
萬壑争流巖壑方

遊先生不住

白日看行云

조선
전문가의
일생

규장각 교양총서 | 4

조선
전문가의
일생

규장각한국학연구원 엮음
송지원 책임기획

글항아리

외교의 선도 역할을 맡았던 역관들은 북경사행을 통해 문화예술을 전수받고 부도 축적했다.

벽공, 목수, 대장장이 등 집 짓는 장인들은 굉장히 세분될 만큼 전문적인 영역이었다.

기와 잇기는 초가와 달리 전문적인 영역에 속해 장인이 아니고서는 함부로 맡을 수 없는 영역이었다.

조선에선 음악을 업業으로 삼는 이들뿐만 아니라 관료나 사대부, 왕도 음악을 수행의 한 수단으로 삼았다.

별자리로 나라의 흥망을 점치는 것, 해시계나 물시계로 과학문화의 발전을 도모하는 것 모두 천문역산가들의 몫이었다.

문무관보다 하등인 의원들은 의서뿐 아니라 유·교경전까지 섭렵했지만, 무당과 경쟁해야 하는 처지이기도 했다.

조선시대 교사와 훈장은 사회를 지탱시키는 근간이면
서도 가장 천시받는 직업 중 하나였다.

왕실 가족이 품위를 유지하는 것은 궁녀들의 손길 없이
불가능했다. 그런 까닭에 궁궐은 궁녀들의 체제이기도
했다.

조선사회의 상당 부분은 잔치와 의례 등 수많은 의식
의 절차로 그려질 수 있다. 그런 가운데 기녀들의 존
재는 여느 전문가 못지않게 중요했다.

광대들은 저잣거리에만 있는 게 아니었다. 조선통신사
행이 나라 밖을 떠날 때도 합류했고, 궁중 잔치에서도
중요한 역할을 했다.

승려는 유·불의 갈등 속에서 배척과 존중의 기로에 선
존재로서, 여전히 조선 백성의 삶 속에 자리하고 있
었다.

100년 전에도 서울에는 전문 일수쟁이가 있었다. 남대
문 시장을 근거지로 활발히 활동했다.

규장각은 조선왕조 22대 왕인 정조가 1776년에 창립한 왕실도
서관이자 학술기관이며 국정자문기관입니다. 1910년 국권 상실
과 함께 폐지되어 소장 도서는 총독부의 관할하에 들어갔고 학
술기관으로서의 기능을 상실하게 되었습니다. 해방 후 규장각
도서는 서울대로 귀속되어 오늘날에 이르고 있습니다. 60년 전
한국전쟁 때는 일부 국보급 도서가 부산으로 소개疏開되는 등의
곡절을 겪기도 했습니다만, 규장각은 오늘날까지 우리 역사와
전통이 담긴 기록문화의 보고寶庫로서 굳건히 이어져오고 있습
니다. 창설 230주년이 되는 2006년에는 규장각과 한국문화연구
소가 통합하여 규장각한국학연구원으로 거듭 태어나 학술기관
으로서의 전통을 되찾아가고 있습니다.

　규장각한국학연구원은 조선왕조실록, 의궤, 승정원일기 등 유
네스코에 의해 세계문화유산으로 지정된 자료를 위시해 고도서
와 고지도 등 수많은 기록문화재를 소장하고 있습니다. 이런 방
대한 자료를 토대로 한국학 전문 연구자들이 이곳에 모여 최고
수준의 연구활동에 매진하고 있으며, 많은 연구 성과가 산출되
고 있습니다. 또한 국내외의 학자들이 규장각에 와서 연구할 수

있기를 희망하고 있고, 본 연구원에선 이를 적극적으로 지원하고 있습니다. 명실상부하게 세계 한국학 연구를 선도하는 중심 연구기관으로 발돋움하고 있습니다.

아울러 전문 연구자만의 것이 아닌 시민과 함께하는 한국학을 발전시키고자 다양한 프로그램을 추진하고 있습니다. 기존의 특별전시회 외에 2008년부터 한국학 전반에 걸친 주제를 그 분야의 최고 전문가들이 직접 기획하고 강의하는 '금요시민강좌'를 김영식 선임 원장의 주도하에 개설하였습니다. 이 금요시민강좌는 그간 많은 시민들의 깊은 호응을 받아왔으며, 2009년부터 서울시와 관악구의 지원을 받으면서 지역 주민과 긴밀한 네트워크를 형성할 수 있는 계기가 마련되었습니다. 그리고 이 강좌에서 개진된 흥미로운 내용을 더 많은 시민들과 공유하기 위해 쉬운 글과 다채로운 도판으로 재편집한 '규장각 교양총서'를 발간하였습니다. 첫 두 학기의 주제인 국왕과 양반의 일생을 각각 재조명한 책들은 이미 간행되어 독자들의 좋은 반응을 얻고 있습니다. 앞으로도 계속 매 학기의 강의 내용을 책으로 엮어낼 계획입니다.

2009년부터 규장각에서는 '조선의 기록문화와 법고창신法古創新의 한국학'이라는 주제로 인문한국Humanities Korea 사업단이 출범하여 연구사업을 수행하고 있습니다. 이 사업단은 규장각에 넘쳐나는 조선시대의 다양한 기록들을 통해 당시의 삶과 문화를 되살려내고, 그것이 현대를 살아가는 우리에게 주는 가치와 의미를 성찰해보자는 것을 연구 목적으로 하고 있습니다. 이런 취지의 효과적인 실현을 위해 인문한국 사업단의 연관사업으로 시민강좌와 교양총서를 함께 준비하게 되었습니다. 앞으로 인문한 국사업단의 연구 성과와 기획 능력을 시민들의 더 나은 문화생활을 위해 활용함으로써, 규장각 교양총서는 쉽고 알찬 내용으로 시민들에게 다가갈 것입니다.

이 책에 담긴 내용은 일차적으로 규장각에 소장된 기록문화와 학자들의 연구 성과에서 나온 것입니다. 하지만 강좌를 수강한 시민 여러분의 참신한 아이디어와 바람을 최대한 반영하고자 노력을 기울였습니다. 이 책이 시민과 전문 연구자 사이를 이어주는 가교가 되기를 기대합니다. 앞으로도 여러분의 많은 관심과 성원을 바랍니다.

규장각한국학연구원 원장

노태돈

조선을 살 만한 곳으로 윤기낸 사람들

조선은 신분제 사회였다. 지존至尊인 국왕부터 양반兩班, 중인中人, 상인常人, 천인賤人에 이르는 계급이 엄연히 존재했다. 왕과 양반이 정치적 주도 세력으로 활동했다면 나머지 대다수 사람들은 사회 전 영역에서, 양지에서 혹은 음지에서 자신에게 부과된 일을 하며 살았다. 이들은 부모로부터 물려받은 계급에 의해 규정된 삶과 일상을 꾸려나갔다. 사람을 가르치는 일로부터 집을 짓는 일까지, 사람의 병을 고치는 일로부터 사람의 마음에 위안을 주는 일까지, 이들이 평생 일구어간 일은 다양했다. 이들에게 부과된 것은 '신분'이면서 '직업'이고, '일'이면서 '삶'이었다.

조선 사회가 기록의 보고임에도 불구하고 중요하고 멋진 기록은 왕실의 것이거나 양반이 남긴 것들이 대부분이었다. 그들이 기록의 주체였으므로 왕과 양반의 담론이 기록의 중심부를 이루었다. 그러나 조선 사회를 가만히 들여다보면 그들의 실생활 한가운데에는 조선의 전문가로, 온갖 전문 영역의 삶을 살았던 수많은 사람들의 뼈마디 굵은 손길이 미치지 않은 곳이 없음을 발견하게 된다. 그들의 부지런한 손 없이 조선 사회는 움직여질 수 없었다. 그럼에도 그러한 사실은 곧잘 간과되었다. 이들이 기록의 변두리에 놓여 있었기 때문이다.

조선의 전문가들은 각자의 분야에서 자신만의 전문 영역에 대해 글로, 기호로, 혹은 작품으로 평생 자취를 남겼다. 혹 그 스스로가 직접 기록할 수 없는 경우라면 관련 분야의 기록들이 이들의 삶을 대신 드러내주었다. 이번에 조선 전문가의 일생에 대해 탐색해보고자 한 것은 조선인의 다양한 직업 영역에 산재해 있으면서 조선을 살 만한 곳으로 만든 사람들의 전문가로서의 삶을 드러내기 위해서이다. 이들 대부분은 사회에서 그 신분이 중인 혹은 상인이나 천인이었음에도 자신이 하는 일에서만큼은 최고의 전문가가 되려 했다. 그러나 '전문직'이라는 점에서 그들의 신분을 군이 따지고 사회 고발을 할 필요는 없을 것이다.

지금 이 시대 우리 눈에 포착되는, 조선시대 전문가들이 남긴 삶의 흔적을 찾아가보자. 서울 시내 한복판에 가면 만날 수 있는 허파 같은 공간들, 경복궁, 덕수궁, 종묘, 창경궁…… 이 모든 공간과 건물은 그저 그렇게 거기에 서 있는 것만은 아니다. 우리 건축 장인들의 수고로운 손, 그러면서도 손마디가 굵어져 아름다운 손, 그 손길이 수만 번 수십만 번 어루만져 빚어진 공간이다. 그들의 땀내가 녹아들어 아름다운 자태를 갖추게 된 것이다.

매일같이 해가 떠오르고 달이 기울지만 그 해와 달은 천문역산가들에게는 관찰해야 할 대상이었다. 이들은 하늘의 현상을 살피고 태양과 달의 운행을 계산해내고, 일식과 월식을 예측해야만 했다. 전문성을 좀더 갖추기 위해 중국의 과학서적을 탐독해야 했다. 조선의 젊은이들을 가르친 선생들, 이들은 경명행수

經明行修 즉 경학에도 밝고 덕성도 겸비해야 했다. 사람을 가르치는 전문인에서 더 나아가 덕을 갖추어 세상에 사표師表가 되어야 할 전문인이었다.

조선 왕실에서 평생 살아간 궁녀라는 이들이 없었다면 왕과 왕실 가족들의 의식주 생활은 영위될 수 없었을 것이다. 이들은 왕실의 법도와 예의를 전문적으로 익혀 왕비의 비서 역할을 할 수 있었다. 의진儀典에 관한 일은 물론 복식, 음식, 접대, 직조, 사법 분야에 이르기까지, 광범위한 영역에서 왕실의 여성 일꾼으로, 왕실의 손발이 되어 일하였다. 궁중에서 오로지 왕과 왕비, 왕실의 가족을 모시며 평생 뼈가 굵어졌지만 이들은 각 영역에서 최고의 전문가임에 분명하다.

사람의 병을 다스리는 일은 기술 이상의 내공을 요하지만 조선시대에 그 일을 하는 사람들은 양반 요직으로 나아갈 수 없었다. 의학 공부를 하려면 경전經典과 사서史書 연구는 필수였고, 진맥학과 침구학은 기본으로 공부해야 했다. 또 의학 기초 이론 및 내과학, 본초학, 방제학 등의 분야에 이르는 공부를 해야 했다. 그렇게 갈고닦아 키워온 내공은 때론 삶의 고통이 되기도 했다. 조선시대 궁중의 의관들은 포상보다 처벌을 더 많이 받았다. 의관의 임무를 고통으로 받아들였던 사람이 많았다는 기록이 이를 입증한다.

조선시대의 전문 음악가들 대부분은 기록의 주변부에 머물러 있었다. 기록에 노출된 음악가들은 그들의 비범성, 혹은 빼어난 예술성으로 사람들의 시선을 끌었다. 평생을 연마한 걸출한 실력이 사람들로 하여금 기록하지 않을 수 없도록 했다. 잊혀가는 노랫말을 기록하여 가집歌集으로 남긴 전문 음악가들도 있었다. 조선시대의 광대는 궁중 행사나 외국 사신 영접 때 잡희나 나례 등을 공연하는가 하면 전국 각지를 다니며 각종 기예로 사람들 곁에서 위안을 주었다. 그 위안은 피 나는 연마 과정을 거친 실력 있는 전문인에게 주어지는 마음의 선물 같은 것이었다.

유교를 숭상하고 불교는 억압하는 정책을 견지했던 조선에서 승려들은 배척받는 삶만 살았던 것으로 보이지만 실은 배척과 존중의 기로에 서 있었다. 선입견을 버리고 바라볼 필요가 있다. 역관에게 주어진 일은 통역하는 일이었지만 외교적인 면에서 그들은 특유의 기질과 역량을 발휘할 것이 요구되었다. 외국을 오가며 세계의 변화를 몸으로 빨리 읽어낸 역관들은 조선 사회의 새로운 흐름을 적극적으로 이끌어간 사람들이었다. 지식을 나르는 서적 중개상인 책쾌, 인기 소설을 재미있게 읽어주어 사람들을 웃고 울리는 전기수, 이들은 조선 사람들에게 마음의 양식을 선사한 전문인이었다. 붓 하나로 조선시대인들의 삶을 알뜰하게 그려낸 사람들, 100여 년 전 서울 사람들의 금융생활을 기록해놓은 회계장부를 통해 드러난 조선시대 금융업 전문인의 단면들에 이르기까지 다양한 전문가들의 삶이 이 한 책에 펼쳐질 것이다.

이 글들은 2010년 상반기 서울대학교 규장각한국학연구원 시민강좌에서 '조선의 전문직'이란 주제로 한 학기 동안 이루어졌던 강의 내용을 필자들이 새롭게 글로 쓴 것이다. 조선의 전문직 열두 분야에 대해 열두 명의 전문가가 각각 다른 이야기를 펼쳐놓았지만 그 마음만은 이 한 책에 가지런히 모였다. 교수와 훈장, 천문역산가, 광대, 승려, 의원, 음악가, 궁녀, 장인, 화원, 역관, 서쾌와 전기수, 금융업자에 이르는 조선 전문가들의 삶의 모습이 열두 명 저자의 정겨운 시선을 통해 드러났다.

한 번도 주역으로 살지는 못했던 듯 보이지만 그들의 삶은 그 자체로 주역이었다. 그들의 핍진한 삶의 무게가 드리운 아름다운 그늘이 조선 사회의 어느 자리엔가 무한히 펼쳐져 조선을 조선답게 가꾸어나갔기 때문이다. 조선의 사회가 그들을, 그들의 삶을 중심에 올려놓지는 않았지만 그들이 꾸려간 삶은 결코 주변이 아니었다. 빛이 나지 않아도 자신의 자리를 묵묵히 감내해 간 그들의 삶은 그래서 더 귀하다. 조선을 살 만한 곳으로 만든 조선의 전문가들의 삶에 갈채를 보낸다.

2010년 11월
저자들의 마음을 모아
송지원 쓰다

조선을 살만한 곳으로
옮기낸 사람들

1장

군사부일체 사회의 버팀목,
그러나 불우한 삶

◉

조선조 교사와
훈장의 삶

정순우 · 한국학중앙연구원 사회과학부 교수

"혀로 밭갈이하는 무리"

19세기 초, 대구지역에서 한 훈장이 그의 절박한 사정을 호소하는 원정原情을 관에 올렸다. 그는 밀린 일 년치의 삭료를 받으려다 제자배의 아비 되는 자들에게 심한 곤욕을 당했다. 아비 되는 여 첨지와 김 첨지는 감투를 반쯤 삐딱이 쓰고 수염을 곧추 세우고는 훈장을 이렇게 닦달하였다 한다. 아비들은, "이 양반이 물정 모르는군, 시장 값이 저러한데 예조禮租란 무슨 소리며, 의자衣資란 다 무어요, 천 리 행상으로도 빈 채찍만으로 돌아오고 일 년 머슴을 살고도 빈손으로 가는 터에 생원 문자가 그 값이 얼마길래 갑오년의 모립耗笠 값이요"라고 윽박지른다. 설마 '군사부일체'를 강조하던 조선 사회에서 이런 어처구니없는 일이 일어났을까 의심되나, 현실 속의 훈장들은 힘없고 외로운 직분이었다. 학부형에게 곤욕을 당하는 대구 훈장의 모습은 조선조 교육이 처했던 실상을 극명하게 드러내주는 하나의 사례이다.

조선조에서 교직만큼 명목과 실상이 확연하게 차이를 드러낸 직종도 없었을 것이다. 조선시대 교직으로는 관학에 파견되었던 교수관, 훈도, 교도 등의 교관이 있었고, 사학에는 학장이나 훈장 등 다양한 모습으로 존재했다. 이들이 실제로 행했던 역할은 비록 달랐을지라도 교직이라는 직분은 명분상, 혹은 외견상으로는 높은 평가를 받았다. 붓과 글이 지배하던 문치주의 사회인 조선에서 교사는 명목상 존경의 대상이었다. '스승은 임금과 아버지의 위치와 같다' 라는 '군사부일체' 의 이념은 유교사회를 지탱하는 하나의 버팀목이었다. 국가도 유능한 교사를 확보하는 데 상당한 노력을 기울였다. 각 향교에 파견된 교수관은 종6품의 문관직으로서, 향촌사회에서는 매우 높은 직급이었다. 그러나 실상은 딴판이었다. 현실 속의 교관은 많은 사람이 기피하는 춥고 배고픈 직임이었다. 특히 마을 단위로 설립되었던 서당의 훈장은 그 운영의 영세성으로 인해 피폐한 생활을 감내해야만 했다. 더욱이 조선후기에 이르면서 몰락한 양반들이 대거 서당 훈장으로 몰려들었고, 이들은 스스로를 '설경舌耕' 이라고 자조하였다. '설경' 이란 곧 '혀로 밭갈이하는 무리' 라는 뜻이다. 입으로 지식을 팔아 하루하루를 어렵게 살아가는 훈장들이 자신들의 딱한 처지를 에둘러 표현한 것이다. 심지어 '교직을 가장 천한 직임[至賤之任]' 으로 비하하는 모습도 나타난다.

명목과 실질에서 이렇게 큰 틈이 벌어지는 교관의 직임, 여기에 조선 사회가 안고 있는 사회적 딜레마와 근본적 모순이 있다. 조선조에서 시행한 수많은 교육정책은 대부분 이 양자의 간극을 메우려는 노력의 일환이었다. 위정자들은 물론 교육의 성패가 교사에 달려 있다는 사실을 너무도 잘 알고 있었다. 이에 보다 높은 자질을 갖춘 교사를 길러내고 확보하려는 시도를 여러 방면으로 펼쳤다. 그러나 관학을 중심으로 한 이런 육성책은 실패의 연속이었다. 교사에 대한 기대는 컸으나, 막상 그 교사를 관리하고 양성하는 제도적 시스템과 행정 체

「채제공초상」, 이명기, 비단에 채색, 120×79.8cm, 보물 제1477호, 1792, 수원시. 채제공은 정조의 세손 시절부터 스승으로서 정조를 가르쳤다. 그는 정조의 개혁정책에서 중요한 역할을 했던 인물인데, 조선에서 왕의 스승에 대해선 큰 선물을 하사하고 극진한 예를 갖추는 등 그 지위가 보장되었다. 하지만 일반민들의 스승은 그러하지 못했다. '설경舌耕'이라며 자신의 딱한 처지를 스스로 위로해야 했다.

계에 대해서 조정의 신료들은 너무나도 무지한 모습을 드러냈다. 우선 관료로서의 교관직은 출세가 보장된 청요직淸要職이 아닌 누구나 기피하는 한직이며, 소외된 직임이었다. 나중에는 생원, 진사들마저 이를 꺼려 전국의 향교 교관직이 공동화되는 지경에 이르렀고, 교관직은 천한 직임이라는 인식이 널리 퍼져나갔다. 교사들에게 도덕적인 책임과 부담은 엄청나게 지워놓고, 현실에서의 처우와 대우는 열악한 수준에 머물러 있었기에 학교교육은 유명무실해졌으며, 그 피해는 고스란히 백성들의 몫으로

돌아갔다. 교육은 그나마 훌륭한 학장과 훈장들이 있었던 서원과 서당 같은 사학 기관을 통해 명맥을 유지하였다.

전도傳道, 수업受業, 해혹解惑의 스승

예나 지금이나 교사의 도덕적 탈신은 호된 여론의 질책을 받았다. 흔히 "세상에 사표師表가 되어야 할 사람이…"라는 말이 회자하듯이, 교사는 국가의 이데올로기와 가치를 가장 앞장서서 책임지는 집단이다. '스승'이라는 말 속에는 도덕적 인물이라는 뜻이 함축되어 있다. 특히 유교사회인 조선조에서 '스승'은 도덕세계에 대한 무한 책임을 강요받았다. 가령 교사의 자질을 거론할 때 '경명행수經明行修'한 인물인가의 여부가 중요한 잣대였다. '경명행수'란 말 그대로 경학經學에 밝고 덕행을 잘 닦은 사람을 의미한다. 즉 전문 지식이었던 경학 공부만 잘해서는 안 되고, 반드시 덕성을 겸비한 인물일 것이 요구되었다. 학문적인 지식만 갖춘 인물은 경사經師라 하고, 덕행이 몸에 밴 인물이라야 비로소 참다운 스승인 인사人師의 반열에 오를 수 있었다. 조선시대의 교사는 누구의 강요에 의해서가 아니라 내면적인 도덕률에 따라 스스로의 행위를 부단히 검속해야 하는 일종의 초超의무적 실천 윤리를 간직한 도덕인이기를 요청받았다.

그 시대 흔히 스승의 책무를 거론할 때에는 당나라 한유韓愈(768~824)의 사설師說이 인용된다. 그에 의하면 스승은 도를 전하고[傳道], 업을 전하며[受業], 의혹을 풀어주는[解惑] 사람이다. 그는 그중에서도 스승의 가장 중요한 임무는 곧 도를 가르치고 전하는 것이라고 말한다. 이런 주장은 조선시대의 교사상에도 가장 중요한 지침이 되었다. 의문을 풀어주고 해소해주는[解惑] 스승은 지식의 전달자로서의 역할은 충실히 수행하고 있으나, 지혜를 열어주는[傳道] 스승과는 구별되었다. 도의 깨우침은 지식의 양적인 축적이 일정 수준에 이르러 의식상의 질적인 변환을 이뤄내는 것을 말한다. 따라서 이 시기의 스승은 인격적으로나 정신적으로 매우 탁월할 것이 요구되었다. 조선조에 성리학이 토착화되고 그 내면화 과정이 진전되자, 학문적 깨달음을 인격적으로 실현시키는 도학자들을 진정한 스승으로 인식하게 되었다. 16세기 사림파들의 출현과, 그들에 의해 설립된 서원이 역사의 전면에 등장한 것은 바로 이러한 시대적 요청에 의한 것이었다.

유학에서의 유儒는 본시 교육의 의미를 갖는다. '유'는 물이 차츰차츰 스며든다는 뜻의 윤潤과 동의어로서, 점진적이고 지속적인 교육의 효과를 상징한다. 최상의 교사는 작위적인 가르침 없이 물 스며들 듯이 인격적인 감화를 줄 수 있는 사람이다. 도의 체인은 세계에 대한 총체적인 인식의 변화를 가져오게 하는 것으로, 교사는 단지 이 과정에 이르기까지의 안내자일 뿐 지식처럼 직접적으로 드러내서 알려줄 수 없다. 지식을 축적하는 초학 단계에서는 스승이 절대적 권위를 가지고 일방적인 훈육을 담당하나, 도의 세계에 발을 들여놓는 단계에서 스승은 선각자로서 위치한다. 퇴계에 따르면 "스승은 마치 산속의 샘터와 같아 제자들은 각기 그의 양만큼 물을 마시고 떠나가는[如群飲於河 各充其量] 터전으로 비유된다. 『예기』에서는 참다운 스승이란 비록 그

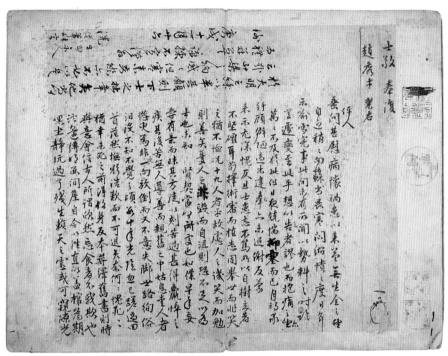

「서문수 간師門手簡」. 퇴계의 제자 월천 조목이 스승에게서 받은 서간 106통을 모아놓은 것 중 하나이다. 퇴계는 정조가 평소 흠모했고 많은 유학자들이 존경해 마지않았던 스승으로, 조선시대 '선각자'로서 스승의 역할을 알려줬던 인물이라 할 수 있다.

가 스승의 직책[師輔]을 떠나더라도 제자에 대해 무한 책임을 지는 사람이라고 하였다. 조선의 교사들이 마음속으로 간직했던 교사상이다.

亦樂齋

石澗堂

天光雲影臺

魚梁

江寺

陶山書院

蒙泉　節友社

岩栖軒　淨友塘

進道門　井洌

幽貞門　濯纓潭

岩口谷

天淵臺

盤陀石

漁村

「도산서원도」, 이징, 130×30cm, 계명대 중앙도서관. 조선조 교육의 중심에는 서원이 있었다. 초기의 서원은 인재를 양성하고 사림의 공론장으로서 유학이 조선조에 뿌리내리는 데 중심적인 역할을 담당했다. 하지만 후기로 갈수록 혈연·지연관계나 당파관계를 형성해 악습을 낳아 혁파의 대상이 되기도 했다. 퇴계 이황이 지어 유생들을 가르친 곳이 바로 도산서당으로, 1575년(선조 8) 한호의 글씨로 된 사액을 받음으로써 영남 유학의 연수가 되었다.

훈도를 청하는 자
모두 무식자

조선은 나라의 기틀을 세움과 동시에 침체된 관학을 부흥시키고
자 심혈을 기울였다. 태조는 즉위 교서에서 고려시대에는 좌주
문생제座主門生制(좌주란 고려시대에 과거를 주관하는 이였고 문생
은 급제자로서, 즉 자기를 선발해준 고시관을 스승처럼 여긴 것)를
통하여 스승과 제자의 관계가 철저히 사적인 관계로 변질되고,
교육의 공적인 기능이 소멸되었음을 비판하였다. 이에 관학교육
을 과거제와 연결시켜 교육의 공적인 권한을 강화하고자 하였
다. 다시 말해 향교와 성균관 교육으로 인재를 배출하고, 이들이
과거시험을 치러 중앙 관료로 성장함으로써 국가 경영의 중심
집단이 되기를 기대한 것이다. 정도전은 교관 배치에 좀더 구체
적인 청사진을 제출하였다.

"우리나라에서는 중앙에 성균관을 설치하여 공경·대부의 자
제 및 백성 가운데서 준수한 자를 가르치고, 부학部學教授
를 두어 동유童幼를 가르치며, 또 이 제도를 확대하여 주·
부·군·현에도 모두 향학鄕學을 설치하고 교수와 생도를 두
었다. 병률兵律·서산書算·의약醫藥·상역象譯·통역通譯 등
도 역시 이상과 같이 교수를 두고 때에 맞추어 가르치고 있으
니, 그 교육이 또한 지극하다."(『삼봉집』)

조선 초 조정에서 구상한 가장 중요한 교육정책은 '일읍일교

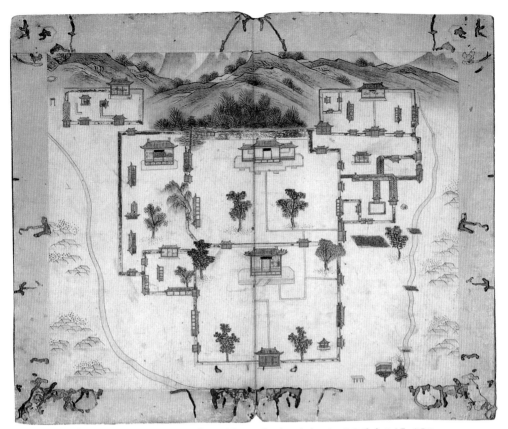

『태학계첩』 중 「성균관도」, 44.9×27.3cm, 1747, 서울역사박물관. 조선은 향교와 성균관 교육을 통해 인재를 배출하고, 과거시험을 치러 아들이 국가 경영의 중심 줄기가 되길 기대했다. 학문의 전당으로 주요한 기능을 담당했던 성균관은 그러나 후기로 가면 재정이 궁핍화되고 과거제가 불공정하게 운영되면서 기능을 잃어간다.

'一邑一校'의 원칙에 의해 외방 각지에 향교를 시급하게 완비하는 것이었다. 이와 함께 고려시대 한량 유신들이 각자의 고향을 근거지로 하여 서재를 열고 후학들을 교육시키던 인물들을 향교의 교수관으로 임명하고자 하였다. 더불어 성균관에서는 국자좨주國子祭酒로 학사學事를 총괄하여 다스리게 하고, 성균관의 분교학당은 오로지 가르치고 훈육하는 것만을 위임하여 다른 사무는 겸하지 말도록 하였다. 그러나 문제는 관학의 교육 여건이 너무

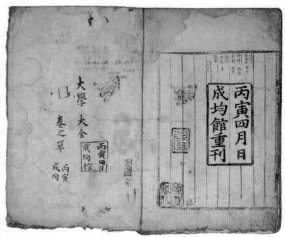

「서학서재장의망기」(왼쪽), 46.5×34.7cm, 조선후기, 국립중앙박물관. 서학서재의 장의掌議를 선발하기 위한 후보자 명단. 장의는 성균관이나 서울의 4학, 지방의 향교의 재齋(기숙사)에 거처하는 유생의 장長을 말한다. 『대학장구대전』, 조선후기, 국립중앙박물관. 성균관에서는 교육에 필요한 서적을 직접 간행·출판하기도 했다. '성균관중간'이라는 표시가 이를 알려준다.

나 열악했다는 점이다. 특히 성균관이나 오부五部학당에 근무하는 훈장이나 사장師長에 대한 사회적 대우가 너무 뒤떨어졌다. 이 시기 예조의 정문呈文에서는 "학교는 풍화風化의 원천으로 예의를 먼저 계도하는 곳입니다. 근래에 학생들이 광망한 자가 많아서 비록 사장師長을 본다 해도 또한 존경 겸양하는 예의가 결여되고 있어 마음과 행동의 교양을 미리 쌓지 않을 수 없다"며 추락한 교관의 처지를 말해주고 있다. 태종대에도 교수와 학장의 처우 개선에 대하여 전라도 지고부군사知古阜郡事 유유령柳維寧이 상서를 올린다.

"그윽이 생각하건대, 인재는 풍속을 교화하는 근원으로 이를 교

조선 전문가의
일생

28

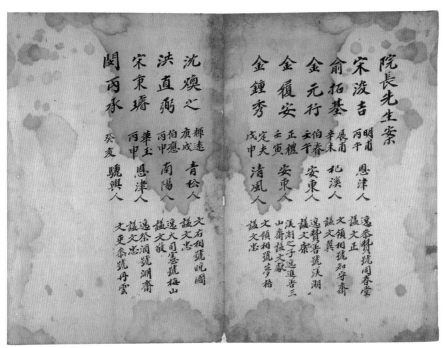

院長先生案
宋浚吉　明甫　丙午　恩津人　遠齋贊號同春堂　謚文正
俞拓基　展甫　辛未　杞溪人　文翼相號知守齋　謚文翼
金元行　伯春　壬伯　安東人　遠贅吾號渼湖　謚文敬
金履安　正禮　壬寅　安東人　渼湖之子遠道吾三山齋謚文獻
金鍾秀　定夫　戊申　清風人　文領相號夢梧　謚文忠

沈煥之　輝遠　癸亥　青松人　文右相號晚圃　謚文忠
洪直弼　庚成　伯應　南陽人　大司憲號梅山　謚文敬
宋東璿　丙申　華玉　恩津人　逸祭酒號淵齋　謚文忠
閔丙承　癸亥　驪興人　文東奎號丹雲

「원장선생안」, 43.3×29.7cm, 보물 제587호, 국립광주박물관. 전국적으로 유명한 서원 원장들에는 조선조 역사의 중요한 장을 기록한 인물들이 많았다. 명단에 역대 필암서원 원장을 지냈던 송준길, 유척기, 김원행, 김이안, 김종수, 심환지 등의 인적 사항이 기록되어 있다.

양하는 것은 학교에 있습니다. 그러므로 본조에서 주부州府에는 교수관敎授官을 파견하고 군현에는 학장學長을 두었는데, 학장이 된 자가 혹은 부임하지 않으니 또한 효력이 없습니다. 군현으로 하여금 한갓 학교라는 이름만 있게 하고 실효는 없으니, 그 까닭은 다름이 아니라 교수와 학장은 공이 조금도 다를 바가 없으나 학장은 곧 종신토록 천전遷轉(벼슬자리를 옮김)하는 길이 없습니다. 교수와 학장은 공이 같은데 상이 다른 것은 진실로 성대의 하나의 결함입니다. 빌건대, 문관 6품 이상으로 하여금 각각 아는바 삼경三經에 능통한데도 두 번이나 과거에 급제하지 못한 이 가운데 남의 스승이 될 만한 자를 천거하게 하여 유학 훈도儒學訓導가 되는 자격을 허락하소서."(『태종실록』)

문제는 관료로 출세하고 싶은 유생들이 한번 학장에 임명되면 사실상 다른 출사의 길이 봉쇄된다는 점에 있었다. 이에 초기에는 각 주州·부府의 향교에만 삼관三館에 배속된 과거 입격자 중에서 대기발령자 신분인 권지權知로서 교수를 파견하고, 나머지 군현에는 그 지방 출신 중에 학문적 소양을 갖춘 자를 선발해 학장學長으로 충당하였다. 그러나 이들 학장은 녹봉도 지급되지 않는 불안한 신분 상태였으므로 다만 군역을 면하려는 자들만이 기웃거려 교육적 효과를 기대할 수 없었다. 강력한 왕권을 구축하였던 태종대에는 교수가 없는 군현에는 참외문신參外文臣을 훈도訓導로, 생원·진사를 교도敎導로 임명하여 지방 교육을 육성하고자 했으나 별다른 성과를 얻지 못했다. 당시의 재정 상태로는 그들에게 지급할 녹봉을 확보할 수 없었고, 생원·진사의 신분은 한미한 교도직에 만족하지 못했기 때문이다. 교도가 된 자들은 문과 응시에 반드시 필요한 원점圓點을 면제받을 수 있었고, 또한 면역의 특전도 누릴 수 있었기 때문에 지원한 것이지 애초에 교육에 큰 뜻을 품은 자들이 아니었다. 처음부터 사로에만 관심이 있었을 뿐 교육에는 뜻이 없던 인물들에게 교관의 직책을 임명했던 것은 관학의 부진을 초래했을 뿐만 아니라 교직의 천시 현상을 가속화시키는 결정적인 원인으로 작용하였다.

조선조에서 교관직이 매력적이지 못했던 또 다른 이유는 그 직책이 관료로서의 출세를 보장해주는 청요직이 되지 못하는 한직이었기 때문이다. 따라서 향교 교수관은 문신 좌천자의 유배직으로밖에 인식되지 못했고, 임명되어도 사퇴하는 것이 당대의 풍조였다. 이에 따라 교관에 대한 사회적 대우와 위치도 점차 하락해갔다. 교관이 임지에 부임할 때는 각 역에서 유숙하는 것조차 어려울 정도로 사회에서의 대우도 열악했다. 가령 신원록申元祿(1516~1576)의 문집 『회당집』에는 부모 봉양을 위해 어쩔 수 없이 교관에 임명된 후 그 처지를 비관하여 통곡하는 웃지 못할 정경이 그려져 있기도 하다.

이에 15세기 후반 이후로는 향교의 교관직은 빈천하고 무식한 인물들로 충당되는 실정이었다. 이제 교관직은 오히려 수치스런 직책으로 변하였다. 이러한 문제가 더 이상 방치할 수 없는 심각한 사태에 이르게 된 연산조 초에 충청도 도사 김일손은 다음과 같은 상소를 올리고 있다.

"향천鄕薦(고을 안에서 천거된 인재)을 참작해 채용하여 훈도로 삼으소서. 신이 본도에 이르러 주현의 훈도를 두루 시험하여보니, 혹 교생이 두어 경전에 능통한 자가 있는데 훈도는 한 경전에도 능통하지 못하므로 스승이 교생을 가르치지 못할 뿐만 아니라 교생이 도리어 스승을 가르치게 되니, 진실로 탄식할 일입니다. 이것은 다름이 아니라 뇌물 청탁으로 말미암아 훈도의 직을 얻어서 군역을 면하기 때문입니다. 마땅히 각 도 감사에게 명하여 제생을 고시하여 경술에 능통한 자를 논계함으로써, 회강會講 취재자取才者와 아울러 쓰고 교육에 공이 있는 자를 감사가 계문하여 현으로부터 군으로, 군으로부터 주부州府로, 점차 교수로 승진시켜 사표를 장려하소서." (『연산군일기』)

교관직은 봉건사회의 최하층인 노비와 광대에게서조차 수모를 당하는 실정이었다. 실력을 갖춘 유자들이라면 마땅히 기피하는 것이었다. 관학 교관에 대한 이러한 천시 풍조는 조선중기 들어 더욱 악화되어갔다. 중종대의 인물인 정광필鄭光弼의 말에 의하면 "향교의 훈도, 교수자는 이미 양반이 맡지 아니하고, 수군 등의 상민 출신들이 대부분으로서 한 현 내에 훈도를 칭하는 자는 100여 인에 이르되 모두 무식자다"라고 할 정도에 이르렀다(『중종실록』). 교관의 직이 '가장 천한 신분至賤之任'으로 전락하고, 훈도가 글자의 훈독도 제대로 하지 못하는 실정이었다. 심지어 학생이 훈도를 가르치는 파행적인 모습까지 나타나게 된 것이다.

사학, 정치적 기류와 운명을 같이하다

관학의 부진과 교관직의 천역화가 조선전기에서부터 진행된 것에 비한다면, 사학 학장의 능력과 권위는 비교적 꾸준히 존중되었다. 현명한 군주 세종은 사학을 국가적인 차원에서 장려했다. 세종은 도호부 이하에는 교도를 임명하지 않고 "나이 지긋하고 덕망이 뛰어나 사표가 될 만한 향리의 사람을 학장으로 임명하

는” 방식을 택하였다. 이러한 정책에 따라 지방에 '사치서원私置書院'을 건립하여 학도를 교수한 사례들이 보고된다. 세종 2년 평안도 관찰사의 계문에는 "함종현咸從縣 사람 생원 강우량姜友諒이 '사치서원'을 설립하고 학도를 교수하니, 전일 하교하신 교지에 따라 그 이웃 가까운 주군의 교도를 제수하여 표창하게 하소서"라는 내용이 나온다. 사학의 학장을 탁용하여 주군의 교도로 임명함으로써 관학과 사학을 동시에 진흥시키고자 한 것이다. 세종 19년 기사에서도 "유학 유사덕劉思德과 전 감무監務 박호생朴好生 등이 아이[童蒙]들을 모아서 가르치기를 게을리 아니하여 그 뜻이 상을 줄 만하니, 『속전續典』및 지성균관사 허조許稠 등의 올린 말에 의하여 이조로 하여금 서용하게 하옵소서"라는 기록이 나온다. 훈장인 유사덕은 무려 30년 이상 훈장을 지낸 이력의 소유자였다. 그가 길러낸 인물 가운데 생원시, 진사시와 문과, 무과에 합격한 자는 70여 명에 달했다.

　교관의 문제로 인해 향촌사회에서는 '사학'의 현실적 필요성이 증대될 수밖에 없었다. 상당한 덕망과 학식을 갖춘 인물들이 조선 초부터 꾸준히 서재와 서당, 혹은 서원을 통해 후진을 양성해왔고, 향촌사회의 정신적인 지주로 성장할 수 있었던 것이다. 서원이나 서당의 경우도 향촌사회에서 영향력 있는 인물들이 직접 학당을 설립·운영하였다. 따라서 그들에 대한 사회적 대우는 관학의 교관과는 비교가 되지 않는 것이었다. 한 예로 16세기에 본격적으로 향촌사회에 출현하기 시작한 서당의 경우를 보자. 당시 안동지역에 출현했던 서당은 후일의 향촌 서당이나 문중 서당이 아니었다. 이 당시의 서당은 높은 수준의 학문을 강론하는 다분히 폐쇄적인 형태의 강학 공간으로, 일종의 도학적 서당으로 분류할 수 있다. 성장하던 사족들의 이념적 결집체의 역할을 한다는 점에서 서원의 초기 과정이라고 할 수 있다. 가령 이정회의 지남서당은 그 교육 수준이 매우 높아서, 과거시험을 준비하고 거기에 합당한 것들을 가르쳤다. 서당은 체계적으로 운영되었고, 당헌堂憲을 정하고 별도로 사장師長을 두어 교육의 질을 높였으며, 서당답書堂畓을 누어서 재정을 튼튼히 히였다. 이 지여에 있었던 다수의 서당은 당대 일급의 학자들이 직접 사장의 역할을 맡아 교육의 질을 한 차원 높이는 계기가 되었다. 양정서당養正書堂을 설립한 구봉령具鳳齡, 이계서당伊溪書堂을 설립한 권대기權大器, 경광서당鏡光書堂을 설립한 권호문權好文, 구담서당龜潭書堂을 설립한 김수일金守一, 팔우서당八耦書堂을 설립했던 배용길裵龍吉 등은 모두 퇴계와 학맥이 맞닿아 있던 당대 일급의 학인들로서 이들이 직접 학도들을 훈도하면서 촌락사회에 새로운 문화를 일구어갔다. 이들이 설립한 서당은 그들의 사후 문인들에 의해 대부분 서원으로 변모하여 도학적 전통을 이어나갔다.

그러나 임진·병자 양난 후의 사학은 중앙 정계의 정치적 기류와 밀접한 관계를 맺으며 운영되기 시작했다. 이 시기의 서당은 향촌민뿐만 아니라 중앙 정부로부터도 훌륭한 교화 기구로 주목을 받고 있었다. 효종 10년(1659)에 성균관 좨주祭主 송준길宋浚吉이 만든 향약지규鄕約之規에서는 사학인 서당 훈장의 활용 방안에 대해 자세히 논하고 있다. 훈장을 향촌 통제의 한 수단으로 운용하고자 한 것이다. 그 내용 중에는 국가가 직접 외방 향촌에 서당을 세우고 훈장을 임명할 것을 적극 권장했다는 사실

과, 훈장의 임명 방식과 수령의 지원
방안 등이 포함되어 있다. 또한 뚜렷
하게 성과를 드러내는 사장에게는
호역을 감하게 하고 가장 두드러진
자는 계문하여 동몽교관을 주든지
혹 다른 관직을 줄 것을 제안하고 있
다. 사학의 훈장도 국가 단위에서 관
리하고 운영한 것이다. 향학 사목에
서 제시했던 시책은 여러 수령이나
군수들의 훈사절목訓士節目 등을 통
해 좀더 구체적으로 현실화되었다.
예로 서파 오도일吳道一이 울진 현령
으로 재임하면서 제정한 훈사절목과

「오도일초상」, 비단에 채색, 129×89cm, 오좌근 소장. 오도일
은 울진 현령으로 있으면서 송준길의 '향학지규'를 바탕으로
훈사절목으로서 훈장에 대한 다양한 관리 지침을 만들었다.

향약에서는 훈장에 대한 다양한 관리 지침을 볼 수 있다. 훈사절
목은 대체로 송준길의 '향학지규'를 모방했으나 훈장에 대해서
좀더 구체적인 벌칙과 제재 조항이 더해졌다. 심지어는 각 면에
할당되는 훈장의 인원 규정, 훈장의 선출 방법, 가르치는 훈회訓
誨법, 시험 규칙 및 그 결과에 대한 상벌 규정, 훈장에 대한 상벌
규정 등을 수록하여 사실상 훈장에 대한 감독 기능을 수령권 아
래에 두었다.

　이처럼 수령의 기능이 강화되면서 수령들은 면 단위로 면 훈
장이라는 독특한 제도를 운영하기 시작했다. 이것을 통한 향촌
교화는 이미 임란 이전에도 부분적으로 실시되었지만, 17세기
'향학사목'의 반포에 힘입어 촉진되었다. 유정원柳正源이 통천

군수로 있을 때(1755)에 각 면으로 하여금 훈장 한 명을 뽑아 생도들을 회유하도록 한 것이나, 김세렴金世濂이 현풍 현감으로 재직할 당시 각 면에 훈장을 두고 강신케 했던 기록들을 볼 수 있다. 면 훈장을 운영할 때 그 교육 대상 연령은 대부분 넓게 잡았다. 임필대任必大의 고강절목課講節目을 보면 그 대상 연령을 8세부터 40세 혹은 45세까지도 규정하고 있어 사실상 향촌민 전부를 대상으로 하고 있다.

그러나 조선말기에 오면 서원과 사족은 면 훈장에 대한 그 운영 주체로서의 역할을 완전히 상실하고, 오직 수령권 아래에 예속된 향임의 하나로 전락하고 만다. 또한 면 훈장의 가장 고유한 기능이었던 교화 기능은 거의 유명무실해지고, 부세 운영을 보조하는 면임面任적인 성격만을 띠게 된다. 우리는 그 구체적인 예를 조선조 말 임실, 면천 등의 수령을 역임하였던 박시순朴始淳이 남긴 고문서를 통해서 볼 수 있다. 기존에는 촌락 내부에서 문망이 있는 자를 자체적으로 선정하여 교화 기능을 담당케 했던 제도였으나, 이 시기에 이르러 준행정 조직으로 변질되었다. 이것은 곧 조선의 교육이 지금까지와는 구별되는 새로운 교육모델을 찾을 수밖에 없는 해체기적 상황이었음을 알려주는 역사적 현상이었다.

유랑 지식인의 출현과 훈장의 반란

그러나 17세기 말부터 일정한 생활 방도가 없는 몰락 지식인이 증가하고 이들이 직업적인 고용 훈장으로 탈바꿈하자 사정은 달라지기 시작했다. 우선 일정한 수준의 학식과 교양을 갖춘 몰락양반이거나 중인 신분인 훈장들은 대부분 당대 현실에 대한 강한 불만과 저항감을 품고 있었다. 사족에 뒤지지 않는 능력과 지식을 가지고도, 사회에서의 천시와 불평등을 감내하며 호구책으로 훈장을 업으로 삼았던 인물들은 쉽게 사회의 불만 세력들과 힘을 합하게 되었다. 그 결과가 훈장들의 민란 참여와 모역謀逆 사건으로 나타났다.

이들 직업적 고용 훈장은 '능문능리能文能吏'의 재능을 가졌으나 생활 방도가 없어 각처를 유랑하면서 훈장을 업으로 생계를 유지하였다. 한 예를 보자. 영조 을해년(1755)의 『포도청 추안捕盜廳推案』에는 박천우朴天遇라는 훈장의 특이한 행적이 실려 있다. 그는 준소峻少 계열의 완전한 몰락을 가져온 이른바

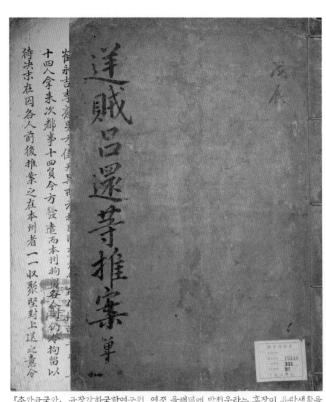

『추안급국안』, 규장각한국학연구원. 영조 을해년에 박천우라는 훈장이 유랑생활을 하다가 모역사건에 연루된 일이 기록되어 있다.

나주 괘서사건에 연루된 인물이다. 공초 기록을 보면 그가 잠시도 한곳에 뿌리박지 않고 떠돌이 생활을 계속했음을 알 수 있다. 기록에 따르면 그 자신도 반족班族 출신이었으나 크면서 상인常人 가에 양자로 들어가 고단한 삶을 살았다. 즉 그의 일생은 유랑으로 점철되었다.

"스물여덟 살이 되어 집 판 돈 100량을 가지고 나무 장사를 하고자 춘천 증리로 이거하여 4년을 살았습니다. 본전 100량 중에 80여 량은 권세가의 노비에게 빼앗기고, 나머지 20량을 가지고 고성 감호에 가서 밭 일곱 두락를 사고 학장學丈 일을 겸하면서 4년을 살았습니다. 그동안 취처하는 계획을 가지고 있었으나 토지를 모두 남에게 팔아넘기는 바람에 수치스럽고 부끄러워 분함을 이기지 못하였습니다. 이에 전답을 다시 사고자 하였으나 제대로 되지 않았기에 그만 포기하고 회양 둔양면으로 되돌아 유진수 가에서 그 집 아들의 사장師丈이 되었습니다. 그의 아들이 죽자 동면 박태흥 가로 옮겨 그 집 외손의 학장으로 2년을 보내다가, 다시 그곳에서 충주 마두리로 옮겨 문판 이기덕의 일가 쪽으로 가서 이무산의 손자의 학장으로 2년을 보냈습니다."

몰락 양반의 신분으로 산간벽지를 떠돌아다니면서 훈장을 업으로 하다가 모역사건에 연루된 것이다. 이 시기에는 이러한 인물이 숱하게 있었다. 향촌에서 이들의 지위는 상천민과 별다른 차이가 없었다. 양반의 신분으로서 노비 집에서 기식寄食하거나,

「서당 풍경」, 김준근,
종이에 채색, 124.6×
71cm, 프랑스 기메박
물관.

월료 문제로 구타를 당할 정도의 열악한 처지로 전락했다. 훈장 신분에 대한 조정의 무관심은 이들로 하여금 하층민들의 변혁 의지를 규합하여 봉건정부에 대한 대항 세력으로 자리 잡게 했던 것이다.

또한 이 시기 들어 중인층 출신의 지식인들은 직업적인 훈장으로 생계를 영위하면서 새로운 교육 형태를 만들어냈다. 우선 이들은 영리를 목적으로 하는 전문적인 학관 경영을 시작했다. 이는 당시 서울의 도회적 분위기가 형성한 전혀 새로운 교육 형태라고 할 수 있다. 당시 서울의 역관, 기술관, 경아전 등은 대청 무역을 통해 혹은 당시 급격히 성장하던 도시 상공인과의 직간접적인 제휴를 통해 상당한 정도의 부를 획득한 계층으로 성장하였다. 이들은 경제력을 바탕으로 부단히 신분 상승을 도모했고, 이는 후세 교육에 대한 강한 집착으로 나타났다. 이 시기에 도시 상공인을 포함한 하층민들이 이룬 경제적인 성장은 그들 스스로 교육 시설을 확보하고 교육 기회의 획득을 요구하는 바탕이 되었던 것이다. 당시 서울의 도회적 분위기 속에서 중인층이 경영하던 서당은 "수업을 받는 자가 항상 오륙십 명이 되었고 조를 나누어 강학하였으며", "한 달의 비용을 계산하여 아이들에게 분배하는"(『이향견문록』) 내용에서 볼 수 있듯이, 영리를 위주로 한 상업적인 경영을 하였다.

전통적으로 운영되는 서당의 경우 대개 훈당의 보수는 지방 유지가 단독으로 지불하기도 하고 문중이나 혹은 서당의 학전에서 해결했다. 또한 현금 지불보다는 훈장의 양식이나 의복 등을 계절마다 제공하는 것이 상례였다. 이러한 비영리적 형태의 서

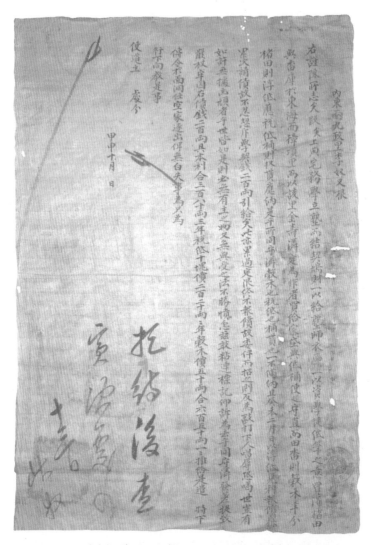

右謹陳所志矢段矣上四兄弟等�學長一代給業師金生員以資學徒能利...（후략）

소지, 62×42.2cm, 갑신년 10월, 동국대 경주도서관. 문서에 따르면 영남 버동면 구정리에 거주하는 이노李奴 우근又根의 상전이 학숙學塾을 세우고 그 비용을 충당하기 위해 동해면 장항리의 닥나무 밭과 논을 구입했다. 이후 장항리에 사는 김수린에게 집과 지통(종이를 뜰 때 재료를 물에 풀어 담는 큰 나무통)을 사주고 전답을 경작해 반으로 나누기로 하고 닥나무 밭과 지통의 세를 납부하도록 했지만, 김수린은 이를 지키지 않았다. 오히려 김수린이 그를 협박하는 지경에 이르자, 소지를 통해 그의 집을 헐어버리고 축출하기를 청하고 있다.

이 문서에 나타난 우근의 상전은 학숙을 세우는 데 뜻을 품었던 인물이다. 조선시대 소규모 교육기관은 문중이나 마을에서 공동으로 운영하곤 했는데, 우근의 상전은 학숙 설립과 운영을 위해 학계學契를 조직한 것으로 보인다. 그리하여 밭과 논을 구입해 운영 경비를 마련하려 했지만, 이 일이 수포로 돌아가려 하자 처벌을 청한 것이다.

당 경영으로부터 차츰 영리 위주의 학관 경영이 나타나고 직업적 고용 훈장이 등장하게 된 것은 전통적인 교사관의 변질을 필연적으로 가져오는 것이었다. 농경제 사회에 기반한 사제 간의 이념적 연대가 계약관계에 기반하며 좀더 영리적인 형태의 사제 관계로 변모하는 한 모습을 보여주는 것이다.

썩은 선비를 양성하는 것으로 전락한 구학舊學

한말 개화의 물결은 교사에 대한 사회적 인식에도 근본적인 변화를 불러왔다. 서세동점이라는 역사적 전환기에 사회 구조에 총체적인 변화가 일어나고 동시에 사상사적 흐름에서도 신구 사상의 갈등은 골이 깊어갔다. 이러한 시대 상황에서 교사의 사회적 역할은 크게 변화할 것을 요구받았고, 교사 스스로도 역사에 대한 새로운 해석과 도전을 필요로 했다. 이 시기의 교사에게는 구시대의 지적 전통을 어떻게 해석하고 서구적인 신사조를 어떤 방식으로 수용할 것인가가 가장 큰 과제로 떠올랐다. 이러한 갈등 상황에서 대부분의 지식인이 전통문화에 대한 정당한 계승에 실패하거나 혹은 신사상을 완강하게 배척하면서 새로운 대안을 찾는 데 실패하였다. 교사의 경우에도 구학舊學을 그때 그대로의 방식으로 고집하거나, 아니면 신사상만을 일방적으로 추종하면서 문화적 정체성을 상실했다.

　당시 개화를 주도했던 진보적인 집단에서는 전통사회의 훈장이나 교관을 시대의 발전을 가로막는 가장 반동적인 세력으로 간주했다. 이들의 논리에 따르면 전통 교육은 자제들을 고루하게 하고 경쟁심을 없애 사회생활에 막대한 지장을 초래하는 것이었다. 또한 전통 교육은 중국 문학 교육으로 아무 쓸모없는 썩은 선비[腐儒無用]를 양성하고, 청년의 지기志氣를 손상시킬 뿐이라는 것이다(『기호흥학회월보』).

갑오경장 이후 교육제도의 근대화를 위한 다양한 노력이 나타난다. 특히 교사양성 정책에서 주목되는 것은, 정부가 '교육조서'에 나타난 국민교육의 이상을 실현하기 위해 교사양성 기관인 한성사범학교의 관제를 1895년에 공포하고 교동에 신학교를 설립했다는 점이다. 이 관제는 우리나라 최초의 근대학교의 법규였을 뿐만 아니라, 전통시대와는 전혀 다른 교사상을 만들어가는 시단이 되었다. 교사를 길러내기 위한 국가 규모의 체계적이고 조직적인 제도화 작업이 나타나기 시작한 것이다. 1895년 4월에 공포된 한성사범학교 관제의 교원에 관한 규정에는, 학교장은 학부참사관으로 겸임케 하고 주임관은 내각총리대신을 경유하여 학부대신이 주청하며, 판임관은 학부대신이 전행專行하도록 명시되어 있다. 교사의 임명과 관리를 법적 체제하에 두고자 한 중앙 정부의 강력한 의지를 엿볼 수 있다. 또한 새로운 형식의 사범학교의 교육 요지를 밝히면서 기존의 유학 이념을 쓸어내고, '교육입국조서'에서 설정한 덕육·체육·지육智育의 계발이라는 새로운 목표를 제정한다. 사범학교 교과목의 변화는 교사 양성의 전면적인 변화를 뜻하는 것이었다. 급기야 1906년에는 사범학교령 시행규칙을 발표하면서 졸업생의 의무적인 복무 기간을 산정하고 있어 교직이 이제 완전한 하나의 계약관계로 정착된다. 1909년에 제정한 고등학교령 시행규칙에도 사립학교 교원의 임명은 학부대신에까지 보고하도록 함으로써 임의적인 교사의 양성이나 채용을 사실상 불가능하게 하였다. 이는 교원에 대한 통감부의 통제력을 극대화함으로써 사실상 교육을 완전히 일제의 예속하에 두고자 한 불순한 의도가 개입된 것이었다. 교원에 대한 이러한 완벽한 통제는 전통적인 교사관에서는 찾아볼 수 없는 현상이었다. 이제 차츰 교사는 학생과 삶의 의미를 함께 찾아가는 인사 人師로서의 구도자가 아니라, 법적 체계 속에서 전문적인 지식을 전달해주는 경사經師로서의 역할이 더욱 중요하게 되었다. 근대적 교사상이 형성되기 시작한 것이다.

2장

왕의 허락을 얻어
하늘을 관찰하다

◉

조선의
천문역산가

문중양 · 서울대 국사학과 교수

요즘과 마찬가지로 옛적에도 천문학은 어려웠다. 그랬기에 천문
학에 남다른 관심과 지식을 지닌 사람을 예사롭지 않은 자로 보
곤 했다. 옛 기록은 그런 사람을 '천문天文'과 '역산曆算' 또는
'역상曆象'에 밝은 자로 적고 있다. 조선전기 때까지와는 달리 성
리학을 섭렵했던 조선후기에 이르면 그런 사람은 흔히 '상수象
數'와 '역易'에 정통한 자로도 알려졌다. 천문학에 밝았다면 대
체로 주역周易에도 정통했기 때문일 것이다. 정조대 최고의 천문
역산가였던 김영이 정조 사후 주역에만 빠져 말년을 보낸 것은
전혀 예외적인 일이 아니었다. 현대 천문학을 아는 사람이라면
이해가 잘 안 될 것이다. 하지만 조선시대 천문학은 요즘 우리가
생각하는 그런 것이 아니었다. 천문역산가 역시 요즘의 천문학
자와는 많이 달랐다.

천문역산가, 왕의 명으로 천문을 읽고 일월오성의 운행을 계산하다

간단하게 용어부터 정리해보자. 조선시대의 천문학은 엄밀히 말해서 요즘 우리가 배우는 분과학문으로서의 천문학Astronomy과는 의미가 달랐다. 물론 하늘에 대한 과학 지식이 없었다는 말은 아니다. 조선시대 천문학은 관상감觀象監이라는 기관의 세 부서 중 하나를 이르는 말이었다. 천문학은 천문과 역曆을, 지리학地理學은 풍수를, 그리고 명과학命課學은 정부 내 각종 행사 및 의례를 집행할 길한 날짜를 잡는 일을 담당하는 전문 부서였다. 따라서 조선시대 천문학은 관상감 천문학 부서에서 행하던 하늘에

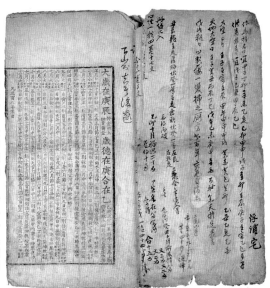

『경진년대통력』, 보물 제1319호, 1580, 국립민속박물관. 관상감에서 활자로 찍어낸 역서曆書로, 임진왜란 이전 역서로는 국내 유일본이다. 하면 좋은 일과 해서는 안 될 일을 날짜별로 기록했고, 간지별로 피해야 할 일들도 기록해두었다.

대한 전문 지식이었던 셈이다. 그것은 크게 '천문'과 '역'으로 나눌 수 있다.

천문과 역(역법 또는 역산)은 둘 다 하늘에 대한 지식이었지만 그 성격은 많이 달랐다. 요즘 말로 억지 풀이하면 천문은 점성술에 가깝고, 역은 수리천문학에 가깝다. 천문天文은 문자 그대로 '하늘의 무늬', 즉 하늘의 메시지를 뜻한다. 천문이란 그러한 하늘의 메시지를 별자리를 통해 해독하는 전문 지식이었다. 코드를 푸는 열쇠는 주로 음양오행에 입각한 연역적 추론이었다. 미적분이나 미분방정식 등을 이용해 코드를 푸는 현대 천문학을 생각하면 오산이다. 천문을 읽는 매뉴얼은 「천문지」이다.

가장 오래된 천문지는 기원전 100년 무렵 사마천이 쓴 『사기』의 「천관서天官書」이다. 한漢 제국의 천문 책임자인 태사령太史令이었던 사마천은 98좌 500여 개의 별을 지상세계의 관료 체제와 국가 안의 사물들에 대응시켜 오관 체제로 체계화했다. 절대 권력의 황제를 정점으로 하는 안정된 관료 체제를 구축하기 위한 이데올로기적 작업의 일환이기도 했다. 「천관서」의 오관 체제는 『한서』 「천문지」와 『진서』 「천문지」를 거쳐 수나라 때 「보천가步天歌」에서 238좌 1464개의 별이 '3원垣 28수宿' 체제로 체계화되어 이후 동아시아 천문 체제의 전형이 되었다.

「천관서」와 「보천가」 이후 천문이 확립되고, 지상세계의 사물들이 하늘의 별에 대응된 이후 천문을 해독하는 것은 사실 특별히 어려운 일은 아니었다. 「천문지」에 수록된 내용을 완벽하게 외우고만 있으면, 매뉴얼대로 별의 변화에 따라 그 별이 상징하는 지상세계의 일을 예견하면 되었다. 예컨대 황제의 침대를 상징하는 '천상天床'이라는 별자리를 불길한 별인 객성이 스쳐 지나가면 황제의 신변에 위험한 일이 일어날 것이라는 식이었다. 물론 매뉴얼에 없는 내용이 있을 수 있다. 하지만 사례가 있다. 옛 사료를 뒤져 비슷한 예를 찾으면 되었다. 따라서 해독하는 능력보다는 해독할 수 있는 권한이 중요했다. 해독할 능력이 있다고 아무나 하늘의 메시지를 읽는 것은 아니었기 때문이다. 천문은 자신을 대리해서 인간 세상을 다스리는 왕에게 보내는 하늘의 메시지로 이해되었기 때문에, 하늘로부터 명命(즉 천명)을 받은 절대 권력을 가진 제왕만이, 그리고 그의 명을 받은 자만이 천문을 읽을 수 있었다. 이처럼 천문은 철저하게 왕을 위해, 왕에 의해 독점되었다. 조선시대 천문학을 왕의 학문, 즉 제왕학이라고 부르는 이유가 여기에 있다. 별자리를 개인의 운세와 연결해 점을 치는 서양의 점성술과는 완전히 달랐던 것이다.

「천문지」와 함께 정통 역사서의 첫머리를 장식하는 것으로 「역지曆志」가 있다. 당대의 역법曆法을 정리해놓은 책이다. 일월오성의 운행과 궤도 등에 대한 천문학 상수와 계산치들을 정리한 내용을 담고 있다. 천문이 지극히 정성적인 해석에 의존하는 데 비해 역은 철저하게 산술적인 계산에 기반했다. 그렇기에 역을 역산이라 불렀고, 현대 과학의 기준으로 보아도 훌륭한 수리천문학 지식이었다.

이러한 역법은 천문과 함께 오래전부터 발달했다. 이미 춘추시대에 19년 7윤달의 윤달배치법이 확립되었고, 한나라 무제 원년인 기원전 105년에 '태초력'이라는 역법이 시행되었다. 이후 동아시아에서 역법이 반포되지 않은 적이 한시도 없었고, 우수한 역법의 반포는 왕조 성립의 필요충분조건이었다. 하늘의 메시지를 읽는 천문이 왕에 의해 철저하게 독점된 제왕학이듯이, 하늘의 운행을 보고 정확한 때를 알려주는 역법 역시 천명을 받은 제왕 된 자의 독점적 권한이자 의무였다. 그랬기 때문에 역법을 바꾸는 개력은 대개 '수명개제受命改制'의 원칙이 적용되어 모든 왕조는 항상 역법을 새로이 반포했다.

천문역산가란 이처럼 왕의 명을 받아 그를 대신해서 천문을 읽고, 일월오성의 운행을 계산해 역서를 간행·반포하는 일을 전담하는 정부 내 전문가였다. 왕으로부터 위임을 받지 않은 자가 천문을 공부하고 읽는 것은 원칙적으로 금지되었다. 천문을 공부하다가 처벌받은 사례가 사료에 나타난 적은 없지만, 『대명률』에 의해 처벌받는 것이 원칙이었다.

요와 순 임금 때부터 중시된 천문과 역
고려사에 역지와 천문지 수록

제왕학으로서 천문과 역은 일찍부터 제도화가 이루어졌다. 『서경』에 보면 성군으로 추앙받는 전설적인 요堯와 순舜 임금이 제위에 오른 뒤 무엇보다 앞서서 천문과 역을 중요시했음을 알 수 있다. 요 임금은 '희화씨羲和氏'라는 천문 관원을 전국에 파견해 일월오성의 운행을 관측하도록 했고, 순 임금은 '선기옥형璇璣玉衡'이라는 혼천의를 창제해 천문관측 활동을 제도화했다. 중화 문명의 전형을 확립했다고 여겨지던 주나라에서는 수도 낙양 근

요 임금이 천문 관원 희화씨를 전국에 파견하는 장면을 그린
『서경』의 '명관수시도'

현재 하남성 양성 등봉에는 주공이 세웠다고 믿는
주공측영대周公測景臺가 남아 있다. 그러나 실제로
는 당나라 때 복원한 것이다.

개성 **만월대** 근처에 있는 고려시대의 천문 관측대

처 양성이라는 곳에 국립천문대를 설립했다고 알려져 있다. 그러나 본격적인 천문관측 활동을 제도적으로 확립한 것은 태초력을 반포 시행했던 한 무제 때일 것으로 추정된다. 당시 설립된 국립천문대에는 1000명이 넘는 관원들이 천문관측과 역법계산 활동을 전문적으로 수행할 정도였다.

이러한 천문활동이 우리나라에서 언제부터 제도화되었는지 분명치는 않다. 『삼국사기』에는 「천문지」와 「역지」가 없다. 편찬자인 고려의 유학자 김부식이 제후국인 삼국의 역사서에 감히 수록하지 않은 것이다. 그러나 여러 기록에서 간헐적으로 발견되는 것을 통해, 삼국 모두 국가 체제의 정비와 함께 천문과 역활동을 국가적으로 중시했음을 알 수 있다. 4세기 중반부터 조성된 고구려 고분 천정에 세련된 천문도들이 그려져 있는 것에서 짐작할 수 있듯이 고구려에서는 일찍부터 천문사상이 확립되어 있었고, '일자日者'라는 천문 관원이 있었다. 백제는 약간 늦은 5세기 초부터 '원가력'이라는 중국 역법을 수입해 썼고, 후진국 신라에서는 7세기 중반 무렵에 이르러서야 비로소 첨성대를 조성하고(647년) 누각전漏刻典을 설치하는 등 천문제도가 확립되었다. 물시계 전문가인 누각박사와 역법 전문가인 역박사라는 관원도 있었다. 삼국 통일 이후에는 당의 인덕력을 시행한(674년) 이후 줄곧 당의 역법을 수입해 썼다.

『고려사』에는 「역지」와 「천문지」가 당당히 수록되어 있다. 그것도 12개 지志 중에 「천문지」가 첫 번째, 「역지」가 두 번째로 등장하는 데에서 짐작할 수 있듯이 고려시대에는 천문과 역이 제도적으로 확고하게 정착했다. 초기부터 태사국과 태복감을 설치했고, 1308년에 서운관書雲觀으로 합병해 출범한 이후 서운관은 훗날 관상감으로 이름을 바꾸었을 뿐 줄곧 천문과 역의 전문부서로서 존재했다. 조선시대 천문역산가들은 이 관상감에서 천문, 역수曆數, 측후測候, 각루刻漏의 네 가지 업무를 수행했다.

관상감, 천문역산가들의 활동 무대

조선의 관상감은 고려의 서운관이 세조 12년(1466)에 관상감으로 확대 · 개편되어 1894년 근대적인 기상 관측소인 '관상소' 설치로 폐지될 때까지 줄곧 조선 천문역산가들의 중심 활동 무대였다. 관상감은 의례와 제도를 주관하는 예조 소속이었고, 천문학 · 지리학 · 명과학의 세 부서와 부속 기관인 금루청으로 구성되었다. 금루청이란 물시계를 관리하고 시각을 알려주는 업무를 맡는 실무 기관이었다. 영의정이 영관상감사로서 당연직 총책임자이고, 종2품의 당상관 중에서 천문역산에 해박한 두 명의 제조를 두어 관리 감독하도록 했다. 그 밑에 정3품 당하관인 정正부터 종9품에 이르기까지 30여 개의 녹봉을 받는 관직이 법으로 정해져 있었다. 그중에 동반체아직이 공식적으로 관상감을 대표하는 관직으로 행정 업무를 담당했다. 1년에 두 번 취재시험을 보아 그 성적에 따라 선발했고, 6개월 근무 후에 연임 없이 물러나는 자리였다. 동서반의 실녹관직은 관원들의 교육과 시험 등을 운영하는 업무를 30개월이나 45개월의 비교적 긴 기간 동안 안정적으로 맡는 관직이었다.

이러한 관상감 직제를 보면 소속 관원이 30여 명에 불과한 듯하다. 그러나 이 직제는 녹봉을 받으면서 관상감을 대표하는 법적 관직만을 나열한 것일 뿐 실제 관상감에는 지위에 따라 부여받는, 업무가 다른 여러 위계적 관원 집단들이 소속되어 있었다. 천문학 부서에만 가장 상위의 삼력관三曆官부터 수술관修述官, 추보관推步官, 별선관別選官, 총민聰敏 그리고 제일 하위의 전함前銜

조선 전문가의
일생

56

「도성도」의 관상감. 조선시대 관상감은 초기에는 경복궁 궐내각사 구역에 있었다. 후기에는 창덕궁 금호문 앞에 본관이 경희궁 남쪽에 별관이 각각 위치했다. 본관이 있던 자리는 현재 현대건설이 있는 곳으로 당시의 관천대가 그대로 남아 있다.

집단까지 130여 명이 있었다.

가장 상위에 위치한 삼력관은 17세기 시헌력 시행 이후 신설된 관원 집단인데, 정원은 30~35명으로 관상감 천문학 부서의 중요한 사업에 차출되거나 상위 녹관직에 나아갈 자격이 주어진 특권적 관원 집단이었다. 이들은 삼력관으로서 정해진 녹봉과 임무는 없지만 여러 사업에 차출되거나 천문학 교수직을 비롯한 녹관직에 임명되므로 대부분 녹봉을 받으며 천문관원으로서 맡은 바 일을 하게 되었다. 북경 사신 일행에 파견되는 관원도 삼력관에게만 주어지는 대단한 특혜였다. 역서 편찬을 위한 삼력청에 차출되는 인원만 매년 24명으로, 결국 삼력관 중에 임무를 맡지 않은 이는 거의 없을 정도였다. 정해진 임기가 없는 까닭에 한번 삼력관이 되면 은퇴하지 않는 이상 계속 삼력관 지위를 유지했다. 결원이 생기면 하위 집단인 수술관 중에서 시험을 치러 우수한 자를 발탁해 충원했다. 수술관 이상은 음양과에 급제한 자들에게만 자격이 주어졌으므로 삼력관원은 모두 잡과 출신자였던 셈이다. 이러한 삼력관은 명실상부한 조선시대 천문역산가를 대표하는 집단이었으며 천문역산가들의 꿈이었다.

삼력관 이하 관원 집단들은 덜 중요한 사업과 관직에 차출되었고, 임무를 맡지 못한 이들도 적지 않았다. 12명 정원의 수술관은 주로 일식과 월식 계산 업무에 차출되었고, 10명 정원의 추보관은 보조 역법인 칠정산내편의 계산과 역서 편찬 사업에 매년 4명이 차출되었다. 70~80명에 달하는 하위 집단인 별선관, 총민, 전함은 특별히 정해진 업무 없이 관측과 입직 업무 등의 보조자로서 사소한 잡무에 수시로 차출될 뿐이었다. 녹봉도 당연히 없었고 단지 부정기적인 차출 때마다 약간의 급료를 받을 뿐이었다. 이러한 하위직 관원들은 그야말로 먹고살기에도 바빴다.

직품	체아녹관직		실녹관직	
	동반	서반	동반	서반
정3품	정 1			
종4품	첨정 1			
종5품	판관 1	부사직 1	천문학 교수 1 지리학 교수 1	천문학 겸교수 1 명과학 겸교수 1
종6품	주부 1	부사과 2+α		
종7품	직장 1	부사정 3		
종8품	봉사 1	부사맹 2		
정9품	부봉사 1		천문학 훈도 1 지리학 훈도 1 명과학 훈도 1	
종9품	참봉 2	부사용 3		천문학 체아교수 1 명과학 체아교수 1
합	9	11+α	5	4

조선후기 관상감의 녹관직 체계

七政筭內篇 一

세종대 1442년에 편찬된 『칠정산내편』. 규장각한국학연구원. 우리 역사에서 처음으로 독자적으로 계산한 데이터와 관측치에 기반한 우수한 역법이다. 『세종실록』에 수록되어 있다.

世宗莊憲大王實錄卷第一百五十六

七政筭內篇卷上

高麗崔誠之從忠宣王往元得授時曆法以還本國始遵
用之然術者且浮其造曆之法其日月交食五星分度等
法則未之知也世宗命鄭欽之鄭招鄭麟趾等推步累歲
究得其妙其術未盡究者加以啟斷始釋然矣又得大
陰太陽通軌於中朝其法小異而其稍加詳括之乃知中原曆官有差
得田田曆法命李純之金淡考校之乃知中原曆官有差
諛者而或加潤正為外篇於是曆法可謂無遺恨矣

天行諸率

周天分三百六十五萬二千五百七十五分

周天度三百六十五度二十五分七十五秒
半周天一百八十二度六十二分八十七秒半
歲實三百六十五萬二千四百二十五分
周天象限九十一度三十一分四十三秒太
周歲三百六十五日二千四百二十五分
半歲周一百八十二日六十二分十二分半
歲象限九十一度三十一分○六秒少
歲差一分五十秒
歲餘五萬二千四百二十五分
月閏九千六百一十二分八十二秒
日周一萬
半日周五千

日行諸率

通閏一十○萬八千七百五十三分八十四秒

관상감 천문학 부서 관원들이 일상적으로 맡았던 업무 중 중요한 일은 역서 편찬과 간행, 천변재이의 관측과 보고, 그 외 일월식의 예보와 구식례救蝕禮 등이었다. 그중 가장 중요한 것은 매년 정기적으로 수행했던 역서 편찬과 산행일 것이다. 조선시대 관상감에서 편찬·간행하는 역서는 크게 나누어 일과력日課曆과 칠정력七政曆이 있었다. 일과력은 요즘의 달력과 같은 기능을 하는 것으로 1년 동안의 날짜와 길흉을 주 내용으로 담은 책이다. 칠정력은 요즘의 천체력과 같은 것으로 일월오성을 비롯한 천체들의 운행 도수 데이터를 담은 책이다. 천체력인 칠정력은 일반인에게는 필요 없는 것으로 왕과 세자에게 바치는 것과 관상감 비치용으로 소량만 인쇄했으며, 나머지 역서는 모두 일과력으로 '관상수시觀象授時' 관념에 의거해 대소 신료들을 포함해 일반인들에게도 널리 배포했다.

조선초기의 역서는 세종대에 확립한 독자적인 역법인 『칠정산내편』에 입각한 것이었지만, 1654년 이후에는 시헌력에 입각한 「시헌력서」가 공식 역서로 바뀌었고, 칠정산내편에 의한 「대통력서」는 보조 역서로 남았다. 「시헌력서」는 삼력관 중에서 24명을 차출해, 12명씩 나누어 일과력과 칠정력을 각각 계산·편찬하게 했다. 또 보조력인 「대통력서」는 추보관 중에서 4명을 차출해 계산·편찬하도록 했다. 시헌력의 경우 편찬 작업은 그 전해 10월에 선발해 팀을 짜고, 4명이 한 조가 되어 한 계절씩 계

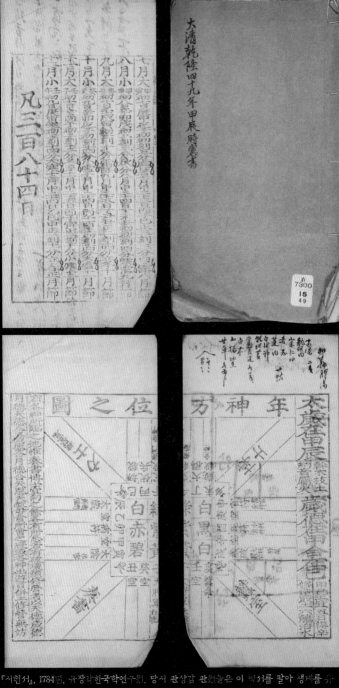

『시헌서』, 1784년, 규장각한국학연구원. 당시 관상감 관원들은 이 역서를 팔아 생계를 유지했다.

正月大 ... 二月小 ... 三月大 ... 閏三月小 ... 四月大 ... 五月大 ... 六月小 ... **大韓光武二年歲次戊戌明時曆**

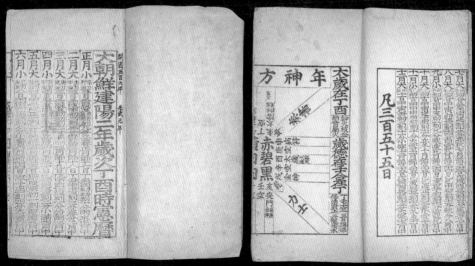

開國五百六年

正月大 ... 二月大 ... 三月大 ... 四月小 ... 五月大 ... 六月小 ... **大朝鮮建陽二年歲次丁酉時憲曆** 光武元年

年 神 方 ... 太歲在丁酉 歲德在壬 ... 赤碧黑 ... 凡三百五十五日

조선시대에 간행된 각종 시헌서이다. 「명시력」은 대한제국 이후 시헌력의 이름이 개칭된 것으로, 1897년 제작된 것으로 추정되며, 오른쪽의 「시헌서」는 1836년에 간행된 것으로, 서양 역법을 기초로 했다. 왼쪽의 「시헌력」은 1896년 제작된 것으로 추정되는데, '대조선'이란 국호를 넣어서 만든 자주적인 역서이다. 다른 시헌력과 달리 태양력날과 요일, 국가적·민족적인 축제와 조선의 대왕·대비·세차 등의 탄신과 기신忌辰이 실려 있다. 서울역사박물관 소장.

산해서 다음 해 동지 무렵에 인쇄가 마무리되었다. 꼬박 1년 동안 편찬 작업을 한 셈이다.

인쇄된 역서는 왕과 세자에게 먼저 바치고, 그 후 궁내 부서들과 고위층 관료들 그리고 전국의 각 관아에 골고루 배포했으며, 관상감에 보관용으로도 두었다. 조선초기에는 5000여 부를 간행한 것이 전부로 일반인에게는 거의 돌아가지 못했다. 그런데 조선후기에 이르면 간행 부수가 폭발적으로 증가한다. 기록에 의하면 정조대인 1791년에 무려 29만 책을 간행했다. 또 고종대인 1867년에는 35만 책을 간행했다. 당시 조선의 인구를 고려하면 인구 22~25명당 한 권꼴인 셈이다. 즉 5~6가구당 한 권이 돌아갈 수 있는 수치이다.

30여만 권이나 되는 그 많은 역서 중에 고위층과 각 관아에 배포한 것은 15퍼센트에도 미치지 못했다. 85퍼센트 이상인 대부분의 역서는 '관상감 사건私件'이라 하여 관상감에서 독자적으로 처리했다. 그것은 모두 판매용이었는데 일부는 관상감의 운영비로 충당했고, 나머지는 관원들에게 지위에 상응하게 차등 지급했다. 지급받은 역서는 개인적으로 판매해서 생계에 보탰다. 권당 가격은 시장 논리로 책정되었다. 역서 인쇄 비용을 포함한 관상감의 운영비를 판매 대금으로 충당해야 했는데, 인쇄 부수에 따라서 시장 가격이 달라지는 까닭에 어느 정도의 부수를 인쇄해야 적절할지에 대한 논의가 심심치 않게 등장할 정도였다. 관원들 중에는 사적으로 역서를 인쇄·판매해 이득을 챙기는 이들도 꽤 있었던 듯하다. 그로 인해 역서 값이 폭락해 문제가 생긴 것으로 미루어보면 알 수 있는 사실이다.

조선전기 때라면 상상도 할 수 없는 일이었다. 역서의 편찬과 간행·배포는 왕의 독점적 권한으로서, 모든 역서는 왕의 하사품이어야 했다. 사적인 간행은 왕의 절대적 권한을 침해하는 역모나 다름없었다. 우리의 경우에는 예가 없지만, 중국의 경우는 사적으로 역서를 간행해 팔아 이익을 챙기다가 사형을 당한 일이 심심치 않게 사료에 등장한다. 하늘 아래 지존인 왕의 하해河海와 같은 은혜로 여겨지던 역서가 관상감 관원이 자의로 인쇄해 공공연하게 거래하고, 그 이익으로 생계를 유지하다니! 세상이 달라져도 엄청 달라졌다. 이제 천문과 역은 왕의 독점으로부터 어느 정도 벗어난 듯 보인다. 요 임금과 순 임금의 '관상수시'는 이상적인 관념일 뿐, 현실은 하늘의 운행 도수를 담은 책이 상품으로 거래되는 사회가 되어버린 것이다.

조선후기 들어 전문 집단화
김상범, 허원, 안중태의 활약

세상이 달라진 것은 천문역산가들의 모습에서도 찾아볼 수 있었다. 조선전기의 천문관원들은 고려시대 잡학인의 전통에서 벗어나지 못한 처지였다. 전문가로서의 능력도 모자랄 뿐 아니라 사회적 대우 역시 좋은 편이 아니었다. 실제로 세종대의 눈부신 천문역법과 천문기구 창제 프로젝트를 관상감(당시는 서운관)의 천문관원들은 주도하지 못했다. 모든 프로젝트가 관상감 외부에서 핵심 팀을 꾸려 진행되었다. 당시 프로젝트가 장벽에 부딪힐 때마다 문제 해결사로서 나섰던 장영실을 보라. 자격루 창제로 유명한 그는 노비 출신으로 상의원尙衣院 소속이면서도 세종의 총애를 받으며 프로젝트 팀에 합류해 주도적인 역할을 했다. 공식적으로 천문관원이 아니었다는 말이다. 사실 천문관원으로서 눈부신 세종대 천문학의 성과에 이름을 남긴 이는 없었다. 그만큼 관상감 소속 천문학 관원들이 전문가 집단으로서 역할하지 못했음을 짐작케 한다.

조선 초 기피 직업이었던 천문역산가는 후기로 가면서 전문가 집단으로 성장했다. 앞서 살펴본 바처럼 조선후기 시헌력 시행 이후에 생겨난 삼력관은 꽃 중의 꽃, 천문역산가라면 누구나 열망하는 직위였다. 삼력관과 같은 고위직 천문역산가로 출세하려면 잡과 중에 음양과에 합격해야 했다. 음양과는 태종대 1401년부터 시행해서 1894년 과거제도가 역사의 뒤안길에 묻힐 때까지 많은 급제자를 냈다. 18~19세기 잡과방목에 의하면 총 831명의 급제자를 배출했다. 음양과 합격자를 배출하는 집안도 몇몇 명문 가문으로 모아졌다. 천문역산가가 점점 세전화되고, 소수 전문가 집단에 의해서 독점화되었음을 의미한다.

전문가로서의 조선후기 천문역산가들은 천문학의 발전에서도 주도적인 역할을 했다. 1654년부터 시행한 시헌력의 반포와 그 완성을 주도한 그룹은 관상감의 천문역산가들이었다. 작업 역시 관상감을 통해서 이루어졌다. 그들은 정기적으로 북경에 파견되어 최신의 천문역산서를 구입해오는 일과 더불어, 독자적으로 해결하지 못한 역산 문제들을 북경에서 배워오는 임무도 수행했다. 1650년대 초반 북경에서 시헌력의 핵심적인 내용을 배워오

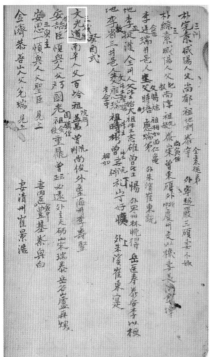

『잡과방목』 중 「관상감방목」 부분. 규장각한국학연구원. 조선시대 '음양과' 합격자 명단을 수록한 「관상감방목」이다. 명단에서 청조대 서호수를 가르쳤던 문광도나 성주덕의 이름을 볼 수 있다.

는 임무를 잘 감당했던 관상감 관원 김상범이 없었다면 시헌력 시행은 여러 난관에 부딪혔을지 모른다. 18세기 초 허원을 비롯한 관상감 관원들의 활약으로 시헌력 체제는 안정되게 정착할 수 있었다. 1720~30년대 안중태의 활약으로 『역상고성체제』를 섭렵할 수 있었으며, 1740년대 안국빈의 활약으로 『역상고성후편』 체제를 완성해낼 수 있었다.

사대부 천문역산가들이 출현하다

달라진 모습은 중인층 천문역산가에게서만 볼 수 있는 게 아니었다. 사대부들에게서도 달라진 모습을 찾을 수 있다. 일반적으로 사대부 유학자라면 천문역산에 어느 정도 깊은 지식을 지니고 있어야 했다. 『서경』의 「요전」과 「순전」 앞머리에 있는 '기삼백주'와 '선기옥형' 조는 『서경』 중에서도 가장 어려운 내용이었다. 그것을 이해 못 하고 『서경』을 완전히 뗐다고 할 수 없을 것이다. 안동의 도산서원에 가면 나무로 만든 혼천의가 있는데, 이황이 제자들을 가르치기 위해서 제작한 것이다. 교육용 혼천의는 송시열의 지시로 제작된 것도 현재 남아

『서전대전書傳大全』과 본문에 실린 '선기옥형도'(오른쪽), 규장각한국학연구원. 조선시대 사대부들은 『서경』을 공부하는 데 있어 반드시 선기옥형을 이해해야만 했다.

璿璣玉衡圖

地平

地心

水準

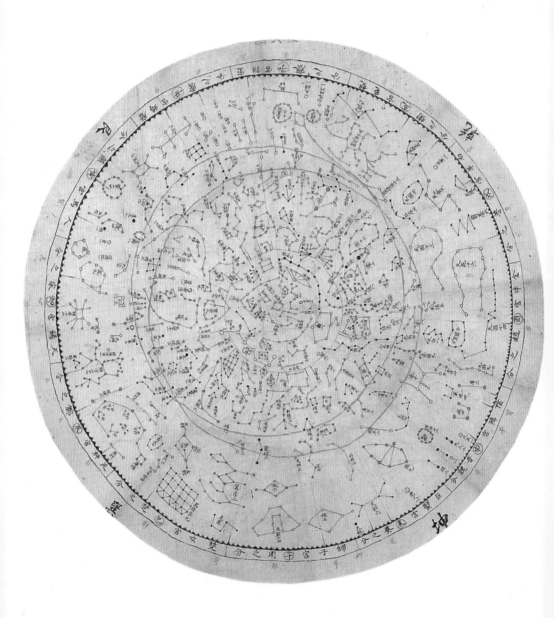

「천문도」, 종이, 지름 76.7cm, 조선후기, 서울역사박물관. 「천상열차분야지도」의 별 그림 부분만 그린 전통적인 민간 천문도이다. 조선의 사대부들은 사사롭게 천문도를 갖기 원해 종이나 비단에 필사하는 것이 유행이었다. 이 천문도는 숙종 석각본에 비해 별자리의 위치가 부정확하며 은하수의 표현도 생략되어 있다.

있다. 이처럼 일반적으로 사대부라면 경전 공부를 위해서 천문역산에 어느 정도 관심을 가졌다. 그러나 그것이 전부였다. 그 이상 깊이 있게 천문역산을 공부하는 것은 군자로서 바람직하지 않았다. 중인층이나 하는 공부라는 인식이었다.

물론 조선전기에도 적지 않은 사대부 천문역산가들이 있었다. 세종대 천문학 프로젝트를 주도했던 정초, 정인지, 이순지, 김담 등은 모두 문인 관료였다. 그러나 그들은 스스로 좋아서, 원해서 천문역산을 공부했던 것이 아니었다. 세종의 명령으로 천문역산 공부를 시작하고, 관료로서 천문 프로젝트를 맡아 수행했다. 실제로 세종대를 비롯해 조선전기 사대부들은 천문학 공부를 꺼렸다. 그럼에도 불구하고 당시 중인층 천문 관원들은 잡학인으로서 어려운 프로젝트를 수행할 지적인 능력이 부족했기 때문에 문인 관료들을 훈련시켜 천문역산가로 키웠던 것이다. 이것이 소위 '잡학겸수관' 제도이다. 젊은 인재들을 발탁해 천문역산을 훈련시켜, 관상감 제조로 삼고 천문 프로젝트를 주도하게 한 것이다. 물론 대부분의 문인 관료들은 이를 기피했고, 그러한 현실을 감안해 잡학겸수관 훈련을 마친 문인 관료는 그에 상응하는 특혜를 주었다. 즉 일계급 특진시키거나 요직에 우선적으로 기용되곤 했다.

이러한 잡학겸수관 제도는 조선후기에 이르면 사라진다. 사정이 달라지기 때문이다. 관상감의 중인층 천문역산가들은 이제 더 이상 지적으로 무능한 자들이 아니었다. 그들은 선배 세대와는 달리 전문가로서 충분한 능력을 갖췄던 터였다. 실제로 그들은 시헌력 시행과정에서 잘 보여주었듯이 정부 내 천문 프

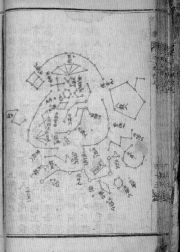

紫微垣

中元北極紫微宮北極五星在其中大帝之坐第二
珠第三之星庶子居第一却親為太子四為後宮五
天樞左右四星曰四輔天一却親當門左樞右樞
夾南兩面營衛一十五十五上宰少尉上當門上輔星少
衛少丞相對垣西上丞位少衛方當上德明次第
相連於少輔上輔少尉接樞戶陰德門裏調賁是尚
書以次其位五女史柱史各一戶御女四黃五天柱
大理兩烏陰德遍句陳尾拈止垣顏句陳六星六甲
前天皇獨坐句陳內坐東門是華蓋并十
六星杠十象蓋上連連九景星名曰傳舍
如連丁垣外左右各六星右是內廚階前八

『천문류초天文類抄』, 이순지, 인조연간, 서울역사박물관. 세종대에 이순지가 왕명을 받들어 편찬한 천문서로 이 책은 인조대에 간행된 목판이다. 천문학의 기본서로 조선후기까지 서운관과 관상감 관리들의 필수 시험교재로 사용되었다.

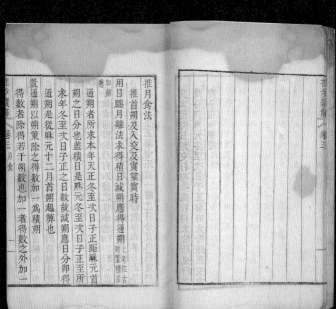

推月食法

推首朔及入交及實望實時

用日躔月離法求得積日減朔應得通朔 比考往古 附置積古

應

通朔者所求本年天正冬至次日子正距曆元首
朔之日分也盖積日是曆元冬至次日子正至所
求年冬至次日子正距曆元首朔之日分即得
通朔是從曆元十二月子正首朔起算也
置通朔以朔策除之得數加一為積朔
得數者除得若干朔數也加一者得數之外加一

『추보속해』, 남병철, 1862, 서울역사박물관. 4권3책으로 구성되었으며, 천문, 역수에 관
해 해설하고 있다. 그의 서문에 따르면, 중국 강영의 『추보법해』를 기본으로 일진

로젝트에서 맡은 바 임무를 훌륭하게 수행해냈다. 게다가 문인 사대부들도 달라졌다. 천문역산이 재미있어서, 또 가치 있는 지식이라고 믿어서 천문역산을 공부하는 사대부들이 대거 출현했다. 경전 공부 외의 잡학 지식이 사대부로서 공부할 가치가 있다는 학풍이 18세기 중엽 이후 조선 학계에서 싹튼 것이다. 가학으로 천문학을 공부하는 집안들도 생겨났다. 18세기 후반 서명응, 서호수, 서유구로 이어지는 소론계 대구 서씨 집안이 그러했고, 19세기 초 노론계 홍석주, 홍길주 형제 집안이 그러했다. 그들은 관상감 천문학 관원 못지않은 깊은 천문역산 지식을 지닌 전문가들이었다. 그들은 조선 초 세종대 정초, 정인지, 이순지 등 세종의 명으로 천문학을 공부한 사람들과는 마인드가 달랐던 것이다.

조선후기 사대부 천문역산 전문가들은 정부 안팎에서 적극적인 활동을 펼쳤다. 서호수는 정조대 관상감 제조를 줄곧 역임하면서 정부 내 천문 프로젝트를 주도했던 대표적인 인물이다. 숙종대 영의정을 지낸 최석정은 『구수략』이라는 수학서를 집필할 정도로 천문역산에 깊은 지식을 지녔고, 천문도와 지도 제작 등을 주도했던 인물이다. 19세기 중엽 남병철, 남병길 형제도 주목할 만하다. 무려 30여 권에 달하는 천문역산서를 집필한 그들은 고위직을 지내면서 관상감 제조를 역임했고, 줄곧 관상감 업무를 관리, 감독했다.

관료로서 정부 내 천문 사업을 맡아 하지는 못했지만 관료계 바깥에서 활발한 활동을 한 사대부도 적지 않았다. 지동설을 주창했던 노론계의 김석문과 홍대용이 그 대표적인 인물이다. 그들의 천문역산에 대한 관심과 공부는 개인적인 취향으로만 그치지 않고, 조선 학계에서 커뮤니티를 이룰 정도였다. 18세기 말 이가환, 정철조, 유금 등이 그러했다.

3장

의관으로 출세하기 위한
험난한 길

◉

명의와 속의俗醫의 경계에 선
조선의 의원들

신동원 · 한국과학기술원 인문사회과학부 교수

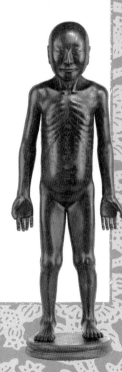

414년, 최초로 기록된 신라의 의사

의료직은 동서양을 막론하고 매우 오래전에 전문화된 직업이다.
우리나라도 예외는 아니다. 한국사에서 의료 관련 직업에 관한
기록은 삼국시대부터 보인다. 비록 대다수 사람이 병에 걸렸을
때 무당의 굿이나 승려의 기도에 의지하곤 했지만, 그런 가운데
서 전문적인 의학 지식을 갖춘 의사들이 속속 등장하기 시작했
다. 우리나라는 삼국시대 들어 고대 국가의 틀이 확립되고, 중국
으로부터 한의학이 전래됨에 따라 국가의 의료제도가 마련되었
다. 특히 의사에 관한 가장 이른 기록은 414년의 것이다. 이해
신라의 김무金武라는 양의良醫가 일본 윤공제允恭帝의 고질적인
다리 병을 고쳤다는 기록이 있다. 같은 시기 신라 의사 진명鎭明
은 윤공천황 왕후의 인후 병을 치료했는데, 이 처방이 808년에
편찬된 일본의 의서 『대동유취방大同類聚方』에 실려 있다.

삼국 가운데 중국 문물 수입이 가장 더뎠던 신라의 모습이 그러했다면, 고구려나 백제는 어떠했을까? 이는 『일본서기』(권19, 웅략주雄略主 3년)의 기록에서 확인할 수 있다. 452년 일본이 백제에 양의를 초청하자 백제는 고구려 의사 덕래德來를 보내주었다는 것이다. 그는 일본 난파難波에 거하며 자자손손 의업을 행하여 난파약사라는 칭호를 얻었다고 한다. 이러한 기록을 통해 5세기 무렵 삼국의 의술 수준이 모두 일정 궤도에 올라 있었음을 알 수 있다.

5세기 삼국과 일본의 의학 교류는 한국 의학 전통의 기원에 대해서도 시사하는 바가 크다. 의학 수준이 높은 곳에서 낮은 곳으로 전수되는 양상을 보였던 것이다. 541년 백제 성왕은 중국에 의생醫生을 보내줄 것을 청했고, 양무제는 이 청을 들어주었다. 이로부터 20년 후인 561년 중국 소주 사람인 지총智聰은 『내·외전』, 『본초경』, 『맥경』, 『명당도』 등 의서 164권을 가지고 고구려에 왔다. 의학 분야가 명시되어 있지 않지만, 이보다 앞서 372년 고구려에서 중국을 모방해 태학을 설립했을 때, 여기에는 불경 및 유학 경전과 함께 의학 서적이 있었을 가능성이 높다.

이러한 내용을 토대로 했을 때, 삼국에서 의학이 일정한 궤도에 오른 것은 4세기 전후로 추측할 수 있다. 의술을 펼치는 의원이 존재했고, 의술로 명성을 날린 인물도 있었다. 김무, 진명, 덕래 등은 일본에 파견되어 이름을 남긴 자이며, 그보다 뛰어난 의인醫人은 국내에 남아 있었을 것이다. 그들은 주로 왕과 귀족의 건강을 지키기 위한 왕실 의료의 틀 안에 존재했을 것이다.

중국에서 보낸 의사이건 국내에서 양성된 의사이건 간에 그들은 어떤 형식으로든 자신의 후계자를 길러냈을 것이다. 아마도 일본에 파견된 의사인 덕래의 후손처럼 자자손손 세업을 잇는 것이 일반적인 형태가 아니었을까? 그러나 나라의 기틀이 완비되고 의료의 수요가 많아지면 다른 형태의 의학 학습을 필요로 하게 된다. 바로 의학 전통을 공적 제도 안에서 계승하는 방식이 그것이다. 553년 백제 성왕 때의 기록(『일본서기』 권19)을 보면, 의박사醫博士라는 명칭이 보인다. 이 명칭은 교육을 담당한 의학 관리를 뜻해, 의학 교육이 정부의 공식 기관 안에서 이루어졌음을 알려준다. 이 제도는 중국 위魏나라의 제도를 본뜬 것으로, 백제와 마찬가지로 고구려나 신라도 비슷한 제도를 운영했을 것으로 여겨진다.

의학 교육의 형식이 완비된 것은 692년(신라 효소왕 원년)이다. 삼국통일 후 신라는 관제 정비에 나섰으며 의학의 경우는 교육 기관인 '의학'의 설치로 나타났다. 『삼국사기』 「직관지」 '의학'에는 "박사 2인으로 하여금 학생에게 『본초경』 『갑을경』 『소문경』 『침경』 『맥경』 『명당경』 『난경』 등을 교수케 한다"고 적혀 있다. 즉 그 과목들은 모두 의학의 기초를 배우기 위한 것임을 알 수 있다. 또 제시된 서적들은 직접 임상에 활용하기 위한 것이라기보다는 몸의 생리학, 병리학, 진단학, 경락학, 약물학 등의 기본을 이해하기 위한 교재이다. 그것은 고대 이후 현대까지 지속되는 특징이기도 하다.

조선중기 관료사회에서 의관을 비롯한 잡관의 위치는 조선 초에
확립된 큰 원칙, 곧 "문·무관보다 하등"이라는 틀을 벗어나지
못했다. 『성종실록』(성종 15)에서는 "의원은 처음부터 잡과雜科를
거쳐서 진출한 자이므로, 조종祖宗 때부터 사림士林의 반열에 끼
지 못한 지 오래되었습니다"라고 기록하고 있다. 사림의 반열에
들지 못했다는 것은 곧 의과 출신인 의관이 동반東班과 서반西班
의 양반 요직으로 나아갈 수 없음을 뜻한다. 오직 의원직만 맡을
수 있었는데, 이들의 경우 최고 직책이 당하관 정3품인 내의원
의 정正이었다.

이렇듯 요직을 차지하지 못하고 최고 관직이 제한되어 있었던
까닭에 과거 지망생이 의학에 종사하는 것을 꺼리는 현상이 종
종 일어났고, 16세기 후반부터는 양반 출신인 서얼들의 직업으
로 전락했다. 의관은 문관이나 무관보다 낮은 잡관에 속했지만,
잡관 중에서는 통역 일을 맡아본 역관이나 풍수지리와 점복을
치는 직책, 법률을 맡은 율과律科 출신들보다는 높은 위치에 놓
였다. 의술은 사람의 생명을 구제하는 직업이었기 때문이다. 임
금이나 왕실, 대신들의 생명 역시 의학이 좌지우지할 수밖에 없
었다. 평시에는 사람들이 의원을 천하게 여기다가도 병이 들면
급급하게 의원에게 의지하여 살기를 구하는 형편이었기 때문에
그들을 가벼이 여기지 못했다. 또한 의관이 왕이나 왕자의 병을
고친 경우는 특별한 상을 내려 높은 품계를 주는 일이 종종 일어

나곤 했다.

조선시대에도 의원은 전문화되어 있었다. 이는 국가 의료기구 안에서 확인할 수 있다. 왕실 의료는 약을 위주로 하는 내의内醫(또는 약의藥醫)와 침을 위주로 하는 침의鍼醫로 나뉘어 있었다. 조선왕조실록을 보면, 왕이 병중에 있을 때 침 진료는 오직 침의만 담당하며 내의는 탕제와 환약 등 약제 처방만 다루고 있음을 알 수 있다. 침의는 또 침을 써서 종기를 치료하는 일과 뜸 치료를 함께 맡았다. 침의의 수는 약의보다 훨씬 적었으며, 대우도 약의보다 낮았다. 종의腫醫는 종기만을 전문으로 치료하는 의원이었다. 그들은 침의 가운데서 더욱 전문화한 경우도 있었고, 특별한 고약 따위를 쓰는 경우도 있었다. 이밖에도 조선후기에는 부인과, 소아과, 안과 등을 전문으로 하는 의원들이 생겨났다.

조선시대에 의학생도가 의관으로 출세하기 위한 길은 험난했다. 의학 공부를 시작하기 전에 경전과 역사서는 필수로 습득해야 했고, 공부를 시작하면

침통, 조선후기,
가천박물관

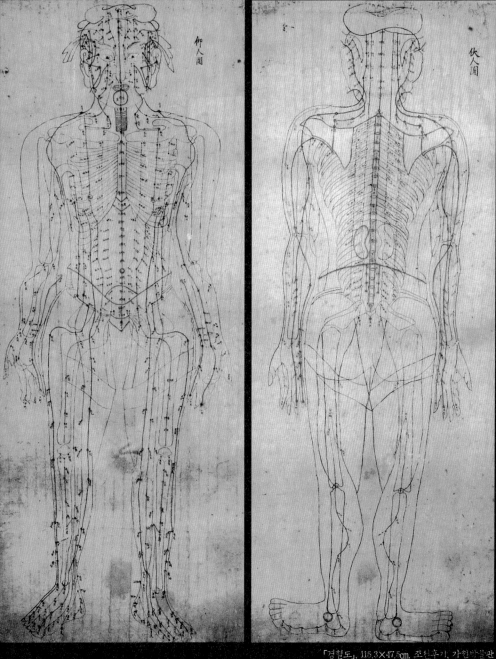

仰人圖　　　伏人圖

「경혈도」, 115.3×47.5cm, 조선후기, 가천박물관

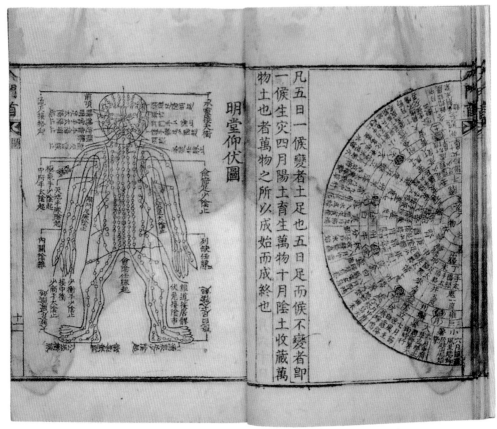

『의학입문』 중 '명당앙복도', 목판본, 조선시대, 가천박물관. 의관이 되려던 이들은 중국 의서 중 하나인 『의학입문』을 술술 외어야지, 그렇지 못하면 기본 자격을 갖추지 못한 것으로 여겨졌다.

진맥학과 침구학은 기본이고 의학 기초이론, 내과학, 본초학, 방제학 등을 배웠다. 교재에는 중국 의서인 『찬도맥』 『동인경』 『소문』 『동원십서』 『의학입문』 『의학정전』 『인제직지방』 『대관본초』 등이 포함되었는데, 그 양과 수준에 있어 자기 것으로 만드는 일은 결코 녹록치 않았다. 중요하게 취급되던 『찬도맥』 『동인경』

『소문』은 통째로 외어야 했으며, 나머지 책들도 뜻이 막히는 곳이 있다면 그는 의관이 될 자질을 갖추지 못한 것이었다.

의관이 되는 시험으로는 일종의 승진 고과시험인 취재와 정식 시험인 과거, 즉 의과가 있었다. 취재는 혜민서와 전의감에 소속된 의학 생도를 대상으로 했다. 조선후기 생도 정원을 보면 전의감이 56명, 혜민서가 60명이다. 생도들은 1년에 네 차례 치르는 취재에서 계속 우수한 성적을 받아야만 공물 약재를 담당하는 직책인 심약이나 정부 기관에 설치된 약방 파견 의원, 전의감과 혜민서 의원이 될 수 있었다. 관직을 얻었다 해도 더 나은 관직을 받기 위해서는 취재 성적이 좋아야 했다. 오로지 공부, 또 공부를 해야만 하는 시스템이었다. 그러나 아무리 취재 성적이 좋다 해도 의과에 합격하지 않으면 원칙적으로 고위관직인 6품 참상관 이상에는 오를 수 없었다.

의과는 전의감에서 치렀는데 3년마다 정기적으로 보는 식년시, 나라에 경사가 있을 때 베풀어지는 증광시, 경사가 겹쳤을 때 베풀어지는 대증광시가 있었으며, 모두 초시와 복시 두 차례로 이루어져 있었다. 초시에서는 18명(대증광시 22명)을 뽑고 복시에서는 이미 초시에 붙은 자를 대상으로 해서 9명(대증광시 11명)을 뽑았다. 이 9명 중 처음 의관이 된 자 가운데 1등 급제자에게는 종8품, 2등에게는 정9품, 3등에게는 종9품의 관직을 내렸다. 혹 이미 벼슬에 있던 자라면 한 계급을 올려주었다. 의과시험은 취재와 달리 문호가 개방되어 있었다. 전의감이나 혜민서의 생도와 의관뿐만 아니라 민간에서 의학을 공부한 양인 이상의 신분이면 모두가 응시할 수 있었다.

「인조 14년 통신사행렬도」, 김명국, 종이에 채색, 30.6×596cm, 1636, 국립중앙도서관. 의원들은 일본의 요청으로 통신 사행에 합류하곤 했다. 조선의 통신사는 일본에 선진문화를 전수했던 문화사절단이었는데, 의원도 그 중요한 역할 중 하나를 담당했다.

韓國使臣入皇城行陣圖

장덕, 애종, 송월…
역사에 이름을 떨친 의녀들

조선시대 여성 전문직으로는 의녀제도가 유일했다. 이 제도는 유교 국가를 표방한 조선의 기틀이 닦이던 때인 태종대에 처음 만들어졌다. 여성 환자와 남자 의원의 관계가 껄끄러운 것은 조선시대만이 아니라 동서고금의 역사를 통해서도 확인된다. 그러나 조선처럼 높은 신분계급의 여성 환자의 진료를 위해 의녀와 같은 제도를 두어 500년가량 지속적으로 운영한 사례는 없다. 이는 엄격하게 '남녀유별'의 이념을 사회에 실천하려 했던 조선 통치자의 의지를 말해준다. 의녀는 천한 신분의 여성 가운데서 뽑았는데, 그 이유는 천민들은 남녀를 꺼리는 내외의 대상에서 제외되었기 때문이다.

조선시대에 의녀의 주 활동은 당연히 의료에 관한 것이었다. 그중에서도 궁중과 사족 여성의 맥을 보거나, 그들에게 침을 놓거나, 애 낳는 것을 돌보거나, 약을 상의하는 것이 주를 이루었다. 더불어 병을 간호하기도 했는데 거기에는 왕의 수발을 드는 것도 포함되었다. 이들의 활동 영역은 의료 밖을 곧잘 벗어나기도 했다. 국가에서는 관비 출신인 이들에게 여성을 필요로 하는 다른 공무를 맡아보게 했다. 가령 각종 사건에서 여성 피의자를 살피고 수색하는 일 따위가 그것이다. 때로 각종 연회에 불려가 취흥을 돋우는 약방기생 노릇까지 했다. 이는 여성 의료의 전문화가 그만큼 철저하지 않았음을 뜻한다.

의녀는 전문직, 특히 사람의 목숨을 다루는 직업이었던 까닭

『순종가례도감의궤』(부분), 1906.
의녀가 묘사되어 있다.

에 다른 관비보다 유리한 위치를 점할 수 있었다. 치료 성적이 좋을 때면 다른 관비들이 세운 공로보다 더 높게 쳐줘 더 나은 대우를 받았다. 때에 따라서는 쌀과 옷감을 받았고, 더 크게는 천민 신분을 면하는 일생일대의 기회를 잡기도 했다. 조선후기 기록을 보면 의녀는 왕실 병원인 내의원에 22명, 서민 진료 기관인 혜민서에 30명 정도를 배치했다. 이들은 초급 단계에서는 혜민서에서 의술을 배웠으며, 실력을 인정받으면 내의원에 발탁되었다.

역사에 이름을 남긴 의녀로는 대장금을 비롯하여 장금, 소비, 백이, 귀금, 장덕, 분이, 영로, 사랑, 개금, 강금, 신비, 은비, 계금, 열이, 의정, 선덕, 애종, 송월, 수련 등이 있다. 의녀가 되지 않았다면 이름 모를 관비로 역사의 뒤안길로 사라졌을 이들이다. 이 가운데 장덕은 세종의 충치를 고쳐 이름을 날렸으며, 선조 때 애종은 의술에 특출한 자질을 보인 의녀로 평가받았고, 영조 때 송월은 침술로 이름을 떨쳤다. 특히 대장금은 다른 남자 어의 못지않게 자주 실록에 이름을 올려 오늘날 드라마의 주인공으로 되살아나기도 했다.

의원의 경쟁자, 판수와 무당

환자의 처지에서 보면, 병이 났을 때 이를 고치기 위해 갖은 방법을 쓰게 된다. 병을 고치는 전문가를 찾는 것도 그중 하나다. 조선후기에 병을 고치는 활동을 했던 전문가 집단으로는 세 부류가 확인된다. 첫째는 의학 지식과 경험을 기반으로 하는 의원 집단이고, 둘째는 점을 쳐서 병을 알아내고 독경으로 병을 치료하는 판수 집단이며, 셋째는 굿을 위주로 하는 무당 집단이다. 그러므로 의원의 입장에서 봤을 때 자신들의 경쟁자는 판수 집단과 무당 집단이라 할 수 있었다.

하멜이 기행문 『난선제주도난파기-부 조선국기』에서 밝혔듯, 17세기 후반 소수의 양반과 재력 있는 부류가 아닌 가난한 사람들은 병들었을 때 맹인 판수를 찾았으며, 전적으로 그들을 신뢰했다. 하멜의 언급을 자세히 뜯어보면, 의원과 판수는 고객을 달리했음을 알 수 있다. 즉 의원은 지식 있고 돈 있는 계층이, 판수는 돈 없는 계층이 주로 이용했다. 18세기 서울에 거주한 인물인 유만주(1755~1788)의 일기 『흠영』을 보면, 그는 병을 앓을 때면 판수를 부르지 않고 오로지 의약만을 썼다. 마찬가지로 전라도 구례에 거주한 인물인 유제양(1846~1922)의 경우도 모든 치병에 대해 의약만을 쓰고 있다(『구례 유씨가의 생활일기』). 성급한 일반화가 조심스럽긴 하나, 적어도 이 두 사례는 18세기 말에서 19세기 사대부 집안에서는 의약을 기반으로 한 의료생활이 정착되어 있음을 시사한다. 이것은 하멜의 기록과도 일치한다. 그런데 이런 태도는 조선전기 사대부의 의료생활과는 차이가 있다.

가령 조선전기 성주 지방의 인물인 이문건(1494~1567)의 경우는 치병을 함에 있어 자주 판수를 불러 병을 점쳤음을 『묵재일기』라는 기록에 남기고 있다.

19세기 중후반기의 저작으로 추정되는 판소리 「변강쇠가」에서는 환자가 중병에 걸렸을 때 어떻게 전문가 집단을 찾아가는가 하는 것이 잘 그려져 있다. 변강쇠가 중병에 걸려 죽게 되자 옹녀가 처음으로 찾은 곳은 판수 집이다. 판수는 어떤 병에 걸렸는가 문복을 하고 나서 병을 고치기 위해 독경을 한다. 판수의 독경이 소용없자 옹녀는 의원을 불러와 병을 진단하고 의원이 내린 처방대로 약을 짓는다. 판수를 찾는 옹녀의 행동은 하멜이 말한 것처럼 그것이 당연하다는 듯 그려져 있다. 또 "경채經債 1냥"이라는 표현에는 그 값이 부담 없다는 느낌이 담겨 있다. 즉 이는 낮은 계층의 사람이 판수를 주로 이용한다는 하멜의 언급과 맥락을 같이하는 것이다. 이는 하층민의 의료생활이 17세기 후반과 다를 바 없이 이루어지고 있음을 뜻한다. 하지만 판수 집

『흠영』, 유만주, 1775~1787, 규장각한국학연구원. 유만주는 병을 앓을 때면 서민들이 흔히 판수를 불렀던 것과 달리 오로지 의약에만 의존했음을 일기를 통해 기록하고 있다.

을 찾은 이후에 의원을 찾아 나선 점은 이전의 기록과 다르다. 돈을 많이 쏟아붓더라도 의약을 이용해야 한다는 생각이 표출된 것이다. 「변강쇠가」에서 이 대목은 모든 의료 수단을 강구했다는 의미를 강조하는 것이기 때문에 고가의 약을 맘껏 쓰는 것으로 기술되어 있지만, 실제로 하층민의 경제력으로는 그것을 실현할 수 없었다.

1921년의 맹인 통계를 보면, 조선에는 8792명의 맹인이 있었으며 그 가운데 점복을 업으로 삼는 인구가 1737명이었다(조선총독부 제생원, 『조선맹아자통계요람』). 이 맹인 판수의 수치는 1914년 의생 수의 3분의 1에 해당되는 수치였다. 이 정도 규모라면 결코 적지 않은 수의 맹인이 문복과 독경을 업으로 치병 행위를 펼치며 의원과 경쟁했다고 할 수 있다. 조선은 전 시기에 걸쳐 맹인의 생계 수단으로 점복을 장려했던 까닭에 맹인 가운데 판수의 비율은 1921년 통계치보다 한결 높았을 것이다.

무당의 점복과 치병 행위는 판수의 그것과 구별하기 힘든 측면이 있다. 그들도 무슨 병인가를 점치고 독경이나 푸닥거리를 통해 치병 행위를 했기 때문이다. 그렇지만 세 가지 측면에서 뚜렷한 차이를 보인다. 첫째는 무당이 두창痘瘡이나 역병 등 불치·난치병을 위한 굿을 주요 대상으로 했다는 점이고, 둘째는 그런 굿에는 왕실이나 고관대작도 별 예외가 아니었다는 점이며, 셋째는 그런 굿은 비용이 많이 들었다는 점이다. 맹인 판수의 점이 값싼 경채를 들여 단지 무슨 병인가를 파악하여 대처법을 찾는 차원의 것이었다면, 무당의 굿은 이미 알고 있는 두신痘神 같은 역귀를 쫓는 강력한 치병 행위였다. 당연히 판수와 무당은 상

「시담영희도市擔嬰戱圖」, 이숭, 비단에 담채, 25.8×27.6cm, 남송시대, 대북고궁박물원. 중국에서도 한국처럼 의료직이 아닌 잡상인이 의사 역할을 맡기도 했다. 그림에 보이는 잡상인의 목 부분에 눈 모양의 목걸이가 있는 것 등을 미루어보면 이를 알 수 있다.

「점쟁이 장님과 소년」, 김준근, 종이에 채색, 121.3×71cm, 프랑스 기메박물관. 조선시대 맹인들은 판수로서 의사의 역할을 대신해 그들의 경쟁자가 되곤 했다. 근대 의료체계가 없었던 것은 아니지만 여전히 전통과 근대의 문화가 뒤섞여 있었다.

차리는 규모에도 차이가 있었으며, 무당에게 지불하는 돈의 규모에도 엄청난 차이가 있었다.

관품 있는 집안도 관건
소수의 의원으로서 특권 누린 의관

개항 직후 제생의원 근무 의사인 고이케는 두 종류의 의원을 언급했는데, 주로 서울에 거주하고 있는 관품 있는 집안에서 생긴 의원과 그렇지 않은 의원이었다. 관품 있는 집안의 의원은 존중받았으나, 그렇지 않은 의원은 사람들이 높이 치지 않았다. 이러한 언급은 의술의 유능성 여부를 결정짓는 일차적 요인이 가문에 있었음을 알려준다. 앞에서도 말했듯, 관품 있는 집안에서 배출한 의원은 관의 의학 교육을 받거나 가업으로 비술을 전수받음으로써 한결 성공하기 쉬운 유리한 위치를 점했다. 또한 의관이 되어 품계를 받으면 관리로서 사회적 인정을 받을 수 있었다. 비록 잡관인 의관이 문·무관만 한 사회적 대우를 받지는 못했지만 의원 사회 안에서는 그렇지 못한 의원과 그 대우에 있어 천양지차였다.

그렇기 때문에 조선후기 의원의 경쟁을 살필 때 가장 중요한 사항은 의원이 어떻게 의관이 되며, 또 의관이 되어서는 어떻게 관직이 높아져가는가 하는 점이다. 『육전조례六典條例』(1866)를 기준으로 본다면, 관직 수는 내의원 의원 40명 남짓, 전의감 의원 18명, 혜민서 의원 17명, 활인서 의관 2명, 전의감과 혜민서에서 번갈아 각 도와 정부 기관에 파견되는 심약 15명 등 합해서 최대 90여 개였다. 만일 전국적으로 3000여 명의 의원이 있었다고 가정한다면 겨우 3퍼센트만이 의관이 될 수 있었다. 1914년 면허 때처럼 6800여 명을 가정한다면 고작 1.3퍼센트만이 의관이 될 수 있었던 것이다. 또한 의관 중에서도 외관직인 심약이 15명, 심약보다 아래로 치는 혜민서의 구료관 8명, 민간에서 바로 끌어들이는 의약동참 12인 등이 포함되어 있으므로 이들 35명을 제외하면 좀더 나은 의관직을 얻는 의원 수는 60명 이하로 줄어들게 된다. 따라서 의관이 되기도 힘들었지만, 혹 된다 해도 승진해 올라가기가 쉽지 않았음을 알 수 있다.

민간의 의원이 곧바로 내의원 의관이 될 수 있는 길은 정원이 12명으로 규정되어 있는 의약동참醫藥同參으로 추천받는 것이었다. 의약동참의 대부분은 사대부인 유의儒醫에서 나왔지만, "미천한 신분에서 바로 뛰어오른 사람"들도 있었다. 이런 인물의 기용은 획기적이라 할 것이었기에 그들의 임용과 활약은 민간에 널리 회자되었고, 『청구야담』이나 『이향견문록』에도 수록되었다. 불을 달군 침을 사용하는 번침법燔鍼法을 고안한 인조 때의 이형익, 독특한 외과종기술을 창안한 인조 때의 백광현, 가전 고약을 써서 유명해진 정조 때의 피재길 등이 그러한 부류에 속한다.

의관이 관에서 받는 보수는 높은 편이 아니었을뿐더러 불안정하기까지 했다. 의관은 정직正職이 아닌 체아직遞兒職이었기에 직전職田을 받지 못했고 재직 기간에 한해서만 녹봉을 받을 뿐이었다. 또한 자신의 품계보다 낮은 직품의 녹봉을 받았다. 나아가

체아직이었던 까닭에 포폄 때 성적이 계속 상上을 받지 못하면 관직에서 물러나 3~6개월 이상을 건너뛰어야 다시 취재에 응할 수 있었으며, 쉬는 기간에는 녹봉을 받지 못했다. 이런 형편 때문에 대다수의 의관은 관에서 주는 녹봉으로만 생계를 유지하기란 불가능했다.

사실 의관은 의술의 유능함을 보일 수 있는 일종의 국가 자격 같은 것이었고, 모든 의관은 자신이 맡은 공적인 일 외에 사적 진료를 할 수 있었다. 또한 임금의 명으로 대신의 병을 보러 가는 경우라도 환가에서는 그에 상응하는 대접을 했을 것이다. 그들은 전국의 몇천 명 의원 가운데 최고 위치에 있는 소수의 의원으로서 특권을 누렸을 것이다. 이외에도 의관은 지방의 약재를 중앙에 올리는 일, 중국에서 약재를 사가지고 오는 일 등에 개입하여 이권을 챙길 여지가 많았다.

한성의 경우 의관을 비롯한 수백 명의 의원이 거주하고 있었기에 의원 사이의 경쟁이 가장 치열했다. 16세기 말 유희춘의 『미암일기』를 보면 이때에도 한성에는 의원이 풍부했던 듯하다. 일기에서 양예수, 허준을 비롯한 의원 10여 명의 이름이 눈에 띈다. 17세기 후반의 『성호사설星湖僿說』에서도 "서울은 의원과 처방이 수없이 모인 곳이다. 병이 들면 곧 의원을 찾고 의원을 찾으면 곧 약을 쓰게" 된다고 말하고 있다(이익, 『성호사설』 권14, 인사문人事文, 의醫). 18세기 후반에는 약방들이 모두 갈대로 발을 만들어 문 앞에 늘어뜨리고 신농유업, 만병회춘 등의 옥호屋號를 내걸고 장사하였으며, 구리개에는 약국들이 운집해 있었고, 의원 수가 상당했다. 유만주는 10여 명의 의원을 찾고 있으며, 병

이 낫지 않으면 다른 의원
을 찾아 처방을 받았다. 이
를 의원의 처지에서 본다
면, 환자를 놓고 여러 의원
이 경쟁을 벌이고 있는 것
이다.

경쟁이 다른 곳보다 심
했다 해도, 서울은 경제력
있는 인구가 많았던 덕에
다른 지역보다 영업하는
데 유리한 위치에 있었다
고 말할 수 있다. 지방의
경우도 의원이 성장하는

약장, 85.5×52.5×100cm, 경기도박물관

추세였지만, 대체로 '향의鄕醫'라고 하여 서울의 의원보다 기예
가 떨어지는 부류로 인식되었다. 국토의 상당 부분을 차지하는
벽지의 경우에는 이런 의원조차 없었으며, 다만 간단한 약을 파
는 약종상들이 있을 뿐이었다.

이익과 정약용의 고발
"용의가 사람 잡는다"

17~19세기의 기록을 보면 바람직하지 못한 의원의 행태를 고발
하는 기사가 여러 편 눈에 띈다. 대체로 의원의 실력 부족, 지나

친 영리의 추구를 꼬집는 내용이다. 성호 이익은 17세기 말 의원의 행태를 "용의가 사람을 잡는다[庸醫殺人]"라고 비난했다.

"성인聖人이 의학을 창안하고 약재의 성질을 알아내어 일찍 죽는 것을 구제했으니 의학이 백성을 살리는 데 공이 큰 것이다. 그러므로 옛사람은 (일부러) 의사가 되기를 원하는 일도 있었으나 지금은 의술에 종사하는 자가 일찍 죽는 것을 구제하는 것에 마음을 쓰지 않고 오로지 돈벌이할 기회만 엿본다. 반드시 먼저 인삼人蔘·부자附子 따위의 대단히 더운 약으로써 시험을 하며, 효험이 나지 아니하면 다시 망초芒硝·대황大黃 같은 극히 찬 약을 투약한다. 행여 환자가 살아날 경우에는 자기의 능력을 과시하고, 죽었을 때에는 그것을 죄로 여기지 않고 운명이어서 어찌할 도리가 없다고 말한다. 이로써 무단히 사람 목숨만을 해치고 마니, 약이藥餌가 사람을 살리는 일은 적고 사람을 죽이는 일이 오히려 많다."(이익, 『성호사설』 권9, 인사문, 용의살인庸醫殺人)

이 글은 의원이 병의 원인을 제대로 파악하지 못한 채 더운 약, 찬 약을 마구 쓰다가 요행히 병이 나으면 자기 덕이라 하고, 문제가 생기면 운명 탓을 하는 의원의 모습을 생생히 그려내고 있다. 이익은 이러한 의술에 대해 "신묘한 진맥과 병세의 헤아림을 어찌 용의庸醫나 속의俗醫에게 바랄 수 있겠는가. 그들이 효험을 본다면 그것은 우연히 맞은 것일 뿐이다. 아! 우연히 맞는 것에 희망을 걸진대 차라리 쓰지 않고 낫는 것을 기대하련다"라며 탄식했다. 이익은 의학 자체를 부정하진 않았지만 의원의 지식이 깊지 못함과 경솔한 치료를 행하는 데 대해서는 통렬히 꼬집을 줄 아는 지식인이었다.

이로부터 100여 년 후에 정약용 또한 당시의 의료 현실을 맹렬하게 비판했는데, 이 역시 의원의 경솔함, 거만함, 나아가 지나친 영리 추구를 비판하는 내용이다.

"의서란 매우 어려워 외우기 어렵다. 가결歌訣이나 첩결貼訣은 몇 가지씩 외우면서도, 두진의 한 가지 증세를 논함에 있어서는 그 조목을 분석하고 변형하여 방서가 매우 많아졌다. 그러므로 지금의 의원들이 다 외울 수 있겠는가? 그런데도 어째서 병을 앓는 집에 가면 목을 뻣뻣하게 세우고 잘난 체하며 종이를 펴서 붓을 들고 손 가는 대로 금방 써 버려가는가? 또한 전호, 시호, 강활, 독활 등을 한 번 보고는 휘갈겨 써서 한 글자도 고치지 않으며, 큼직한 글씨로 필력도 힘차게 방문을 땅에 던지면서 곁눈질로 살핀다. 그러면 주인은 공손하게 주워 조심스레 보다가 한 가지를 지적하며 가부를 논하면 의원은 번번이 성을 내며 말하기를, '그것이 염려스러우면 쓰지 말라. 나는 고치든 말든 모르겠다'라고 한다. 아! 자기가 성인이 아닌데 어찌 이처럼 자존할 수 있는가? 그러나 그중에서 갑자기 명성을 얻는 사람이 있다. 그러면 일체를 주름잡고, 찾아오는 사람의 말과 노새가 문 앞을 가득 메우고 그 먼지는 해를 가린다. 그리하여 세력 있는 집만 가려 동분서주하며 의기양양해진다. 그러나 세력 없고 가난한 사람들은 온 성안을 두루 찾아다니다가 해질

녘이나 아침이 되어서야 겨우 그를 만나게 된다. 그러면 그는 술을 먹어 붉은 얼굴과 흐릿한 눈으로 뒤따르는데, 아이의 병은 이미 위험해져 있다."(정약용, 『마과회통麻科會通』「오견편五見篇」, 속의俗醫)

아마도 이런 상황은 17~19세기 의원들의 행태를 제대로 짚은 것이리라. 의원은 병을 고쳐준다는 점에서 그 누구보다도 강자의 입장에 있었다. 신분상으로는 양반보다 아래이지만 환자를 접하는 순간만은 권세를 휘두를 만한 위치에 있었다. 만일 이익이나 정약용 같은 양반이 거만한 의원의 행태에 한 번이라도 당해봤다면, 당연히 위와 같은 입장을 취했을 것이다. 또 돈 없는 서민의 처지에서도 이름 있는 의원의 진료를 받는 것은 넘기 힘든 장벽이었을 것이다.

뜻있는 의학자들은 이런 비판을 잘 알고 있었고, 그것을 바람직한 의원 윤리를 제시해 해결하고자 했다. 조선후기의 의학자 황도연黃度淵(1808~1884)이 대표적인 인물이다. 의원인 그의 눈으로 볼 때에도 의원들의 행태에는 큰 문제가 있었다. 그들이 재물욕에 사로잡혀 타락해버린 것이었다.

"그런데 어떤 의사들은 남의 급한 때를 이용하여 기만 술책으로 재물을 취하는데 이것은 애를 써서 자기 이익만 위하는 도적의 무리와 같은 것이다. 어찌 인술로 그렇게 할 수 있겠는가? 이런 것은 보통 나쁜 일을 하는 것보다도 더 악한 것이다."(황도연, 『의종손익醫宗損益』「총론」)

황도연은 "의술은 인술"이라는 원칙을 분명히 했다. 그것은 환자에 대한 무차별적인 진료 원칙을 말한 것이다. 즉 황도연은 "병이 있어서 치료를 청한다는 것은 물에 빠졌거나 불에 타는 것을 구해달라는 것과 같다. 의술은 인자한 기술이므로 다른 일을 다 제쳐놓고 달려가 구원해주는 것이 옳다"는 입장을 표명했다. 이처럼 그는 맹자가 말한 성선설의 근본, 곧 측은지심惻隱之心의 발로를 인술 논의의 시발점으로 삼으면서, "의사는 사람을 살리려는 방향으로 마음을 쓰기 때문에 의술은 곧 어진 기술仁術"이라고 파악했다.

황도연은 또한 중국 고대의 『천금방』을 인용하여 의사가 굳게 지켜야 할 태도로 "말을 적게 할 것, 농담을 적게 할 것, 허튼 말을 하지 말 것, 다른 의사의 권위를 훼손시키지 말고 자신을 내세우지 말 것, 우연히 한번 병을 고쳤다고 자기가 제일인 양 뽐내지 말 것" 등의 실천 사항을 제시하는 한편, 의사 사이의 질투심이 불러일으키는 위험에 대해 강하게 경고했다.

황도연의 이 같은 인술 윤리가 19세기 후반 의원의 윤리로 잘 정착되어나갔다고 보기는 힘들다. 의원은 생계 유지를 위해 자신의 의술을 방임적으로 파는 위치에 있었으며, 그것을 제어할 국가적, 사회적 장치는 하나도 없었기 때문이다. 다만 인술이라는 이념은 사람들에게 당연한 것으로 각인되어 의원의 지나친 일탈을 방지해주는 장치로 작동했을 것이다. 대다수 평범한 의원은 인술의 이념과 지나친 교만 또는 영리 추구의 중간에 위치해 있었을 것이다.

18~19세기를 거치면서 의원 수가 증가했고, 지방에까지 의료가 확장되었으며, 약물 매매가 증가했다. 그런 가운데 의약인의 경쟁이 격화되었고 이익 추구는 노골화되었다. 아울러 수준 낮은 의약인이 대거 등장하기도 했다. 의료와 약 부분은 완전히 방임 상태였으며, 그 질을 관리할 아무런 제도도 만들어지지 않았다. 개항 이후 20년이 흐른 1896년 이후에야 당시 의료 분야에 산적해 있던 문제들에 대한 공론이 제기되었으며, 이를 해결하기 위한 제도적 장치가 마련되었다. 1899년의 의학교 설립은 교육과정을 국가에서 관리하겠다는 의지의 표명이었다. 1900년의 「의사규칙」과 「약종상규칙」 「약품순시규칙」은 의원과 약종상, 약품의 질을 관리하겠다는 의도를 표현한 것이었다. 대한제국기에 오늘날의 의료인 자격 제도의 근대적인 효시가 된다.

대한제국에서는 전 의약인을 의사, 약제사, 약종상 세 부류로 구분했다. 이는 진료, 처방 행위인 의술과 처방에 따른 조제, 투약 행위인 약무를 서로 구별한 것이며, 이들 의약 행위를 단순한 약상藥商 행위와 구별한 것이었다. 즉 의약의 분업을 현실화하고 의약이 상행위와 차별되는 활동임을 전제했던 것이다. 대한제국이 규정한 의사는 한의사의 성격을 띠었다. 진맥, 용약, 침구 등을 전문으로 하는 자로 규정되었기 때문이다. 이는 당시 의사 중 절대 다수를 차지한 한의를 염두에 두고 만든 규정이었지만, 반드시 한의만을 위한 것은 아니었다. 의사가 되기 위해서는 의과대학이나 약학과를 졸업해야 했는데, 즉 당시 서양 의학을 가르

「한북약고와 이형사산상」, 전기·유숙 함께 그림, 종이에 먹, 24.4×49.8cm, 1849. '한북약고漢北藥庫'와 '이형사산상二兄寫山相'은 한 화면에 두 그림이 합쳐진 것이다. '한북약고'는 중인으로서 약방을 경영했던 전기의 작품으로, 삼각산에 있던 약창고를 그린 것이다. '이형사산상'은 전기보다 두 살 밑인 동문 유숙의 그림인데, 이 그림에서 보듯 조선후기 중인층에서 약을 매매하는 직업이 활기를 띠며 등장했음을 알 수 있고, 한편으로 독서와 예술활동 등을 통해 중심계층으로 떠올랐음을 짐작할 수 있다.

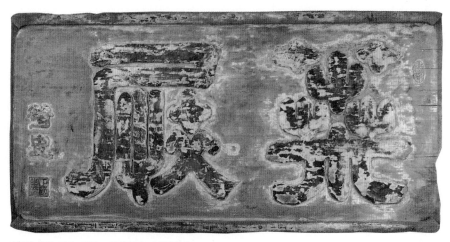

'약전' 현판, 33.8×67.8cm, 조선시대, 가천박물관

치던 정부 소속의 의학교와 선교회가 세운 제중원 의학교를 나
와야만 했다.

의사가 되려는 이는 정부에서 실시하는 시험에 합격해서 면허
증을 받아야 했다. 중앙 정부의 인허장이 없는 경우 내외국인을
막론하고 의업을 펼칠 수 없었다. 하지만 당시 의학교육 체제가
완비되지 않았기에 임시 시험을 치러 면허장을 발부하기도 했
다. 정부의 의학교 설립 이후 1910년까지 30여 명의 졸업자를
배출했는데, 이들에게는 졸업과 동시에 면허를 받는 특전이 주
어졌다. 제중원 의학교의 후신인 세브란스병원 의학교에서는
1908년에 7명의 졸업생을 배출했는데, 이들도 대한제국 정부의
인허를 얻어 개업 자격을 획득했다.

일제강점기에는 이러한 모습이 식민통치에 맞춰 재편성되었
다. 1912년에 약제사와 약종상 인허제도가 다시 제정되었고,

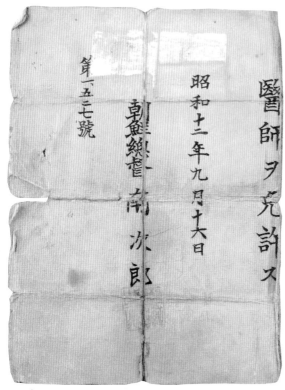

의사면허증, 22.5×18cm, 1912, 가천박물관

1913년에 의사 면허와 한의사인 '의생' 면허, 치과의사 면허가 새로이 제정되었으며, 1914년에는 간호사인 간호부와 산파, 안마 시술자, 침술 영업자, 뜸을 놓는 자인 구술 영업자 제도가 만들어졌다.

해방 이후 의료 관련 직업은 1951년 피난지 부산에서 열린 임시국회에서 통과된 국민의료법으로 정리되었다. 이에 따르면 의료 직에는 의사, 치과의사, 한의사, 간호원과 조산원 (1987년 간호사와 조산사로 명칭 변경) 등이 포함되었다. 또한 1953년 약사법에 따라 이전의 약제사가 약사라는 명칭으로 바뀌었다. 20세기 하반기 현대의학이 크게 발달함에 따라 의료직은 더욱 넓어졌다. 간호조무사, 물리치료사, X-ray 기사, 임상병리사, 병원행정직 등이 새롭게 생겨난 것이다.

4장

팔도를 뒤흔든 대중 스타,
달문의 삶

◉

광막한 천지를 떠돌던
조선의 광대

사진실 · 중앙대 음악극과 교수

18세기 광대 달문에
온 나라가 들썩들썩

대중 스타란 대중문화의 산물인데 18세기에 웬 대중 스타인가?
대중매체는 물론 교통 통신이 발달하지 못해서 걷거나 말을 타
던 시절, 제 발로 전국 팔도를 누비며 면면촌촌 구석구석 수많은
팬들을 몰고 다녔던 광대가 있다. 별난 재주로 온 나라에 이름을
떨친 광대, 그가 바로 달문達文이다.

홀연 달문이 어디서 나타나자
모두 친처럼 은근히 맞이하고
그 고을 사람들 달문 한번 보자고
가는 곳마다 몰려 떼를 이루었네.
서로들 잡아끌어 집으로 데려가서

조선 전문가의
일생

안주는 수북수북 술잔이 넘치는데

(…)

가는 곳마다 사람들 그의 얼굴 알아보고

구경 나온 사람들로 담장을 둘러친다.

(…)

별난 재주 익살스런 소리

이름이 벌써 온 나라를 들썩이다가

- 「달문가」 『이조시대서사시』 상

달문은 외모가 아주 못생겼던 것 같다. 박지원은 어렸을 적 달문을 본 기억을 떠올리면서 그가 퍽 추하게 생겼다고 회고하고 있다. 홍신유의 「달문가」에 의하면 달문은 특히 입이 커서 자신의 주먹이 입 속으로 들랑날랑할 정도였다고 한다. 입에 자신의 주먹을 집어넣는 것은 그를 상징하는 개인기였다. 달문을 보지 못한 사람들도 주먹을 입에 넣는 그의 장기는 알고 있었던 모양이다. 곁에 달문이 있는 줄도 모르고 그의 이름을 들먹이는 사람들 앞에서 달문은 주먹을 입에 집어넣어 사람들을 놀래게 하기도 했다.

시속에 헛소리하는 아이 꾸짖을 때

달문이 닮았다 하는데

어쩌다 달문이 그 말을 듣고

"달문이 보고 싶냐?"

문득 입을 벌리고 껄껄 웃으며

주먹을 쥐어 입 안으로 집어넣더라.

- 「달문가」『이조시대서사시』 하

달문은 늦도록 장가를 들지 않아서 머리에 상투를 틀지 못했기에 염소 꼬리 같은 머리를 뒤통수에 올려붙이고 다녔다. 누군가가 장가를 들라고 권하면 그는 이렇게 말했다고 한다. "남자만 미색을 좋아하는 것이 아니라 여자들도 마찬가지인데 나는 못생겨서 어떤 여자의 마음도 끌 수가 없다."

그러나 사실 그는 누구에게도 어느 곳에도 매이지 않는 자유로운 삶을 선택했던 것 같다. 그는 자신의 일상을 이렇게 표현했다. "아침이면 시중에 들어가 노래를 부르며 다니다가 저녁이 되면 부잣집 문하에 들어가 잠자면 그만이지. 한양 성중이 8만 호이니 매일 집을 바꾸어 자더라도 일생 동안 다 다니지 못할 것이다."

못생긴 외모와 별난 재주로 전국 팔도에 이름을 날린 광대 달문, 시대를 앞서간 대중 스타는 18세기 사회를 어떻게 살아나갔을까? 이 글은 달문의 예술활동과 인생 궤적을 더듬어보고자 한다. 혹 그의 행적 자체가 완결된 이야깃거리가 될 수도 있을 것이기에 서사敍事를 살려 글을 풀었다.

자반 뒤집기 같은 팔풍무
말재간도 서울 최고

달문은 만석중놀이와 철괴무鐵拐舞, 팔풍무八風舞에 능했다. 만석중놀이는 인형놀이의 일종으로 산대 위에 인형을 설치해서 놀리는 산대 잡상 놀이로 여겨진다. 유득공柳得恭(1749~?)의 『경도잡지京都雜誌』에 의하면 우리나라 연극에는 산희山戲와 야희野戲가 있는데, 산희는 사자나 호랑이, 만석중 등을 만들어 춤춘다고 했다. 산희란 산대와 같은 무대 설비를 갖추어 벌인 인형놀이를 가리킨다.

철괴무는 서울지역의 탈춤 산대놀이에 포함된 탈춤의 한 종류이다. 정조 2년(1778) 강이천姜彝天이 서울 남대문 밖에서 광대놀음을 구경하고 쓴 시인 「남성관희자南城觀戲子」를 보면 탈춤 산대놀이의 마지막 장면에 철괴무를 언급하고 있다. 철괴선鐵拐仙이라고 하는 신선의 흉내를 내면서 동쪽으로 달리가다 서쪽으로 내닫는 역동적인 춤으로 묘사되어 있는 것이다.

「달문가」를 보면 팔풍무는 오늘날 남사당놀이 가운데 살판, 즉 땅재주와 비슷해 보인다. 물고기와 용이 꿈틀거리며 노는 듯하다는 표현에서 살판 중 숭어뜀이나 자반뒤집기가 연상된다. '몸을 뒤로 젖히면 머리가 발에 닿고 배꼽이 불쑥 하늘을 쳐다보네' '온몸이 유연하여 뼈가 없는 듯 삽시간에 몸을 돌려 뒤집더니 어느새 획 하고 바꾸어 꼿꼿이 섰다가 갑자기 넘어진다' 등의 표현 역시 자유자재로 몸을 쓰는 땅재주의 묘기를 표현하고 있다. 더욱이 달문은 몸만 쓰는 광대가 아니라 재담이나 흉내 내기 등 연기에도 능했다. 땅재주를 부리는 중간에도 '눈을 흘기며 비뚤어진 입에서 나오는 대로 떠드는' 어릿광대의 연기와 입심을 보여준다. 언제는 한번 길을 가다가 싸우는 사람을 만나자 옷을 벗고 덤벼들어 함께 싸울 듯한 형상을 흉내 냈는

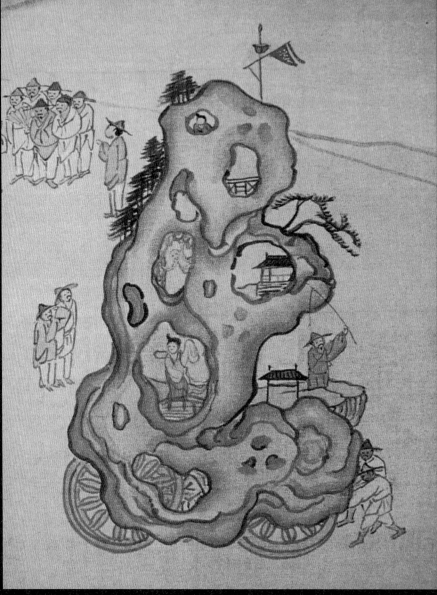

데, 거리의 사람들이 모두 웃고 싸우던 이들도 웃느라 싸움을 멈췄다는 이야기도 있다.

그는 서울 장안 최고의 광대였다. 산대 나례山臺儺禮가 거행될 때면 서울 장안의 악소년惡少年들이 그를 상석에 앉히고서 귀신 모시듯 떠받들었다고 한다. 악소년이란 왈자로 풍류와 무협을 숭상한 유협遊俠의 부류를 가리키는데, 각전의 별감을 비롯해서 의금부 나장, 액정서 하예 등 하급 무관을 주축으로 결성되었고, 18세기 이후 서울의 오락 유흥 문화를 장악했다고 알려져 있다.

산대 나례는 '산대를 세워 거행하는 나례'이다. 나례는 본래 는 귀신을 쫓는 의식인데 광대놀음을 가리키는 말로 의미가 확 장되었다. 산대는 동아시아 신화에 등장하는 삼신산三神山(봉래蓬 萊·방장方丈·영주瀛洲)이나 곤륜산崑崙山과 같은 신성한 산을 상 징해서 만든 무대 설비나 도구를 말한다. 조선시대에는 임금이 나 중국 사신의 행차를 환영하기 위해서 광화문 앞 대로변에 산 대를 세우고 나례를 거행하였다. 장생불사를 상징하는 삼신산과 곤륜산을 가설함으로써 임금의 만수무강을 빌고 왕조의 영속성 을 기원했던 것이다.

산대 나례의 일은 의금부와 군기시가 좌우로 나뉘어 경쟁적으 로 거행하였다. 두 관청에서 실무를 맡아본 하급 무관들 역시 왈 자의 구성원이었으리라는 추측을 해보면, 산대 나례가 거행될 때 장안의 왈자들이 달문을 귀신처럼 받들었다는 내용을 이해할 수 있다. 달문을 자기편으로 끌어들여야 산대 나례의 좌우변 경 쟁에서 이길 수 있었다는 말이다. 당대 연예계에서 달문이 차지 하는 비중을 확인할 수 있는 대목이다. 즉 달문은 산대 나례에서

「봉사도奉使圖」(제7폭), 비단에 채색, 각 51×40cm, 북경 중앙민족대학. 달문이 활약하던 당시 모화관에서 거행된 산대나례의 모습이다.

으뜸가는 광대인 상색재인上色才人이었던 것이다.

달문 없이 일 전의 값어치도 못 얻던 기생들

국가적인 산대 나례에서 이름을 날린 광대였음에도 불구하고 달문은 동가식서가숙東家食西家宿의 떠돌이 인생을 살았다. 그의 활동 무대는 서울의 시정市井으로, 특히 종로와 청계천 근방에서 재주를 팔아 생활하였다. 재주에 대한 대가로 식량을 얻었어도 농·공·상農工商의 활동을 하지 않았으니 상층 지식인의 눈에는 그가 거지나 다름없어 보였다. 중세사회에서 광대 집단은 때로는 거지, 때로는 도적떼로 인식되곤 하였다.

달문은 서울 장안의 거지 아이들과 함께 어울렸고 그들의 우두머리로 추대되었다. 하루는 거지 아이들이 구걸을 나가고 달문이 아픈 아이 한 명과 함께 움막에 남아 있었는데 그 아이가 전신을 떨며 신음하자 달문이 잠깐 나가 밥을 빌어왔다. 그런데 돌아와보니 아이는 죽어 있었고 때마침 돌아온 패거리들은 달문이 아이를 죽인 것으로 의심해 그를 때려 내쫓았다. 누명을 쓰고 맞기까지 했음에도 달문은 다음 날 아침 패거리들이 수표교 아래 던져버린 죽은 아이의 시신을 거두어 묻어주었다. 이 과정을 아는 어떤 사람이 달문의 의리를 높이 사서 약방을 하는 부잣집의 일꾼으로 추천했다. 달문의 인간 됨됨이를 보여주는 또 하나의 사건이 여기서 일어났다.

하루는 주인집의 돈이 없어졌는데 달문은 주인이 자신을 의심하자 잘못했다고 사과하고 그 돈을 돌려주었다. 그러나 며칠 후 주인의 손님이었던 다른 이가 와서는 주인이 없기에 미리 말을 못 하고 빌려갔다면서 돈을 갚았고 이에 달문의 신용과 강직함이 드러나게 된다. 집도 절도 없는 떠돌이 광대이고 거지 패거리와 어울려 다니며 밥을 빌어먹던 달문이었기에 그의 의리와 신용은 주변 사람들을 더욱 감탄하게 만들었고 소문은 널리 퍼져나갔다.

시정에서 얻는 신용을 바탕으로 달문은 아예 장사꾼으로 나선다. 물건을 팔고 사려는 사람 사이에 흥정을 붙여서 이문을 챙기는 주릅 노릇을 하게 된 것이다. 그는 일본이나 중국에서 들어오는 사치품 따위를 들고 부잣집이나 대갓집 문턱을 드나들었다. 그러나 어느 순간 달문은 자신의 모습에 환멸을 느끼고 만다. 홍신유는 「달문가」에서 달문의 심정을 이렇게 표현하였다. "몇 푼의 이문에 쫓아다니는 꼴, 스스로 돌아보기에 서글퍼지누나. 어찌 사내대장부의 몸으로, 마당에 노는 닭처럼 모이 한 알 다툴 건가."

어디에도 매인 데 없고 누구에게도 거칠 게 없었던 광대의 기질이 그를 다시 연예계로 향하게 하였다. 이번에는 기생들의 뒤를 봐주는 조방군 역할이었다. 그 또한 광대였기에 기생들의 예술을 이해하고 애환을 감쌀 줄 아는 조방군이었을 것이다. 서울에서 아무리 고상하고 아름다운 기생이라도 달문이 이름을 내주지 않으면 일 전의 값어치도 없었다고 한다. 서울 장안의 기생들은 모두 달문을 통해서 이름을 내고 싶어했다는 말이다.

「감로탱」에 묘사된 달문이 활약하던 당시 떠돌이 광대들의 공연 활동 모습.

달문은 기생의 예능이 지니는 예술성과 상품성을 잘 조절했던 듯하다. 18세기 서울지역은 한강 주변을 중심으로 신흥 상업 지역이 발달하고 기생과 가객, 악공, 광대 등의 예술도 상품적 가치를 내세우기 시작했다. 달문은 시정 사람의 안목으로 상업 문화에 대처하였고 오락과 유흥의 수요에 부응하는 면모를 톡톡히 보여줬다. 그는 광대로 활동하던 시절부터 서울의 오락 유흥 문화를 장악한 왈자 집단과 친연관계를 맺고 있었다.

「박문수 초상」, 비단에 채색, 40.2×28.2cm, 보물 1189-2호, 신성수 소장. 영성군 어사 박문수도 달문의 고객 중 한 명이었다. 달문과 같이 조선을 대표했던 광대는 주로 왕실이나 장군 집안을 드나들곤 하였다.

어느 날은 장안의 왈자들이 검무로 이름난 기생 운심의 집에 들러 술자리를 벌이고 가야금을 연주하면서 운심에게 춤을 청하였다. 그러나 운심은 좀처럼 춤을 추려 하지 않았다. 그때 달문이 대청에 올라 술자리의 상석에 앉아 무릎으로 장단을 치며 노래를 부르자 운심이 일어나 검무를 추었다고 한다. 왈자들은 처음에 달문의 행동을 괘씸하게 여겼으나 그의 기상과 풍류를 인

「조현명 초상」, 비단에 채색, 50.1×35㎝, 덴리대. 풍원군 조현명도 달문의 풍연을 즐겨 보던 단골 고객 중 한 명이었다.

정하고는 서로 친구가 되었다는 일화이다.

달문의 고객 중에는 어사 박문수로 잘 알려진 영성군도 있었고 좌의정 벼슬까지 했던 풍원군 조현명도 있었다. 이름난 기생들을 이끌고 장군의 연회나 왕손의 잔치에 두루 다니면서 한껏 풍류를 과시했지만 달문은 조방군 노릇에 염증을 느끼게 된다. 화려한 잔치의 뒷전에서 기생들의 뒷바라지를 하다가 먹다 남은 술이나 식은 안주를 걷어먹는 자신이 처량했던 것이다.

팔도를 누비던 유랑 연예생활

달문은 서울을 떠나 동남쪽 끝에 있는 동래로 내려간다. 주릅도 조방군도 아닌 광대로서 자신을 찾은 것이다. 그는 통신사 일행 500~600명이 일본으로 떠나기 위해 부산으로 가는 행렬에 합류했던 듯하다. 영조 23년(1747), 달문의 나이 마흔한 살 때였다. 통신사 일행은 그해 11월에 임금에게 사폐辭陛하는 의식을 거행하고 부산으로 떠났는데, 일본으로 가는 배를 탄 것은 이듬해 3월이었다.

『영조실록』에 의하면 통신사가 서울을 출발해서 일본으로 가는 배를 타기까지 온갖 기예를 지닌 재주꾼들이 따라붙었다고 한다. 통신사 일행이 거쳐가는 지방을 비롯하여 부산지역 70여 개 읍에서 이들을 뒷바라지했다고 하는데, 지방에서 거둬들인 많은 물력이 기생이나 광대, 악공 등에게 쓰였을 것으로 여겨진다. 분명한 악습이었지만 먼 길을 수행한다 해서 법으로 다스리지 않았기 때문에 폐단이 많았던 것이다. 달문은 반년 가까이 부산에 체류하면서 특유의 익살과 이야기로 가는 곳마다 사람들에게 인기를 끌었지만, 이 생활에도 곧 지루함과 염증을 느끼게 된다. 그리고 이번에는 본격적으로 전국 팔도를 누비는 유랑 연예 생활을 시작하였다. 영남에서 호남으로 건너가 다시 호서 지방을 두루 다니다가 해서 지방으로 가서 대동강을 건너고 청천강을 건너 의주까지 갔다. 「달문가」에는 팔도 유랑 당시 달문의 공연 모습을 이렇게 묘사하고 있다. "휘장 안에 비단치마 늘어 앉아 대피리 줄풍류 촛불에 비치는데, 덥수룩한 달문이 뛰어들어 절하는 모습 기운이 펄펄 날아갈 듯. 뜰 앞에 온갖 춤 어우러지고 술잔을 받아 마셔 얼굴이 주홍빛."

달문은 연예활동을 위해서만 유랑한 것은 아닌 듯하다. 어딘가에서 한동안 머물다가 마음이 답답해지면 발길 닿는 대로 이리저리 떠돌다보니 금강산 비로봉에도 갔다가 백두산 꼭대기까지 갔

「감로탱」에 그려진 동물가면을 사용한 탈춤

다는데, 비로봉이나 백두산 꼭대기에 달문을 기다리는 관객이 있을 리는 없었다. 달문의 유랑은 세상에 안주할 수 없는 천민 광대의 자의식에서 비롯되었던 것은 아닐까? 예술가로서 세상을 앞질러가는 안목을 지녔으되 그것을 실현할 수 없는 미천한 처지에 대한 갈등이 달문을 끝없는 유랑으로 몰고 갔으리라.

　조선시대 중죄인의 공초를 기록한 『추안급국안推案及鞫案』에 의하면 영조 40년(1764) 그의 나이 58세 때 달문은 역모에 가담했다는 죄목으로 의금부로부터 추국을 받게 된다. 박지원은 「광문자전」의 후속편인 「서광문전후」에서 달문이 역적 옥사에 휘말린 사정을 설명하고 있다. 어떤 거지 아이가 경상도 개녕의 수다사에 머물며 숙식을 해결하고 있었다. 어느 날 밤 거지 아이는 그 절의 스님들이 달문의 이야기를 하면서 모두들 그를 칭찬하고 그리워하는 상황을 목격하게 되었다. 그 아이는 더 잘 얻어먹게 될 것을 기대하고는 눈물을 뚝뚝 흘리며 자기가 바로 달문의 아들이라고 말하였다. 스님들이 크게 놀라고 반가워하면서 그때부터 그 아이에 대한 대접을 더욱 후하게 했다고 한다. 그때 영남 사람 하나가 역모를 꾸미고 있었는데 스님들이 달문의 아들이라는 아이에게 후한 대접을 하는 것을 보고 아이를 꾀어 자기를 작은아버지라고 해준다면 함께 부귀를 누릴 수 있을 거라며 꾀었다. 달문은 원래 자신의 성도 모르고 평생 독신으로 지내 형제나 처자식이 없었는데 갑자기 아들과 동생이 나타나자 누군가가 이상하게 여겨 관가에 신고를 했다고 한다. 그리하여 달문이 이들과 함께 붙잡히게 되었는데 서로 대질심문을 해서 전혀 모르는 사이였다는 사실이 드러나게 되었다.

『추안급국안』에 따르면, 수다사의 거지 아이를 꾀어 달문의 동생임을 자처한 사람은 이태정이란 인물로 중이나 노비, 점쟁이 등 당시 사회의 소외계층을 모아 역모를 꾀했는데, 그 역모에 가담했던 자근만이라는 사람이 경상감사에게 역모를 밀고했다고 한다. 이태정은 공초의 진술에서, 개녕 수다사에서 자근만을 만났는데 그가 달문의 아들이라는 얘기를 듣고 자신도 달문의 동생이라 사칭했다고 하였다. 달문의 아들을 사칭했던 아이가 바로 자근만이고 그가 이태정의 역모를 고발했던 것이다. 경상감사는 무리들을 체포해서 서울로 압송했고 영조 임금이 친히 지켜보는 가운데 국문을 진행하였다. 그 결과 주동자 이태정은 죽임을 당하고 자근만과 달문 등은 귀양을 가게 되었다.

세상에 눈뜬 광대

달문은 무고하게 옥사를 치렀다. 공초 결과 역모와 관련 없었다는 사실이 드러났음에도 불구하고 함경북도로 귀양 보내졌다. 상층 권력자의 눈에는 달문의 행적이 곱게 보이지 않았던 것이다. 부산에서 백두산까지 면면촌촌 다니면서 사람들을 만나 어울리고 별난 재주와 입심으로 그들의 마음을 사로잡은 달문은 이미 위험인물이었다.

오늘날 달문이 존재한다면 세상을 떠들썩하게 하는 대중 스타이자 앞서가는 예술가였을 것이다. 그러나 250여 년 전 중세사회에서 얻은 달문의 명성은 천민 광대로서는 과분한 것이었던 모양이다. 닫힌 사회를 살면서 이곳저곳 다니며 사람을 모으고 마음을 모은 죄로 고난을 겪었던 것이다. 민간에서는 중세에서 근대로 이행하는 기운이 팽배하기 시작한 반면 조정에서는 시대의 흐름을 따라가기는커녕 오히려 압박했던 상황이었다.

달문이 유배생활에서 돌아오자 서울 장안의 남녀노소가 모두 구경을 나가 저잣거리가 텅 빌 지경이었다고 한다. 상층 권력자들은 그를 사회에서 격리시켰지만 시정 사람들은 그의 재주와 명성을 여전히 기억하고 있었던 것이다. 그러나 서울로 돌아온 달문의 모습은 더 이상 예전의 재주꾼이 아니었다. 비쩍 마른 몰골에 누더기를 걸친 달문, 빠진 머리를 아직도 땋고 있어 쥐꼬리같이 보였고 이빨이 빠져 입이 합죽해지니 이제는 더 이상 주먹을 입 안에 넣지 못하였다. 예순 가까운 나이에 세상의 풍파를 겪고 보니 팔도를 누비던 광대의 기특한 기상도 사그라졌던 것이다.

박지원의 이야기에 의하면, 서울로 돌아온 달문은 함께 어울리던 왈자 표철주를 만나 잘나가던 그 시절을 회상하게 된다. 달문은 자기가 고객으로 모시던 영성군 박문수며 풍원군 조현명, 또 자신이 조방군 노릇을 해주던 기생 분단이의 안부를 물었다. 모두 죽고 없는 이들이었다. 한창때 어울려 지내던 거문고 주자인 김정칠은 일선에서 물러나고 그의 아들인 김철석 형제가 이름을 떨치고 있다는 소식도 들었다. 장안에서 잘나간다는 기생의 이름도 생소했다. 세월이 흘러 서울 장안 연예계의 주역이 바뀌었던 것이다.

달문과 함께 옛일을 회상하던 표철주는 막대한 재산을 등에 업고 함부로 주먹을 휘둘러 표망둥이라는 별명으로 불렸던 인물이다. '황금투구'라는 별명이 붙을 정도로 부자였던 표철주도 이젠 가세가 기울어, 집을 팔고 사는 흥정을 붙이는 집주릅 노릇을 하고 있다고 하였다. 이제야 세상을 알 것 같다는 표철주의 말에 달문은 이렇게 말하였다. "네가 쟁이들의 일을 배우면서 눈이 어두워졌구나."

달문의 말은 역설이다. 장안의 이름난 왈자로 망둥이처럼 날뛰었던 표철주가 집주릅이 되어 쟁이들의 일을 배우게 되면서 세상에 대한 눈을 떴다는 말을, 눈이 어두워졌다는 것으로 바꾸어 말하였다. 달문이야말로 오랜 유랑과 고난 끝에 세상에 눈뜬 광대가 되어 있었을 것이다. 그는 어느 날 어디론가 훌쩍 떠나버렸고 그후로는 끝내 소식이 들리지 않았다고 한다. 홍신유는 세상에서 홀연 모습을 감춘 그의 행적을 신선의 자취와 같다고 평가하였다. 달문은 노래와 재담, 탈춤, 인형놀이에 이르기까지 다양한 재주를 갖춘 만능 재주꾼일 뿐 아니라 새롭게 부상하는 시정 문화, 즉 도시 문화의 주체였다. 무엇보다 그는 자유로운 영혼과 예술가의 자의식을 지닌 천상 광대였다.

천민 광대로서 몸은 청계천의 거지 패거리와 함께 지내지만 재상가를 드나들며 상층의 오락 유흥에 기여했던 달문, 그 괴리를 통해서 중세적 질서와 차별에 대한 의문을 갖게 되지 않았을까? 약방의 부자가 인정한 신용을 지녔고 주릅 노릇을 통해 시장의 논리를 익힌 달문, 뜬구름 같은 명분을 내세우는 유학보다 실질적인 생활에 도움을 주는 상업활동의 중요성을 깨우치지 않았을까? 서울 장안을 주름잡는 왈짜들을 탄복시킨 기상과 풍류로써 전국 팔도를 누비며 익살과 재담으로 민간을 파고들었던 달문, 구석구석 어디 하나 예외 없이 박혀 있는 삶의 애환과 고통을 목격하고 고뇌했던 것은 아닐까? 그래서 그는 세상에 눈떠 반역을 꿈꾼 광대가 아니었을까?

조선시대 광대들을 탐구하면서 늘 연민의 감정을 솟구치게 하는 사람이 바로 달문이었다. 나는 박사학위논문을 쓰던 시절 꿈속에서 그를 만나기도 했다. 검은 실루엣으로 나타났지만 분명히 그가 달문이라고 확신했다. 한낱 비렁뱅이가 아니라 온갖 재주를 세상에 펼친 대단한 광대였다는 사실을 밝혀냈으니 그것을 널리 알리고 싶다는 마음이 간절했기 때문이리라.

몇 년 전 영화 「왕의 남자」가 세상을 떠들썩하게 했다. 그런데 그 영화의 원작이었던 연극 「이」는 내 강의실의 한 수강생과 맺은 인연에서 비롯되었다. 내가 수강생에게 내준 과제는 조선전기 궁정 광대들의 일상과 예술을 다룬 희곡을 쓰는 일이었다. 구중궁궐까지 진출해서 임금 앞에서 정치의 득실과 풍속의 미악美惡을 들추어 웃음과 풍자를 주었던 광대정신을 그려달라고 주문했었다. 세인들의 취향을 포착하는 작가적 예지 능력이 있었던 건지, 그 학생은 연산군과 광대 공길의 동성애적 관계를 창출하여 매우 독특한 작품을 만들어냈다. 세상 돌아가는 이치에 대해서는 관심 없이 권력욕에 불타 원치 않는 폭력적 성애性愛까지도 감내하는 주인공의 모습…. 하지만 여기에 못내 아쉬웠던 나는 공길의 정신적 지주이며 반역의 정신을 지닌 광대를 하나 집어넣는 게 좋겠다고 조언했고, 허균이 지은 「장생전」의 주인공 장생을 추천했다. 영화에서 더욱 매력적이었던 광대 장생은 그렇게 탄생되었다.

조선 전문가의
일생

영화 「왕의 남자」의 성공으로 광대 공길과 장생이 세상에 널리 알려지자 광대 달문에게는 무척 미안한 감정이 들었다. 공길이나 장생보다 훨씬 대단한 광대임에 틀림없는 달문이 아직 세상에 나오지 않았는데 두 명의 광대가 너무 유명해졌기 때문이다. 더구나 영화에서 강화된 장생의 활동 내용은 부분적으로 달문과 닮아 있었다. 사실 역사적인 실존 인물이자 복잡다단한 인생 역정을 견뎌냈던 광대 달문은 영화의 주인공으로서 제격이다. 이제 달문의 이야기를 누군가가 찾아 하나의 작품으로 완성시켜주지 않을까, 그리하여 조선의 천인으로 취급받았던 예술인들이 제대로 조명받는 날이 오지 않을까, 내심 기대해본다.

배척과 존중의
위태로운 경계에 서다

◉

조선의 승려,
허응당 보우

남동신 · 서울대 국사학과 교수

요승妖僧인가 지인至人인가

조선 왕조는 500년 동안 '유교는 숭상하고 불교는 억압한다(崇儒抑佛)'는 이념과 정책을 끝까지 견지한 사회였다. 이러한 사회에서 불교 승려는 지배층으로부터 배척받는 국외자였다. 그러나 때로 유식한 승려는 유자儒者와 더불어 한국의 중세 문화를 주도한 양대 지식인으로서 사회적으로 존중받기도 했다. 즉 조선시대의 승려는 배척과 존중의 기로 위에 섰는데, 그것은 역사적 평가에서도 마찬가지였다.

조선조 명종대에 불교 부흥을 주도한 보우普雨가 대표적인 경우다. 『명종실록』을 보면 당시의 조정 유신儒臣들로부터 지방 유생에 이르기까지 모든 유학자가 한결같이 보우를 '요승妖僧'으로 비난하고 있다. 나중에 『명종실록』을 편찬하는 데 참여한 율곡 이이(1536~1584)도 보우를 가리켜 요승이라고 단언하는 데

주저함이 없었다. 보우는 삿된 술책으로 나라를 혼란에 빠뜨린 요망한 중이란 뜻이다. 그런데 임진왜란 때 위기에 빠진 나라를 구하는 데 앞장선 사명당四溟堂 유정惟政(1544~1610)은 보우를 가리켜 '천고에 둘도 없는 지인至人'이라 극찬하였다. 지인이란 불교적 성인聖人을 의미한다.

　율곡과 사명당은 각각 유교와 불교를 대표하는 지식인이자, 공히 동시대인들로부터 존경받은 위인이다. 그런 그들이 직접 목격한 보우에 대하여 이처럼 상반된 평가를 내린 까닭은 무엇인가? 상반된 평가의 뒤안에서는 실제로 어떠한 일들이 일어났는가?

숭유·억불의 거센 바람

고려 말에는 왕실과 권문세족들이 농장을 경쟁적으로 확대하면서 사회적 모순이 폭발 지경에까지 이르렀다. 농장의 확대는 농민층을 대거 몰락시키는 결과를 가져왔고, 그것은 고려사회의 붕괴로 이어졌다. 이 시기 불교 교단은 지배층의 경쟁적인 농장 확대에 편승하여 사원 경제를 비대화함으로써, 사회의 모순을 악화시키는 구실을 하였다.

　사회경제적인 모순을 인식하고 개혁을 부르짖은 사람들은 이른바 신흥 유신들이었다. 그들은 향촌사회의 중소 지주 출신으로서 고려후기에 새롭게 중앙 관계에 진출하였으며, 사상적으로는 주자성리학을 표방하면서 불교 교단의 비생산성과 비도덕성을 비판하는 사회 세력을 형성했다. 이들 가운데 급진적인 개혁을 주장하는 정도전 일파가 이성계(태조) 등의 신흥 무장 세력과 손을 잡고 농민층에 경제적 양보를 약속하면서 마침내 고려 왕조를 타도하고 조선 왕조를 개창하는 데 성공했다. 결국 여말선초의 사회적 변동기에 불교 교단은 개혁의 주체가 아닌 개혁의 대상이 되고 말았다.

조선 왕조 개창 직후 이 땅에 성리학적 이상사회를 실현하려는 열정에 불탄 유자들은, 경쟁관계에 놓인 승려들을 '유식자遊食者'로 맹비난하고 불교는 이단으로 몰아서 그 뿌리를 뽑으려고 했다. 그것은 억불숭유책으로 나타난 것이다. 특히 세조대를 제외하면, 태조대에서 중종대까지 억불책은 단계적으로 그 강도를 더해갔다. 승려 수와 사찰 수가 대폭 줄었으며, 사원 소유 토지와 노비가 상당 부분 국고로 귀속되었다. 도첩제度牒制(국가가 승려에게 일종의 신분증명서를 발급하던 제도)를 폐지하여 승려가 되는 길을 원천봉쇄하였으며, 3년마다 시행하던 승과僧科를 정지시켜서 불교 종단을 해체하였다. 종단은 조선 초만 하더라도 11종이었는데, 태종대에 7종으로 줄고 다시 세종대에 선·교 양종으로 줄었다가, 마침내 중종대에는 종단 자체가 없어지고 말았다. 승려의 신분도 하락하여 4대문 안 도성 출입을 금지당했으며, 승군僧軍에 소속되어 각종 토목공사에 동원되었다. 유서 깊은 불교 문화재들은 파괴를 면치 못하고 역사에서 사라져갔다.

성종대부터 중앙 정계에 진출하기 시작한 사림파는 주자성리학에 대한 이해를 더욱 심화시키는 한편, 불교를 철저히 말살하려 했다. 마침내 중종대에 이르러 불교는 조선사회를 구성하는 일원으로서의 시민권을 완전히 박탈당하기에 이른다. 당시 불교

『대방광원각수다라요의경大方廣圓覺修多羅了義經』, 보물 제1514호, 한국학중앙연구원 장서각. 1465년(세조 11) 원각사를 준공한 기념으로 펴낸 원각경, 간경도감 국역본을 저본으로 해서 경문 및 주석의 한글 구결 부분만을 편집해 인출한 금속활자본이다. 이 활자는 불경을 간행할 목적으로 주성鑄成 되었다는 이유로 유신들의 강한 반대에 부딪혀 사용되지 못하다가 갑진자甲辰字를 주조할 때 녹여 사용한 것으로 알려져 있다. 조선 초 억불의 바람이 거셌음을 입증하는 한 자료라 할 수 있다.

계는, '나날이 없어지고 다달이 무너져서 산에 절이 없고 절에 중이 없으며, 관리가 침탈하고 속인이 미워하여 눈에 눈물이 고이고 눈물에 피가 맺히는' 참상을 면치 못했다.

그러나 강력한 억불숭유책에도 불구하고 천 년 가까이 지배적인 문화로서 사회 곳곳에 깊숙이 뿌리내린 불교를 단시일에 제거할 수는 없었다. 유교는 지배적인 이념이었지만 종교로서는 한계가 있었기에, 대다수 사람들은 여전히 불교에서 종교적 위

「불상 목판」, 22.4×30.7cm, 조선시대, 경기도박물관. 「소조보살좌상」(오른쪽 하단), 높이 46cm, 조선시대, 목아박물관.
불교는 억압되었지만, 천 년 넘게 이어져온 불교 신앙의 줄기는 쉽사리 끊기지 않았다. 일반 백성은 물론이고, 숭유억불 정책의
중심에 서 있던 유교 관료들도 사찰을 찾았다. 조선시대의 불교 유물들도 오늘날 많이 전해지고 있다.

안을 얻고자 하였다. 유교 관료조차도 조정에서 불교억압책을 논의하면서, 개인적으로는 불교 사찰을 찾는 현상이 빚어지곤 했다. 특히 궁중 여인들이 중심이 된 왕실 불교는 이 시기 불교 교단으로서는 생명의 끈이었다.

과거로 되돌아가려 한 문정왕후의 불교부흥책

1545년 7월 명종이 12세의 어린 나이로 즉위하자 중종의 세 번째 왕비이자 명종의 생모인 문정왕후 윤씨가 수렴청정을 하게 되었다. 왕후는 친정 동생인 윤원형과 함께 정치를 전단하는 한편 불교 부흥을 추진하였다. 그녀는 불교 탄압이 극심했던 중종 재위 시에 이미 내수사를 통하여 사방의 절에 밀사를 파견하고 여러 곳에 내원당內願堂을 지정하여 복을 기도한 바 있었다. 그리하여 명종 즉위 전부터 조정 대신들은 왕후의 불교 신앙과 그녀의 남다른 억센 기질에 대해 우려를 금치 못했다. 그러한 우려는 현실로 나타났다.

문정왕후가 불교 부흥을 추진한 명분은, 능사陵寺(선왕의 명복을 빌기 위해 왕릉 곁에 세운 사찰)를 잡인들로부터 보호하며, 나아가 승려들을 본연의 청정생활로 돌아가도록 감독하여 그들로 하여금 교화를 돕게 한다는 것이었다. 당시에 일반민들 중 군역을 면하고자 승려로 가장하는 이들이 많았는데, 이 때문에 유교 관리들이 불교 종단 자체를 없애고자 했지만, 결과적으로 불법적

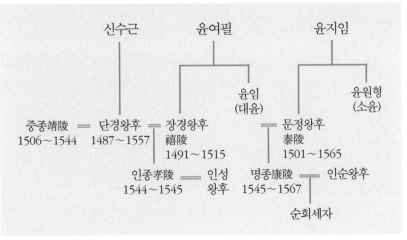

중종 가계도.

인 승려만 양산하고 말았다. 불법승이 많아지면 일반민의 군역 부담은 가중되고, 그럴수록 더 많은 이들이 역을 피하고자 출가하는 악순환을 낳았다. 불교계로서도 자질이 부족한 자들이 대거 유입되면서 교단이 질적으로 타락했고, 불교에 대한 유학자들의 인식도 더욱 악화되었다. 그런 점에서 승려가 되는 것을 양성화하되 이들을 제도적으로 통제하자는 왕후의 제안은 그럴듯한 해결책이 될 수도 있었다.

　왕후의 제안은 『경국대전』에 이미 규정되어 있는 것이었다. 왕후는 단지 대전大典 체제를 회복하는 것일 뿐이라면서 반대하는 유학자들을 달랬다. 대전 체제의 골자는, 승려에게 도첩度牒을 주어 이들의 법적 지위를 인정하고, 승과를 시행하여 합격자를 주지로 삼으며, 선禪·교敎 양종의 종단을 부활시키는 것이었다. 명종대에는 봉은사와 봉선사가 각각 선종과 교종의 중심 사찰로 선정되었다. 그런데 『경국대전』의 불교 관련 조항은 세조대 불교보호 정책이 남긴 유산이었다. 그리하여 성종대 이후 불교 탄압이 가속화되면서 위의 조항은 유학자들에 의해 사문화되다시피 하였다. 그 때문에 왕후가 대전 체제를 회복한다는 기치를 내걸면서 실로 50여 년 만에 불교 부흥을 추진한 데 대하여, 조정의 유신은 물론 성균관 학생과 지방 유생 등 대다수의 유학자가 한사코 반대했던 것이다.

『명종실록』에 의하면 명종 5년(1550) 12월 15일 문정왕후가 양종 복립의 견해를 표방한 날로부터 이듬해 6월 25일 보우에게 '판선종사判禪宗事'의 임명장을 내릴 때까지 여섯 달 사이에, 양종 복립의 명을 철회하라는 상소가 423회, 역적 보우를 죽여야 한다는 계啓가 75회나 올라왔다.

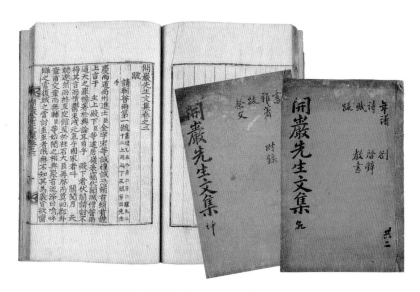

『개암선생문집』 중 '청참보우소請斬普雨疏', 김우굉, 1565, 한국국학진흥원. 영남 유소의 효시라고 일컬어지는 상소인데, 문정왕후가 죽자 그와 밀착해 권력을 농단하던 보우를 처벌하라며 고을 유생을 대표한 김우굉 등 300여 명이 1차 유소로 올린 것이다. 이후 총 20차례에 걸쳐 유소를 올렸고, 마침내 보우는 처벌당했다.

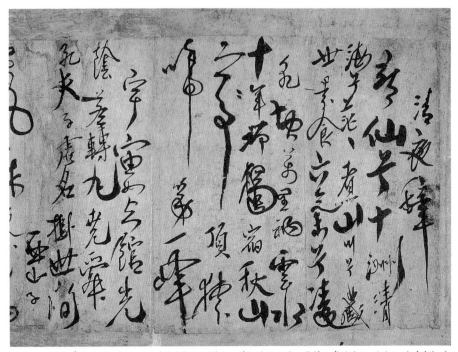

「청야사淸夜辭」, 휴정, 28.7×67.5cm, 고려대박물관. 조선중기 불교계의 인재로 꼽히는 휴정이 쓴 시이다. 임진왜란 때
승병을 이끌고 한양 수복에 공을 세웠으며, 儒儒·불佛·도道는 궁극적으로 일치한다는 삼교통합론을 주장했다.

명종 5년부터 20년(1565)까지 단행된 불교부흥책에 힘입어 잔
명만 부지하던 불교는 의연 기사회생하기에 이르렀다. 전국 300
여 사찰이 국가 공인 사찰로 보호받게 되었으며, 도첩제에 의하
여 불교 부흥 초기에만 4000명 이상이 승려가 되어 잡역을 면제
받았다. 다섯 차례의 승과를 거치면서 불교 인재들이 배출되었
는데, 그 가운데는 서산대사 휴정과 사명대사 유정도 있었다.*

* 사명대사는 1561년 제4회 승과에 합격하였으며, 1573년 보우의 문집인 『허응당집』을 간행
　할 때 그 발문을 썼다.

또한 많은 불교문화재가 파괴를 면하였으니, 한 예로 원각사종(지금의 보신각종)만 하더라도 이것을 녹여서 대포를 만들자는 조정 유신들의 수차례에 걸친 건의를 문정왕후가 반대하였기에 오늘날까지 남아 있게 된 것이다.

그런데 문정왕후와 보우는 단시일 내에 승려를 양산하고자 『경국대전』의 규정을 어겨가면서까지 도첩을 남발하여 예조의 반발을 샀으며, 상당수의 승려가 법률상 내야 하는 정전포丁錢布 30필을 내지 않아 이조의 독촉을 받기도 하였다. 일찍이 유자들은 불교 탄압의 관성으로 『경국대전』의 불교 관련 조항마저 사문화시켰는데, 반대로 문정왕후의 불교부흥책은 대전 체제의 회복이라는 미명하에 역사의 흐름을 거슬렀을 뿐 아니라, 『경국대전』을 지나쳐 계속 과거로 과거로 되돌아가고 있었다.

보우 자신이 고위관료에 준하는 예우를 받았으며, 일반 과거를 의식하여 승과 합격자의 석차를 매기기도 하였다. 사찰–양종–내수사–문정왕후로 이어지는 비공식적인 계선이 강화되면서, 불교 교단은 지방 수령에서 예조로 올라가는 국가 공권력의 통제로부터 점차 이탈해갔다. 관행처럼 사찰에 가서 횡포를 부리던 유자가 과거응시 자격을 박탈당한다거나, 승려를 탄압한 지방 수령이 처벌을 받는 사례도 늘어났다. 그러자 유자들은 문정왕후의 불교부흥책이 고려 불교로 회귀하는 것이라고 의심하지 않을 수 없었다.

불교 부흥에 비례하여 유자들의 반대 여론도 들끓었다. 명종대(1545~1567)는 훈구파에 의한 척신정치가 마지막으로 기세를 올리던 시기로서, 선조대에 들어서면 마침내 사림파가 권력을 장악하여 이른바 붕당정치를 모색한다. 아울러 명종대에 퇴계 이황이 이기이원론理氣二元論에 입각하여 주자성리학에 대한 이해를 심화시키고, 선조대에 율곡 이이가 이기일원론理氣一元論에 입각하여 주자성리학을 현실 정치와 접목시킴으로써 조선 유학은 융성기를 맞이하였다. 사림파, 주자성리학, 붕당정치가 한 묶음이 되어 새로운 것을 대변하였다면, 불교는 유감스럽게도 훈구파, 척신정치와 더불어 청산되어야 할 낡은 것으로 치부되었다. 그러한 불교계의 한가운데에 보우가 있었다.

억불의 핍박 속에서 불교 부흥 꿈꿨던 허응당 보우

보우(1509?~1565)의 가문과 출신지에 대해서는 알 수가 없다. 그는 15세 때 금강산 마하연암摩訶衍庵으로 출가하였으며, 6년의 수행 끝에 금강산을 내려와 세상을 돌아보기로 하였다. 그러나 중종 33년(1538) 가을 불교 탄압 소식을 들은 보우는 다시 금강산으로 되돌아갔다. 보우는 애초부터 세속의 권세나 명예를 탐하는 그런 성품의 소유자는 아니었다. 그는 '숨어 사는 현자'라는 명성이 세속에 자자함을 알고는, 게을러서 산을 내려가지 않았고 가난해서 겉모습을 꾸미지 않았을 뿐이라며 겸손한 변명을 할 정도였다. 다만 깊은 산속이다보니 소금만큼이나 사람이 그리웠을 따름이다. 보우는 자연을 시로 위안 삼았고, 어쩌다 나그네가 찾아오면 그를 붙들고 이야기하기를 좋아하였다.

摩訶衍

「마하연」, 김홍도, 30.4×43.7cm, 『금강전도』 중, 1778, 삼성미술관 리움. 보우가 출가한 마하연의 풍경은 여러 점이 전하는데, 이 그림은 김홍도가 그린 것이다.

명종 3년(1548) 9월 함흥에 머물던 보우는, 호남으로 여행을 가려다 풍병에 걸려 양주 회암사에서 몇 달 동안 요양한 끝에 겨우 회복되었다. 그런데 뜻밖에도 병석에서 일어난 직후인 11월 15일 문정왕후에 의해 봉은사의 주지로 부름을 받았다. 그를 추천한 자는 함경도 감사로서 평소 친분이 두터웠던 정만종이었다. 보우는 천성이 게으른 데다 병약하여서 처음에는 사양할까도 싶었지만, 이런저런 생각으로 머뭇거리다 결국은 사신의 재촉에 못 이겨 주지직을 수락하고 말았다.

명종 5년(1550) 12월 드디어 불교 부흥의 조칙이 내려지자, 유교 관료들의 배불 상소가 빗발쳤으며, 이듬해 4월에는 함경도 암행어사가 비밀 보고서를 올려 보우가 을사사화(1545) 때 역적을 도와주었다는 의혹을 제기하였다. 여기에 대하여 보우는, "만약 나암懶庵(보우)이 오늘 없다면, 후세에 영원히 선禪이 없게 됨을 뉘라서 알리오!"라고 하면서, 적극적인 불교 부흥의 의욕을 드러내기도 하였다.

1551년 6월 선禪·교敎의 두 종단을 부활하고 보우를 선종판사, 수진守眞을 교종판사로 임명하는 조칙이 내려졌다. 양종이 혁파된 지 50여 년이나 지났기에, 조정에는 양종판사의 의전 절차에 관한 문서도 목격자도 없었다. 다행히 사찰에 옛 문서가 남아 있어서 이를 준칙으로 삼게 하였다. 보우는 여느 관리들처럼 광화문 앞에 나아가 임금의 은혜에 감사하는 절을 올렸으며, 양종 복립 후 승려들은 공무차 예조에 간다는 핑계로 도성 안을 드나들었다. 이러한 행동이 유교 관료들의 반감을 더욱 자극하였다. 보우는 문정왕후에 매달리는 한편, 유교 관료들에게 불교 보

보우가 머물렀던 봉은사의 1900년대의 모습.

호의 필요성과 그 유익함을 애써 납득시키고자 하였다.

보우는 한때 재주 많은 젊은이들이 선 수행에 열심인 것을 보고 보람도 느꼈지만, 동시에 유자들의 비난의 화살을 한 몸에 받으면서 심리적 중압감도 커져갔다. 명종 8년(1553) 보우는 금강산을 여행하고 봉은사로 돌아와서도 금강산의 옛 시절을 잊지 못하였다. 문도를 규율하고 대중을 교화하는 데 무력감을 느꼈으며, 봉은사 승려들의 반목은 보우를 더욱 힘들게 하였다. 유자들의 격렬한 비난을 전해 들은 그는 병든 몸을 추슬러 항변하는 글을 쓰기도 하였다. 그러나 그럴수록 금강산으로 돌아가서 보

양주 회암사지, 2010년 6월 촬영.

름달 소나무 아래에 길게 드러눕고 싶은 심정이었다. 하루는 쇠약하고 병들었다는 핑계로 옛 절로 돌아가려는데 대중들이 가로막자, '명성은 꿈에조차 바라던 바가 아니요, 오직 구름 속 개울이 나의 소망이다'라고 절규하기도 하였다.

보우가 이렇게 돌아갈 생각만 하자 승려 가운데는 "대중을 저버리고 혼자 몸의 안녕만 기도하니 어찌 총림의 대표라 하겠는가!"라며 비난하는 자들도 나왔다. 그러나 그는 병을 핑계로 끝내 사퇴를 고집하였다. 마침내 명종 10년(1555) 보우는 8년간의 봉은사 주지생활을 청산하고 춘천의 청평사로 퇴거할 수 있었다. 해방감에 취한 그는 어떤 승려 보고 자기를 아느냐고 물어보기까지 하였다. 청평사의 절경을 감상하다가 흥에 겨워 금강산보다 낫다는 찬시를 짓기도 하였다. 그러면서도 홀로 소요하며 도를 즐기는데, 유자들이 이를 안다면 벌떼같이 다투어 상소할 것이라고 우려하였으니, 그가 유자들의 상소 공세에 얼마나 시달렸던가를 짐작할 수 있다. 풍병이 재발하여 움직이는 데 불편함을 느꼈지만, 서울에서 멀리 떨어진 청평사에서 자신의 기벽인 자연을 마음껏 즐길 수 있다는 점에서 오히려 행복감에 젖었다. 그러나 그는 여전히 교단의 중심이었으므로 종무를 맡은 승려들이 내방하기도 하였으며, 선·교 양종 사이의 알력을 듣고 이를 화해시키려고 애쓰기도 하였다. 명종 12년(1557) 봄에는 왕후의 뜻을 받들어 청평사를 대대적으로 중창하였으며, 이 무렵 틈을 내어 낙산사와 월정사 일대를 여행하기도 하였다.

명종 15년(1560) 보우는 내키지 않던 선종판사와 봉은사 주지직을 다시 맡아 금강산이 아닌 서울로 돌아왔다. 그러나 곧바로

「금강산사대찰전도」, 필자미상, 목판본, 105×69.5cm, 1889, 영남대박물관. 금강산에는 장안사, 표훈사, 유점사, 신계사 등 대찰들이 자리해 있었다. 일찍이 보우가 머물렀던 마하연암도 금강산에 위치해, 타지의 절로 부임하곤 했던 보우는 항상 금강산으로 되돌아오길 원했다.

「청화백자철채산형향로」, 높이 22.2cm, 19세기, 국립중앙박물관. 금강산의 산봉우리와 계곡이 남성적으로
잘 묘사된 작품. 향로 뚜껑 아래 부분에 줄기가 옆으로 쭉 벌어진 늙은 소나무와 그 아래 한가로이 기대어 있
는 인물이 있는데, 금강산에 돌아와 '오직 구름 속 개울이 나의 소망이다' 라고 말했던 허응당 보우 택자 이
와 다름 바 없었을 것이다.

「약사삼존도」, 비단에 금니, 54.2×29.7cm, 1565, 국립중앙박물관. 문정왕후는 숭유·억불이 거세던 조선에서 적극적인 불교의 후원자 역할을 자청했다. 특히 1565년 회암사 무차대회를 기념해 400점의 불화를 발원하기도 했다. 이 불화 역시 문정왕후가 시주하여 회암사에 봉안한 것이다.

「청평사 지장시왕도」, 견본채색, 95.2×85.4cm, 1562, 일본 고묘지 소장.
보우가 문정왕후를 비롯한 왕실의 안녕을 기원하며 발원한 지장시왕도이다.

한 사건에 연루되어 판사직을 박탈당하고 세심정洗心亭으로 쫓겨났다. 이때 그는 심리적 압박과 병으로 심신이 거의 무너진 상태였지만, 잔인하게도 같은 해 12월 세 번째로 선종판사와 봉은사 주지가 되었다. 그리고 명종 18년(1563) 보우는 회암사 중창에 착수하여 명종 20년(1565) 봄에 공사를 마쳤다. 그러나 4월 5일 성대하게 열렸던 무차대회가 왕명으로 중지되었으며, 이튿날 문정왕후가 조정 대신들에게 불교 보호를 간곡히 당부하는 유언을 남긴 채 생을 마쳤다.

절대적 후원자였던 문정왕후가 죽자마자, 왕후의 유언에도 아랑곳없이 조정의 유신은 말할 것도 없고 전국의 유생들이 보우를 극형에 처해야 한다는 상소를 연일 올렸다. 윤원형조차 보우를 탄핵하여 보우로서는 고립무원의 지경에 빠지고 말았다. 4월 초 문정왕후가 죽고부터 10월 중순 보우의 피살 소식이 서울에 전해질 때까지 반년 동안 1000건이 넘는 상소문이 보우를 죽여야 한다고 주장하였는데, 아마 이러한 일은 역사상 유례가 없을 것이다. 승직을 박탈당하고 서울 근교 사찰의 출입이 금지된 상태에서 한계산 설악사로 숨었던 보우는, 끝내 한 승려의 밀고로 체포되고 말았다. 극형에 처해야 한다는 유자들의 여론이 비등하였지만, 율곡의 건의에 따라 제주도 유배가 결정되었다. 귀양간 보우는 그곳에서 곧바로 비참한 최후를 맞았는데, 보우의 폐사斃死 소식을 접한 유자들은 하나같이 이를 통쾌히 여겼다고 한다. 그리고 이듬해에는 결국 양종 철폐, 승과 혁파, 도첩제 폐지가 단행되었으며, 유자들의 격렬한 불교 탄압으로 15년의 불교 부흥은 하루아침에 물거품이 되고 말았다.

명종대의 불교 부흥은 불교계가 주도한 것이 아니다. 문정왕후
가 발의해서 시작되었고, 문정왕후가 죽으면서 중단되었다. 『명
종실록』을 보면, 불교 부흥을 둘러싼 공방은 주로 문정왕후와 유
자들 사이에서 이루어지고 있다. 불교계가 유자들의 불교 탄압
에 맞서서 불교 부흥의 정당성을 역설한 사례는 찾아보기 어렵
다. 이처럼 문정왕후에 지나치게 의존하였기 때문에 명종대의
불교는 화려한 왕실불교의 성격을 드러낼 수밖에 없었다. 인종
의 생모 장경왕후가 산고로 사망하고 인종도 즉위한 지 채 1년
이 안 되어 사망했으며, 명종은 병약한 데다 유일한 혈육인 순회
세자마저 13세로 요절하는 등 당시 왕실에는 우환이 그치질 않
았다. 자연 문정왕후는 왕실의 안녕을 기원하는 기복적인 궁정
불사에 심혈을 쏟게 되었다. 청평사와 회암사의 대대적인 중창
은 이러한 속사정에서 연유한다.

　기복적이고 화려한 불사, 그것은 이미 여말선초부터 유학자들
이 격렬하게 비판하였던 음사淫祀의 표본이었다. 연일 계속되는
대규모 불사에 막대한 국고가 탕진되자, 유자들은 경멸과 분노
를 감추지 못하고 보우를 '요승' 이라 비난하였던 것이다. 심지
어 불교 교단 내에서도 서산대사는 봉은사의 화려하고 번잡함을
비판하였으며, 스승조차 봉선사 법회에서 화려한 가사를 걸치고
수많은 승려의 호위를 받으며 나타난 보우를 꾸짖었다고 한다.
나아가 국고의 탕진과 백성들의 힘民力의 낭비는 민심으로 하여
금 불교에 등을 돌리게 하였다.

한 예로 명종 17년(1562)에는 희릉禧陵(중종과 장경왕후의 능, 경기도 고양시 원당) 가운데 중종의 능만 따로 떼어서 선릉宣陵(성종의 능, 서울시 강남구 삼성동) 옆으로 옮기고 이를 정릉이라 하였는데, 이 일은 사후에 자신만이 중종 옆에 묻히려는 문정왕후와 봉은사의 사격을 높이려는 보우의 뜻이 맞아서 빚어낸 합작품이었다. 그런데 정릉은 지형상 장마철의 침수에 취약하여서 해마다 인근 백성들이 흙산을 쌓는 노역에 동원되었기에, 보우를 원망하는 소리가 인근에 자자했다고 한다.

반면 학식과 덕망을 겸비한 보우가 불교를 기사회생시킨 사실을 높이 평가하여, 당시의 불교도들이 이미 그를 '성인'으로 추앙

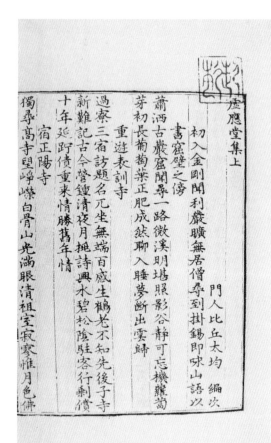

『허응당집』, 허응당 보우, 1573, 일본 덴리대학

하기도 하였다. 과연 그가 진정한 의미에서 불교를 재건한 인물인가? 진정한 불교의 재건이 되려면, 고려 말의 불교 폐단에 대한 비판적 반성과 조선조 불교로서의 개혁적인 전망이 있어야 한다. 유감스럽게도 보우의 저술에서 그러한 증거는 찾아보기 어렵다.

조선 전문가의
일생

보우는 선교 조화와 유불 일치의 입장에 서기는 하였으나, 이를 체계적인 사상으로 발전시키지는 않았다. 15년 동안 불교 부흥을 주도하며 많은 승려를 배출하였지만, 교육의 효과라든가 문도 양성의 필요성에 대하여는 대단히 회의적이었다. 그는, "남을 착한 사람이 되게 할 수 있다면 요 임금은 어찌하여 자식을 현인으로 만들지 못하였는가?"라고 반문할 정도였다. 그가 문도 양성을 너무나 등한시하자, 시자들조차 스승이 자신들을 친하게 여기지 않아 도를 감추고 있지나 않은지 의심을 품기에 이르렀다. 비록 보우가 자연을 사랑하고 시를 잘 지어 개인적으로 높은 경지에 도달했을지라도, 그것만으로 불교계를 대표하고 불교 교단을 재건하기에는 충분치 못했다.

결국 보우에게 내려진 '요승'과 '성인'이라는 상반된 평가는, 전체 한국사회의 발전과 불교 교단의 발전이 함께할 때만이 진정한 불교 부흥임을 다시 한번 일깨워준다. 다만 그가 주재한 승과를 통하여 배출된 불교 승려들이 임진왜란 때 혁혁한 무공을 세움으로써, 조선후기에 집권 세력이 불교 교단의 존재를 공인하게 한 것은 기억할 일이다.

6장

음악은 직업,
혹은 인격 수양의 방편

조선의
음악가들

송지원 · 서울대 규장각한국학연구원 HK연구교수

조선의 음악가들은 그것을 업業으로 하여 살아가는 전문 직업인들과, 그에 준하는 실력과 자질은 갖췄지만 직업으로 삼지는 않은 음악가로 나뉜다. 전문 음악가들은 또다시 국가기관에 소속된 이들과 민간에서 활동하는 이들로 분류되었다. 전자에는 장악원 소속 전악典樂 이하 악공樂工, 악생樂生, 관현맹인管絃盲人, 무동舞童, 가동歌童, 기녀妓女, 지방 관아 소속 음악인, 군영 소속 취고수吹鼓手, 세악수細樂手 등이 있으며, 후자로는 광대, 풍류객, 율객律客, 가객歌客 등(중간 단계)이 있었다. 음악을 업으로 삼진 않았으나 실력을 겸비했던 이들 중에는 관료, 사대부, 왕 등 음악을 취미로 하거나 인격 수양의 목적으로 했던 이들도 포함될 수 있다. 물론 이런 분류에는 들지 않는 여러 개인이나 집단들도 음악인의 범주에 넣을 수 있을 것이다.

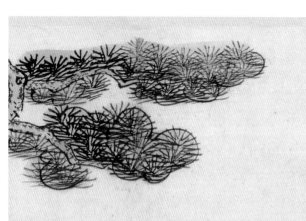

間曰司
人也有間曰有所怡然
思焉有所穆然而深
志焉曰丘得其為人黮然
而黑頎然而長眼如望洋
非文王孰能為此也襄子
避席再拜曰君子聖人也
蓋文王操焉

「학금사양」(사양에게 금琴을 배우다), 작자미상, 종이에 담채, 33×54cm, 1742, 성균관대박물관. 옛사람들에게 음악은 예禮를 익히고 자신을 닦는 데 중요한 방편 중 하나였다. 그리하여 성인의 경지에 오르려는 이들은 음악으로 자신을 수양했다. 공자는 29세 때 양자에게 금을 배웠다.

전악에서 무동과 여기까지
장악원 소속 음악가들

· 전악

조선 왕실의 음악기관인 장악원掌樂院의 음악인으로서 가장 높이 오를 수 있는 품계는 정6품의 전악典樂이었다. 요즘의 음악감독에 비견할 만하다. 이들은 궁중 의례에서 연행되는 음악을 잘 연주할 수 있도록 악공과 악생의 연주 실력을 향상시켜야 할 의무를 졌다. 때론 노래와 무용을 지도하기도 했다. 연주가 펼쳐질 무대의 배치도 이들의 몫이라 궁중 의례를 위한 음악의 전체 구도를 완벽하게 파악하고 있어야 했다. 악대가 연주할 때에는 박拍을 쳐서 음악의 시작과 끝을 알리는 집박악사執拍樂師의 역할도 담당했다. 그 외에도 다양한 업무가 주어졌는데 담당한 일에 따라 집박전악, 집사전악執事典樂(음악 연주 지휘), 감조전악監造典樂(악기 제작 감독), 대오전악隊伍典樂(대오 정렬 감독) 등의 이름을 썼다.

전악은 해외 출장도 갔다. 가령 조선통신사행이 일본으로 갈 때 전악 한두 명은 반드시 수행해야 했다. 전악이 이끄는 악대는 왕의 국서國書를 위한 것이기도 하고, 행렬의 위엄을 높이는 한편 수시로 필요한 음악을 연주하였다. 또 중국에서 가져온 악기를 연주하는 데 어려움이 따르면 직접 출장을 가 연주 기법을 배워 돌아오기도 했고, 악기를 구입해오기도 했다. 악기를 만드는 데 적당한 재료를 구하기 위해 전국 각지를 탐색하며 다니기도 했다. 전악에게 부과된 이 모든 일은 국가 음악을 총괄적으로 이

조선 전문가의
일생

158

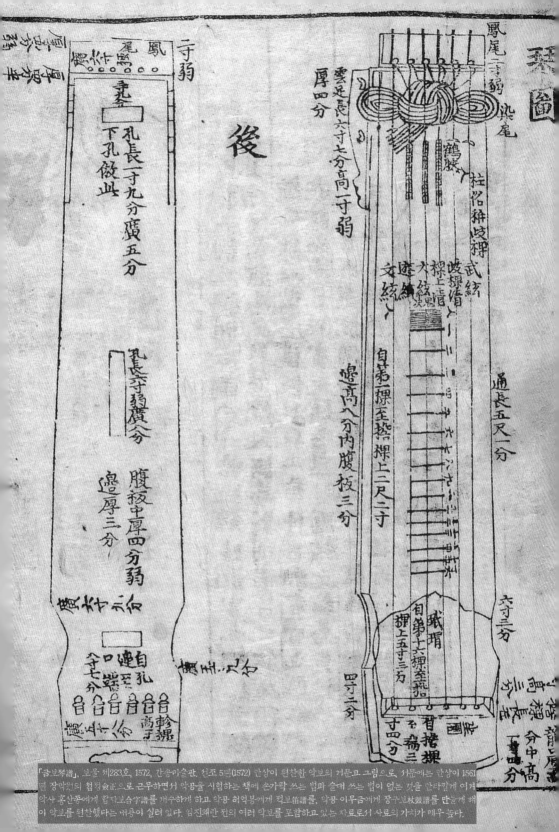

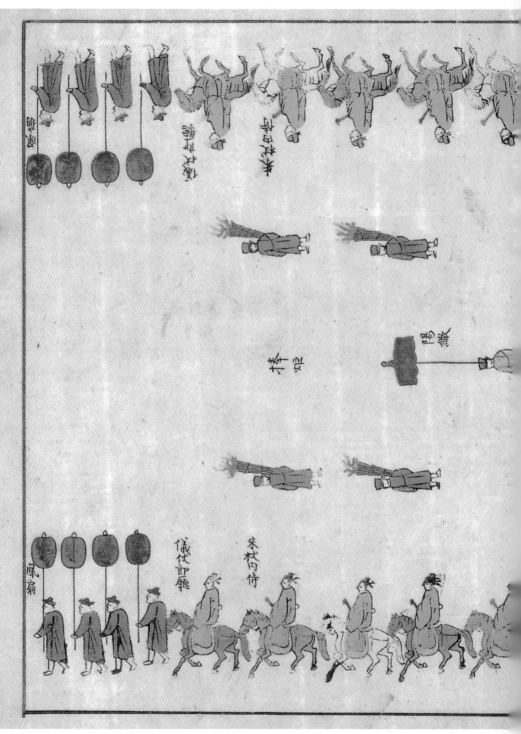

『영조 가례도감의궤』 중 반차도 제39~40면, 1759, 규장각한국학연구원. 18인의 악공이 대금, 비파, 장구, 북 등의 악기를 들고 2열로 서 서 행진하는 모습이다. 전악은 녹색, 악공들은 붉은색 옷을 입고 있다. 전악은 행렬의 뒷부분에서 박拍을 잡고 서 있다.

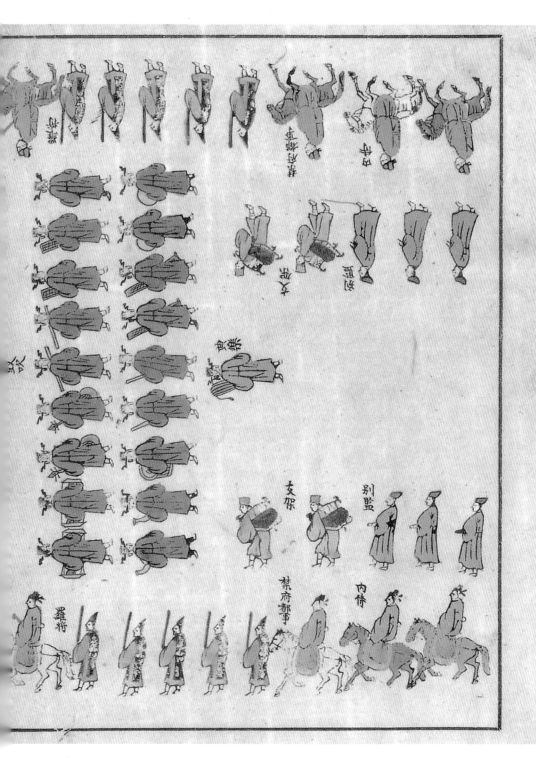

「관영조선인내조천」 중 취고수악대 부분(일본화), 작자미상, 종이에 채색, 32.1×984.2cm, 1642, 국립중앙도서관. 조선
통신사 행렬에 수행한 악대. 가장 앞에서 전악이 악대를 이끌고 있다. 징과 자바라, 태평소에 이어 북이 따르고 있다.

「무동」, 김홍도, 종이에 담채, 27.0×22.7cm, 『풍속화첩』중, 국립중앙박물관. 해금, 대금, 피리2, 장구, 북의 반주에 맞추어 무동
이 춤을 추고 있다. 피리 1인, 해금, 북 연주자는 군영 소속의 세악수細樂手 복장을 하고 있다.

끄는 데 부족함이 없도록 하기 위한 것이었다. 많은 사람이 인정하는 실력자만이 전악의 자리에 오를 수 있었던 것은 조선 왕실에서 '악樂'이 '예禮'와 함께 큰 비중을 차지했음을 알려주는 지표이기도 하다.

· 악생과 악공

왕실의 행사에서 음악을 연주한 실질적인 전문 음악인은 악공樂工과 악생樂生이었다. 이들은 각자 자신이 전공으로 하는 악기와 더불어 몇 개의 악기를 더 연주했다. 부전공으로 노래나 춤을 담당하기도 했다. 악생은 양인良人에서 선발하거나 악생의 자제들로도 충당했으며, 아악雅樂과 일무佾舞를 담당했다. 또 악공은 공천公賤 중에서 충원했으며 향악鄕樂과 당악唐樂을 맡았다. 양인 중에서도 원하면 악공에 지원할 수 있었으나 악공이 악생이 될 수는 없었다(『경국대전』 권3 「예전」).

· 무동과 여기, 관현맹인

궁중의 각종 행사에서 정재呈才를 추는 남자 어린아이를 무동舞童이라 하고, 정재를 추는 여성은 여기女妓라 한다. 관현맹인管絃盲人은 왕실의 여러 행사에서 주로 악기 반주를 맡았다.

　무동은 궁중 연향에서 춤과 음악을 담당했다. 남자 아이들이었던 까닭에 무동을 남악男樂이라고도 한다. 무동으로 선발될 수 있는 나이는 시기별로 약간씩 달랐지만 대개 8세부터 15세의 어린 남자 아이에게 자격이 주어졌다. 8세 이상의 어린아이를 뽑아 음악과 춤을 연습시켜 이들이 일정한 재주를 습득하면 종묘

「내외선온도內外宣醞圖」, 비단에 채색, 55.5×74cm, 『사계장연회도첩』 중, 보물 제930호, 경기도박물관. 현종이 이경석에게 궤장을 하사하는 연향을 버린 것을 묘사한 그림. 왕이 버린 술동이 사이에는 표서함이 놓인 탁자가 있다. 참석자들이 독상을 받은 가운데 악공의 반주에 맞춰 처용무가 공연되고 있다. 이들은 왕이 하사한 장악원의 음악인들이다.

제향의 일무佾舞를 비롯하여 회례연 등의 각종 연회에 투입시켜 춤을 담당하게 했다. 즉 내연內宴과 외연外宴에서 연행하는 정재를 두루 담당한 것이다.

어린아이를 뽑아 악무를 맡기다가 나이가 들어 더 이상 무동으로 쓸 수 없게 되면 고향으로 돌려보냈지만, 그 가운데 음악을 잘 익혀서 악공이 될 자격을 갖춘 무동은 장악원의 연주활동에 투입시켜 악공으로 일할 수 있도록 배려하기도 했다.

궁중음악을 담당한 이들 중 앞을 못 보는 맹인 연주자는 관현맹인管絃盲人이라 한다. 맹인은 앞을 못 보는 대신 소리에 민감한 덕에 훌륭한 연주자가 될 수 있었다. 그러나 조선시대에 맹인들은 음악인으로 나아가는 것 보다는 복서卜筮, 즉 점을 치는 일이 더 낫다고 생각했다. "음악을 익히는 일은 고생을 면하기 어렵고, 점을 치는 일은 처자를 족히 봉양할 만하다"라는 이유였다. 따라서 총명하고 젊은 맹인들 대부분은 음양학陰陽學으로 나아갔지 음악을 전공하려 하지는 않았던 것이다.

군영 소속 해금악사 유우춘 이야기

조선시대 군영軍營 악대 제도는 임진왜란을 계기로 성립되어 취고수吹鼓手, 세악수細樂手, 내취內吹의 취타악이 형성되었다. 왕실 음악을 관장한 장악원은 예조 소속이었던 반면, 왕실 밖의 군사 관련 음악을 주로 관장한 군영 악대는 병조에 소속되었다. 그 소속만으로도 알 수 있듯이, 장악원 소속과 군영 소속의 음악인들

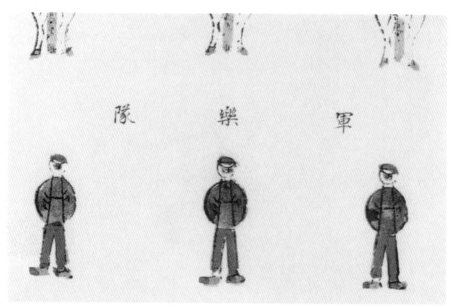

『황태자 가례도감의궤』 중 군악대 부분, 한국학중앙연구원 장서각

이 연주하는 음악에는 차이가 있었다.

세악수는 특정한 일이 있을 때 동원되어 연주활동을 펼쳤다. 왕이 궐 밖으로 나와 거둥할 때, 사신의 행렬을 맞을 때, 과거 급제자를 위한 삼일유가三日遊街에, 관아의 각종 연향 등에서 연주했다. 평소에는 3일에 한 번씩 입번入番하고 행사가 있을 때는 전체가 동원되는 형태였다.

군영 소속의 음악인들은 기본적인 군사 훈련에 참가하는 한편 군영, 관아의 행사, 또 민간의 각종 음악 수요에 부응하여 조선 후기 음악 문화를 풍성하게 하는 데 기여하였다. 이때 이들의 후원자는 군영이며, 도가 집단의 관리와 도대방, 도패두들의 감독은 소속 음악인들의 활동이 체계적으로 이루어지는 데 기틀이

음악은 직업,
혹은 인격 수양의 방편

용고龍鼓. 몸통에 용이 그려져 있어 용고라 한다. 능행陵幸 등의 목적으로 왕이 성 밖으로 나갔을 때 연주하는 대취타大吹打 음악에서 쓴다. 주로 군영에 소속되어 있는 취타수吹打手들이 징·자바라·장구·소라[螺角]·나발·태평소 등과 함께 연주하였다. 고리에 끈을 묶어 북면이 위로 향하도록 어깨에 메고 두 손에 채를 쥐고 위에서 아래로 내려친다.

되었다. 체계적인 후원 뒤에 조직적 착취가 이루어지는 현장도 있었지만, 조선후기에 확립된 세악수들의 개별 활동을 제도적으로 가능하게 열어놓았다는 점에서 이러한 집단의 조직력은 간과할 수 없다.

조선후기의 해금악사 유우춘은 노비 출신으로 용호용의 세악수가 되었다. 그는 다섯 손가락에 못이 박히도록 연습하여 3년 만에 일정한 경지에 올라 실력을 인정받게 되었다. 이런 이야기는 군영 소속 세악수의 연습량이 만만치 않았다는 사실을 알려준다.

유우춘은 원래 노비 신분이었다. 부친이 영조대 무신난 진압에 공이 있었던 유운경이고, 모친은 그 집의 여종이었다. 조선시

조선 전문가의
일생

대는 종모법從母法을 택했으므로 그 사이에서 태어난 유우춘은 노비 신분이었다. 후에 이복형이 5000전錢을 내고 그를 속량시켜주었다. 이에 유우춘은 해금 악사가 되고자 했고, 조선후기 5군영 중의 하나인 용호영龍虎營에 소속되어 일했다.

전문가로서 유우춘의 직업의식은 투철했다. 훌륭한 음악인이 되기만 한다면 늙은 어머니를 잘 봉양할 수 있으리라 생각한 그는 밤낮으로 해금 연습에 몰두하여 장안에 소문난 해금 악사로 확고한 자리를 점했다. 소문난 잔치에 응당 있어야 할 그의 해금이 없다면 모두 허전해했다. 그의 연주를 초청해서 듣는 일은 좋은 음악을 감상하는 일의 대명사가 되었다.

해금에 일가를 이룬 유우춘은 누가 봐도 소기의 목적을 달성한 듯 보였지만, 내면의 고뇌는 깊어만 갔다. 예술적 경지가 깊어지면 깊어질수록 또 다른 회의가 찾아들었다. 해금 기량이 향상되도 사람들은 알아주지 않았고, 수입 역시 늘지 않았다. 사람들은 오히려 거지들이 즐겨 내는 해금 소리, 즉 모기 앵앵거리는 소리, 온갖 짐승 소리, 풀벌레 소리나 흉내 내면 즐거워하고 깊은 예술적 경지를 구사하는 음악에는 관심이 없었다. 전문 음악인의 연주를 감상하려는 이들이 불러 기껏 가서 연주하면 조는 것이 일쑤인 게 당대 사람들의 예술 감상 수준이었다. 결국 진지한 음악인으로서의 고뇌는 나날이 깊어졌다. 단 한 사람 호궁기라는 친구는 그의

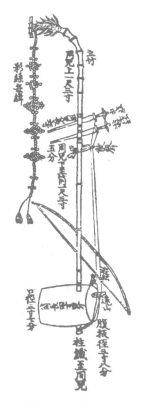

『악학궤범』에 실린 해금.

음악을 온전히 이해해주었다.

유우춘과 호궁기, 이 둘이 모여 해금 연습을 하는 장면이 재미있다. 둘이 음악 연습을 하다 틀리는 사람이 벌금을 내기로 약속했다. 그런데 아무리 연주를 해도 둘 중에 벌금을 낼 사람이 없었다. 신기에 가까운 이들의 연주에서 하찮은 실수 같은 건 발생하지 않았기 때문이다. 그러던 유우춘은 결국 노모가 돌아가시자 단현斷絃을 한다. 봉양해야 할 어머니도 떠나고 없으니 음악인으로 살아가는 것이 무의미한 것이라 판단했던 듯하다. 그러고는 어디론가 종적을 감추어버렸다.

거문고와 비파의 대가 김성기

김성기(1649~1724/5)는 젊은 시절 상방궁인尙房弓人이었다. 음률을 워낙 좋아하여 활 만드는 일은 뒤로하고 거문고 배우는 일을 더 열심히 하였다. 거문고를 배울 기회가 된다면 때와 장소를 가리지 않고 따라나섰다. 그의 스승은 왕세기라는 인물이었는데 가르치는 데 인색한 편이었다. 제자는 배우고 싶어 늘 안달이 나있고, 스승은 좀처럼 가르쳐주려 하지 않았다.

배움에 늘 갈증 나 있던 김성기는 도둑공부를 하기로 결심한다. 밤마다 왕선생의 집에 몰래 들어가 창문에 귀를 대고 엿듣기 시작한 것이다. 그렇게 해서 귀에 익힌 음악은 모조리 암기해서 자신의 것으로 소화해냈다. 결국 김성기의 열정에 감복한 왕세기는 자신의 음악을 모두 전수해주었다.

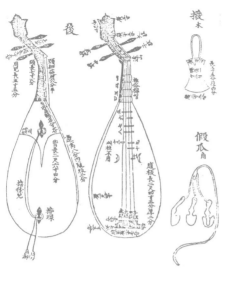

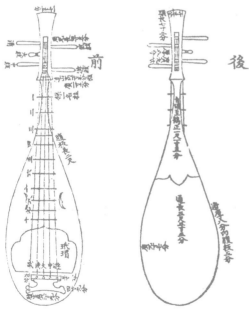

『악학궤범』에 실린 당비파(위)와 향비파.

그와 같은 열망을 지닌 김성기의 음악은 나날이 훌륭해져갔고, 결국 활 만드는 일은 완전히 버리고 거문고에만 전념하였다. 그의 밑에 제자들이 숱하게 모여들어 후에 솜씨 좋은 악공들은 모두 그에게서 나왔다고 전해진다. 비파와 퉁소 연주에도 뛰어났다. 직접 신곡을 만든 것도 많았고 늘 인기를 얻어 당시 장안에 '김성기의 신보新譜'가 유행할 정도였다. 잔칫집에 온갖 예인이 모여도 김성기가 없다면 흠으로 여길 정도로 최고의 인기를 구가했다.

음악적인 면 외에도 그에게는 매력을 끌 만한 일화가 또 하나 전해진다. 그의 만년의 일이다. 경종 2년(1722)에 역옥을 고발하여 그 공으로 동성군에 봉

해진 목호룡이란 인물이 있었다. 궁노宮奴 출신이었다. 하루는 목
호룡 일당이 잔치를 벌이는데, 김성기의 음악을 듣고자 청했다.
김성기는 병을 핑계 삼아 이들의 청을 거절하였다. 이에 심부름
하는 사람이 김성기를 초청하기 위해 여러 차례 다녀갔다. 그럼
에도 그는 꿈쩍하지 않았다. 고변 잘하는 사람 앞에선 연주하고
싶지 않다는 게 이유였다. 당시 위세 당당하던 목호룡은 일개 음
악가가 자신의 초청에 응하지 않은 것을 알고는 분노하였다. 이
에 김성기는 "내 나이 칠십이다. 어찌 너를 두려워하겠느냐? 네
가 고변을 잘한다 하니 나도 고변해서 죽여보아라"라는 말을 하
며 연주하고 있던 비파를 내던졌다.

이 일이 있은 후 김성기는 바깥에 나가는 것을 삼가고 음악 연
주하는 횟수도 크게 줄였다. 가끔 마음에 맞는 친구가 찾아오면
조용히 음악을 즐기며 살 뿐이었다. 만년에는 서강西江에서 청빈
한 삶을 살았다. 세상의 번잡스러움을 피하고자 작은 배 하나 띄
워놓고 낚시질을 즐길 따름이었다.

경종이 승하한 해 추운 겨울날이었다. 당시 76세 노인 김성기
는 나들이 채비를 했다. 도성에 사는 눈먼 제자 주세근을 찾아가
기 위해서였다. 찬바람을 맞으며 제자를 찾은 김성기는 어느 빈
집의 밀실로 그를 끌고 들어갔다. 불기 하나 없는 썰렁한 집에
들어간 김성기는 아궁이에 불을 지펴 방을 데웠다. 제자와 마주
앉아 묵묵히 비파를 꺼내들고 한 곡 한 곡 타기 시작한다. 그가
연주한 음악은 송도의 '진眞'이라는 기녀에게서 나온 곡인데, 이
선율을 어느 집 여종이 암송하고 있다가 직접 전해준 것이었다.
바로 고려시대의 음악이었다.

「주상탄금도舟上彈琴圖」, 전 이경윤, 종이에 담채, 44.4×28.3㎝, 서울대박물관. 도둑공부로 비파와 거문고 연주에 뛰어났던 김성기는 세상의 어수선함을 피해 크고 작은 권력에 굴하지 않고, 작은 배 하나 띄워놓고 음악을 즐기며 살 뿐이었다. 배 위의 주인공이 연주하는 악기는 당비파이다.

죽음이 가까이 온 것을 예감한 김성기가 평생 자신만이 간직하고 몰래 타며 흡족해하던 음악을 제자에게 서둘러 전수하고자 한 것이었다. 소중한 음악이 어수선한 세상에 나아가 오염되는 것을 원치 않아서였을 것이다. 그러나 자신이 세상을 하직하게 될 때, 그 아끼던 음악도 함께 묻혀버릴 것이 애석하여 얼음 꽁꽁 언 추운 겨울, 급히 제자를 찾았던 것이다.

평생 '음악' 한길로만 정진했던 노악사 김성기, 그가 비록 생활인으로서의 삶은 뒤로한 채 가난하게 살았고 처자식은 늘 굶주렸지만, 그의 음악적 지조만큼은 한결같았다. 그는 아무 데서나 연주하지 않았다. 마음이 내킬 때만 연주하지, 조금이라도 비위가 맞지 않을 땐 과감히 연주를 거부할 수 있는 용기도 지녔던 자부심 강한 연주가였다. 그런 음악가가 조선사회에서 평탄하게 살기는 힘들었다.

젊은 시절에는 자신이 하고 싶은 음악을 하기 위해 능동적 주체가 되어 삶을 이끌었고, 일생을 소신껏 살았다. 옳은 일이 아니라고 여겨지면 결코 행하지 않았던, 주체적 음악인의 삶을 살았던 인물이다.

서리에서 가객으로 - 김수장 이야기

우리에게 가집 『해동가요海東歌謠』의 저자로 알려진 김수장金壽長(1690~1770?)은 자가 자평子平이고 호는 노가재老歌齋로 중인 신분이었다. 『해동가요』의 '작가제씨作家諸氏'에 '숙종조 기성서리' 로 소개되어 있어 중인 신분임이 확인된다. 중인층이라 하면 의관, 역관 등의 기술직 중인을 필두로 서얼庶孼, 이서吏胥(胥吏, 衙前) 등이 포함되는데, 이 가운데 서리에 해당하는 중인층은 조선후기 가곡 발달에 주도적인 역할을 하였다. 김수장은 130여 수에 달하는 노랫말을 지었고 '노가재'를 중심으로 당대의 시인과 가객이 모여 가악활동을 펼쳐나갔다.

김수장이 주로 활동하던 18세기는 가곡歌曲의 새로운 파생곡이 활발하게 생겨나던 무렵이다. 만대엽을 조종으로 하는 가곡의 원형은 만대엽慢大葉, 중대엽中大葉, 삭대엽數大葉이다. 그런데 영조대에 와서 만대엽은 속도가 너무 느리다는 이유로 폐지되어 더 이상 불리지 않았고, 중대엽은 간혹 불리기는 했으나 좋아하는 사람이 역시 적었고, 삭대엽만이 주로 통용되었다. 또 삭대엽은 초수대엽, 이수대엽, 삼수대엽, 농, 락, 편 등의 음악이 파생되거나 추가되어 거대한 규모의 악곡으로 변화해갔다.

김수장의 활동 시기와 가곡의 역동적인 발달의 시기가 겹치는 것은 그가 가곡 발달의 한가운데에 서 있기 때문이다. 김수장은 이미 김천택을 필두로 하는 경정산가단敬亭山歌壇이 펼친 가악활동의 중심에 있었고, 『청구영언』을 펴내는 데 나름의 역할을 했다.

김수장은 경정산가단의 정신을 이어받아 이를 계승, 발전시킴으로써 노가재가단老歌齋歌壇을 형성했다. 노가재가단을 중심으로 여러 가객이 운집하여 가악활동을 전개했다. 김수장의 노가재는 당시 풍류인들의 집결장이자 가객들의 교습장이요, 후배양성의 도장道場이었다.

海東歌謠錄

文章詩律刊行于世傳之永矣思十載而猶有所未泯者至

者歌謠則如花草榮華之颯颯鳥數好音之過耳也一時詞詠

若口兩自然況海末免浪沒于後宣不惜哉自慶後李至國朝以

米列聖御製王孫巨卿名公碩士都者激者閒井名彼為無名

氏之作及自製長短歌百餘章一覽輒正訛善寫疊為

一巻名之曰海東歌謠錄使尼當世之好事者口誦心惟于

披目覧以圖廣傳焉 金壽長序

我東所作歌曲專用方言間雜文字亭以謠書傳于世蓋

方言之用在其間俗不得不然也其歌曲頼不能興中朝

김수장은 1760년(영조 36), 그의 나이 71세가 되던 해 가을에 서울의 화개동花開洞(오늘날 종로구 화동) 경치 좋은 곳에 자그마한 모옥茅屋을 새로이 지었다. 초라했지만 그곳은 김수장에게 큰 기쁨이었다. 비록 집 안에서 노래 소리는 끊이지 않았지만 그의 집은 늘 가난하였다. 처자식은 오래도록 배를 주리고 살았다. 잠깐 동안의 관직생활로는 안정된 생활을 꾸리기 힘들었을 터이다. 그럼에도 뜻을 굽히지 않고 노래에 정진했다. 그런 빈한한 나날을 살다가 어느 날 집을 새로 짓고 이름을 노가재老歌齋라 하였으니 더없는 기쁨이었다.

띠풀로 지붕을 이은 김수장의 노가재에는 당시 시인 가객歌客

조선 전문가의
일생

178

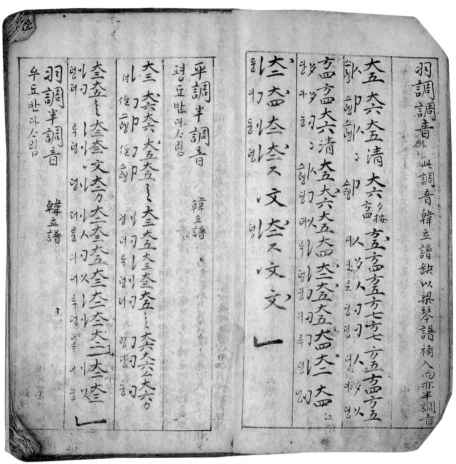

『운몽금보雲夢琴譜;조음調音』, 1707, 성균관대박물관. 거문고 악보로 운몽거사 한립韓立의 악보를 저본으로 삼아 몇 가지를 가감해 편찬한 것이다. 책의 내용은 조음과 북전北殿, 중대엽, 삭대엽, 회입조 등을 가사 없이 구음과 합자보로 병기하였다. 조선후기 음악사 연구에 중요한 단서를 제공해주는 자료다.

음악은 직업,
혹은 인격 수양의 방편

이 자주 모여 음악적 교감을 나누었다. 시인들이 지은 시조에 얹어서 가객은 가곡을 부르고, 음악에 관한 대화를 나누었다. 노가재에 모여서 교유하던 이들은 김천택을 비롯해 탁주한, 박상건,

「인왕산 필운대」, 정선, 18세기, 개인소장. 서울 인왕산은 많은 문인과 예술가들이 즐겨 찾아 시취의 흥을 돋우곤 했다.
필운대는 김수장의 집 노가재 서쪽에 펼쳐져 있었다. 그곳의 풍경은 김수장의 시심을 더욱 돋우었을 것이다.

김시모, 김우규, 김성후, 김중설 등이었다. 대부분 김수장과 나이가 비슷하거나 조금 위 또는 아래였다.

느지막한 나이에 마련한 자그마한 집 노가재를 김수장은 매우 좋아하였다. 『해동가요』에 실린 김시모金時模의 「노가재기老歌齋記」를 보면 노가재의 풍경이 잘 묘사되어 있다. 창을 열고 앉으면 서쪽으로는 인왕산 필운대가 펼쳐져 있고 동쪽으로는 낙산 파정琶亭이 보인다. 문을 열고 나서면 북쪽의 연대蓮臺 주변에 감도는 구름을 볼 수 있고, 남쪽의 남산 잠두蠶頭를 희롱하는 저녁노을을 어루만질 수 있는 곳이었다. 노래가 절로 나오지 않을 수 없는 곳이었다. 김수장은 이곳에 살면서 자신의 심사를 이렇게 노래하였다.

> 와실蝸室은 부족하나 십경十景이 펼쳐져 있고
> 네 벽의 책들은 주인 옹의 심사로다
> 이것 외에 군마음 없는 이는 나뿐인가 하노라

와실蝸室이라 하면 달팽이집처럼 작은 집을 말한다. 비록 집은 작고 초라하지만 주변에는 열 가지 아름다운 경치十景가 펼쳐져 있고, 자신이 마음을 쓰는 일이란 오직 그 작은 집의 사방 벽에 가득 찬 책들뿐이라 했다. 책에 신경 쓰는 것 외에 다른 군마음이 없는 사람은 김수장 자신뿐이라고 하였으니, 나이 일흔 넘은 머리 흰 가객은 노년의 나날을 한가하고 멋스럽게 보냈던 것이다.

김수장은 노가재에 살면서 노가재십경老歌齋十景을 얻었다. 동쪽으로는 밝은 달을 볼 수 있고東嶺晴月 서쪽으로는 매일 황혼녘의 낙조[西岑落潮]를 즐길 수 있었다. 남쪽의 누대에서 울리는 종소리[南樓鳴鐘]를 듣노라면 북쪽 산에서는 시원한 바람[北岳淸風]이 불어오고, 경회루의 소나무 숲[慶會松林]은 마치 앞마당에 온통 펼쳐진 듯하고, 푸른 하늘 가르며 오가는 백로[往來白鷺], 산봉우리로 피어오르는 아침 안개[寅峰朝霞], 먼 마을에서 저녁밥 짓느라 피어오르는 연기[遠村暮煙], 골짜기에 가득한 꽃향기[滿谷花香], 친한 벗의 거문고 연주에 맞추어 노래하는 멋[自歌友琴], 이런 열 가지 멋스런 경치를 그는 내내 누렸다. 자신의 집 주변 사방에 철마다 펼쳐지는 아름다운 풍광, 좋은 소리, 맑은 바람, 연기 내음, 거문고 소리에 어울리는 노래… 김수장은 오관五官을 만족시키는 삶을 자신의 자그마한 띠풀집 노가재에서 누렸다. 세상의 허망한 욕심과는 무관하게 해가 떠오르고 저녁노을이 지고, 꽃이 피고 꽃향기 피어오르고, 바람에 꽃 내음 실려 이리저리 날아다니는 사랑스런 계절을 그는 노가재에서 온 마음으로 느끼며 살았다.

꽃도 피려 하고 버들도 푸르러지려 하네
빚은 술 다 익었으니 벗님네 갑시다그려
육각六角에 둥글게 앉아 봄맞이하리라

『해동가요』에 실린 김수장의 시조를 현대어로 푼 것이다. 봄이 찾아올 것을 알고 미리 빚어놓은 술 적당히 익어갈 때, 마침 꽃도 피려고 움찔거리고 버들은 나날이 푸르러지는 봄날, 김수장은 벗들과 함께 인왕산 필운대 옆에 있는 육각현六角峴으로 봄

맞이하러 갈 채비를 한다. 그 자리에는 '가곡' 중에서 꽃을 노래
한 선율이 함께했을 것이다.

　김수장의 시조 가운데에는 유난히 꽃을 노래한 것이 많다. 18
세기부터 삭대엽의 분화로 나타나는 편수대엽編數大葉의 노랫말
로서 인기 있는 「모란은 화중왕이요」라는 작품도 그의 것이다.

　牧丹(모란)은 花中王(화중왕)이요 向日花(향일화)는 忠孝(충효)
로다 梅花(매화)는 隱逸士(은일사)요 杏花(행화)는 小人(소인)
이요 蓮花(연화)는 婦女(부녀)요 菊花(국화)는 君子(군자)요 冬
栢花(동백화)는 寒士(한사)요 박꽃은 노인이요 石竹花(석죽화)
는 소년이요 해당화는 갓 나희로다 이중에 梨花(이화)는 詩客
(시객)이요 홍도벽도 삼색화는 풍류랑인가 하노라

　오늘날 편장단 10박 한 장단으로 엮어 부르는 가곡 편수대엽
의 노랫말이다. 모란, 향일화, 매화, 행화, 연화, 국화, 동백화, 박
꽃, 석죽화, 해당화, 이화, 홍도벽도가 김수장이 노래한 꽃이다.
이 가운데 한두 가지 표현은 판본에 따라 조금 차이가 있지만 이
시를 통해 김수장이 노래한 꽃의 서정성을 충분히 엿볼 수 있다.
화려함을 자랑하는 모란은 꽃 중의 왕이요, 해를 따라 돌아가는
향일화는 충효라 했다. 추위가 가시지 않은 겨울에 조용히 꽃과
향기를 피워내는 매화는 은일사요, 가을에 피어 오래도록 향기
를 간직하는 국화는 군자라 했다. 흔한 비유라 하더라도 꽃에 대
한 애정을 갖지 않으면 엮어낼 수 없는 노랫말이다.
　1763년(영조 39), 노가재를 지은 지 3년이 지난 어느 봄날 김

楊柳多卽回川

淨洗沙堤一霎寒一琴無絃撥

　數形時都新路歡友言

楊柳無言

『낙파필희』 중 제2첩, 이경윤, 종이에 담채, 37×27cm, 경남대박물관. "버드나무에 바람 쌩쌩 불어대고 / 굽어도는 시냇물 멈추었다 다시 흐르네 / 나귀는 초라하고 거문고도 작은고도 / 수염을 하도 비벼대어 끊어지려 하네 / 새로운 사를 몇 수나 읊었나 / 시냇가 빗이 다른 저편에 있음을 알겠구려." 김수장은 거문고 하나 끼고 자신이 마련한 작은 집 주변의 풍광들을 몸속에 새겨넣으며 살았다.

撥驢覓詩步驟有
身雲露柳金啖不
覺走卻橋西東

수장은 가집歌集 『해동가요』를 펴냈다. 1746년(영조 22)에 편찬을 시작한 이래 개수改修를 거듭하고 1763년에 제2단계 편찬이 완성되어 세상의 빛을 보게 되었다. 노가재를 짓기 이전부터 시작한 책의 편찬은 노가재를 짓고 3년이 지난 후에야 제 모습을 드러냈다. 『해동가요』의 모습은 여기서 완결된 것이 아니었다. 그의 나이 80세가 되는 1769년(영조 45)까지 개수 작업은 계속되었다.

『해동가요』의 판본은 주시경周時經이 전사한 것으로 최남선崔南善 소장의 '육당본六堂本'과 이희승李熙昇이 소장한 '일석본一石本' 두 가지가 전한다. 그 체재와 내용에는 조금씩 차이가 있으나, 고려시대로부터 영조대의 인물까지 무려 350여 년에 달하는 시기의 인물들, 국왕으로부터 여항인 그리고 기녀에 이르기까지 각계각층의 사람들이 쓴 노랫말을 모아놓은 것이 바로 『해동가요』이다.

김수장이 『해동가요』를 편찬한 목적은 그가 쓴 서문에 실려 전해진다.

"대개 문장과 시율이 세상에 간행되어 오래도록 전해져 천 년을 지나서도 오히려 사라지지 않는 것이 있다. 그러나 가요歌謠는 아름답고 화려한 꽃이 바람에 날리고 새와 짐승의 좋은 소리가 귀에 스쳐 지나듯 한동안 입에서 불리다가 자연스레 침체하여 후세에 전해지지 않고 사라짐을 면치 못하니, 어찌 아깝지 아니한가. 고려 말부터 국조에 이르기까지 역대 임금의 작품 및 이름 있는 벼슬아치와 선비, 가객, 어부, 이서, 여항, 호

조선 전문가의
일생

걸, 명기와 무명씨의 작품, 그리고 내가 지은 장 단가 149장을 일일이 수집하여 잘못된 것은 바로잡아 써서 한 권의 책을 만들고 『해동가요』라 이름하였다. 무릇 오늘날의 호사가들의 입으로 외우고 마음으로 생각하고 손으로 헤치고 눈으로 보게 하여 널리 전해지기를 바란다."

김수장은 『해동가요』를 엮으면서 '노랫말' 전승의 한시성을 이해하고 있었다. 문장과 시율은 세상에 간행되어 오래도록 전해져 천 년 이상을 지나도 건재하는 것이 있지만, '노래' 즉 '가요'는 기록해놓지 않으면 한때 잠시 불리다가 자연스럽게 사라진다는 아쉬움을 그는 토로하였다. 그래서 이 땅의 수많은 시인들이 만들어낸 주옥같은 시조가 선율에 얹혀 아름다운 노랫말로 쓰였던, 그리고 쓰이는, 앞으로도 쓰이게 될 여러 작품들을 수집하고 모으고 바로잡아서 『해동가요』로 펴냈던 것이다. 김수장은 이 노래를 사람들에게 입으로 외우고, 마음으로 생각하고, 손으로 헤치고, 눈으로 보게 하여 널리 전해지기를 바란다고 했다. 구심이목口心耳目으로, 입으로, 마음으로, 귀로, 눈으로 널리 전파되기를 바라는 마음은 그의 『해동가요』에 고스란히 묻어 지금까지 전해지고 있다.

7장

조선시대
궁녀의 계보학

◉

궁궐 살림을 책임진
여성 일꾼들

홍순민 · 명지대 방목기초교육대학 교수

궁녀와 내명부, 반공반사의 영역을 담당하다

높은 사람은 무능하다. 신분 지위가 높은 사람은 자기 자신을 돌
보는 자질구레한 일을 잘 하지 못한다. 식사도 스스로 챙겨먹지
못하고, 옷도 혼자 입지 못하고, 세수도 목욕도 용변도 스스로
해결하지 못한다. 해본 경험이 없어서도 못 하고 또 체면 때문에
도 못 한다.

　왕조사회에서 가장 높은 지위에 있던 왕과 왕실 가족들이 바
로 그런 사람들이었다. 그들은 공적 활동을 하거나 일상적인 의
식주 생활을 하는 데 있어 매사에 도움을 받지 않으면 스스로 아
무것도 할 수 없었다. 그들이 품위를 유지하며 살기 위해서는 수
많은 남녀가 곁에서 수발을 들지 않으면 안 되었다.

　그러한 수발드는 일 가운데 먹고 입고 자고 하는 일상생활에
관련된 일은 사가에서도 그렇듯 궁궐에서도 대부분 여성의 몫이

었다. 말하자면 궁궐은 그러한 일을 맡은 여성들의 일터이기도 했다. 그런 면에서 볼 때 궁궐은 여성들의 세계이기도 했다.

궁궐에서 기거하며 활동하는 여인들의 수는 상당히 많았다. 또 살기는 궁궐 밖에서 살지만 궁궐에 드나들며 일하는 여인들도 적지 않았다. 이렇게 많은 궁궐의 여인들이 기강과 질서를 갖추어 맡은 바 일을 하도록 하는 것은 쉽지 않았을 것이다. 우선 그 등급을 정하고 체계를 잡지 않을 수 없었으니 그렇게 만든 체계를 내명부內命婦라 하였다.

내명부란 첫째로는 남성 관료들에 대해 왕명을 받은 여성들이라는 뜻, 둘째로는 여성이라 하더라도 궁궐 밖에 살면서 궐내에 들어와 왕비를 만나는 여성들인 외명부外命婦에 대해 궁궐 안에서 기거하며 활동하는 여성들이라는 뜻, 셋째로는 허드렛일을 하는 신분이 낮은 여성들 가운데 왕명을 받아 일정한 등급에 오른 여성들이라는 뜻을 담고 있다.

내명부의 등급 체계는 각 품이 다시 정正과 종從으로 나뉘어 18계階로 되어 있다. 품계의 구성으로만 보자면 일반 관원들과 같다. 하지만 일반 관원의 품계 체계에 포함되는 것은 아니고 별도의 체계를 이루는 것이다.

내명부는 기본적으로 임금에 속한 여성들이지만, 다음 왕위를 이어받을 세자궁에 속한 여성들도 있다. 이들은 별도의 체계를 갖추고 있다. 이러한 체계는 법으로 엄격히 규정되어 『경국대전』에 실려 있다. 이를 표로 정리해보면 다음과 같다.

품계	내명부內命婦	세자궁世子宮
정1품	빈嬪	
종1품	귀인貴人	
정2품	소의昭儀	
종2품	숙의淑儀	양제良娣
정3품	소용昭容	
종3품	숙용淑容	양원良媛
정4품	소원昭媛	
종4품	숙원淑媛	승휘承徽
정5품	상궁尙宮, 상의尙儀	
종5품	상복尙服, 상식尙食	소훈昭訓
정6품	상침尙寢, 상공尙功	
종6품	상정尙正, 상기尙記	수규守閨, 수칙守則
정7품	전빈典賓, 전의典衣, 전선典膳	
종7품	전설典設, 전제典製, 전언典言	장찬掌饌, 장정掌正
정8품	전찬典贊, 전식典飾, 전약典藥	
종8품	전등典燈, 전채典彩, 전정典正	장서掌書, 장봉掌縫
정9품	주궁奏宮, 주상奏商, 주각奏角	
종9품	주변치奏變徵, 주치奏徵, 주우奏羽 주변궁奏變宮	장장掌藏, 장식掌食 장의掌醫

가장 상위의 빈嬪 가운데 교명敎命, 곧 임금의 명을 받은 이는 품계가 없다. 품계가 없다는 말은 임금이나 왕비처럼 품계를 초월한다는 뜻이다. 정5품의 상궁 이하는 궁인직에 해당된다. 이 말 속에는 그 이상은 후궁後宮, 즉 정비正妃는 아니지만 임금의

부인이라는 뜻이 담겨 있다. 다시 말해서 종4품까지는 임금의 부인으로서 시중을 받는 후궁들이요, 정5품 이하는 시중을 드는 궁인宮人라는 뜻이다. (세자궁 쪽으로 가면 종6품의 수규 이하가 궁인직이다.) 내명부는 얼핏 보기에는 정1품부터 종9품까지 하나의 체계로 통일되어 있는 듯하지만, 종4품과 정5품 사이에는 이처럼 함부로 넘기 어려운 경계선이 숨어 있다.

궁인은 일반적으로 궁녀宮女라고 불렀다. 궁녀는 하나의 개념처럼 들리지만 엄밀히 말하면 상궁尙宮과 시녀侍女를 합쳐 부르는 것이다. 상궁은 정5품으로 궁인들 가운데 가장 상위이며, 시녀는 그 아래 직급의 궁인들을 총칭하는 용어이다. 시녀는 때로는 시중드는 여자라는 뜻으로 범위를 넓혀서 쓰기도 했다. 또 내인內人이란 말도 많이 쓰였는데, 이 말은 군이 비교하자면 외인外人의 대칭으로 궁궐 안에서 기거하며 활동하는 여자라는 뜻이기에 그 가리키는 범위가 엄밀하지 않다. 이들은 붉은 소매를 단 저고리를 입었다 하여 홍수紅袖라고 부르는 등 별칭이 많았다.

내명부는 국가의 공식 영역인 부중府中에서 비껴나 국왕과 왕실의 궁중宮中에 소속되어 있었다. 궁중의 주인 격인 왕실 가문은 하나의 가문이라는 점에서는 여느 가문처럼 사적인 속성을 갖고 있지만, 국가에서 재정적인 면을 비롯한 여러 지원과 인정을 받는다는 점에서는 공적인 속성도 띠고 있다. 말하자면 반공반사半公半私의 영역이라고 할 수 있다. 내명부의 공적인 성격을 부각시켜 부를 때 내명부 소속 여성들을 여관女官이라고도 하였다. 여관 가운데 궁녀는 궁궐에서 일하는 여성의 대표적인 존재였다.

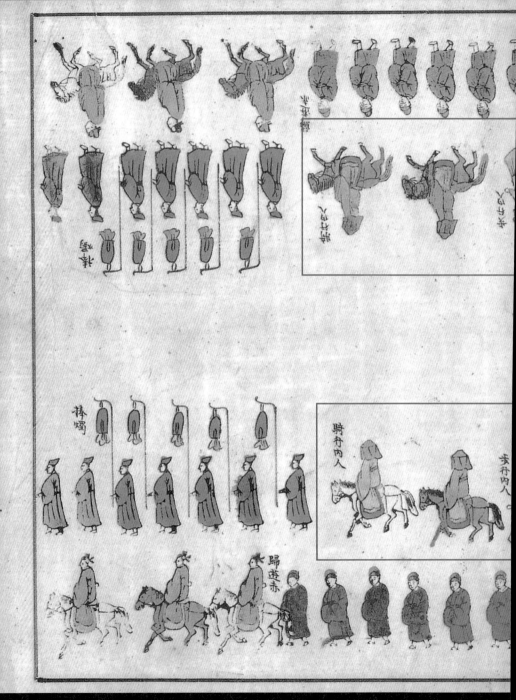

『영조가례도감의궤』 반차도 부분, 규장각한국학연구원. 기행내인騎行內人, 상궁尙宮, 시녀侍女들은 너울을 쓰고 말을 타고, 보행내인
步行內人과 향차비香差備들은 걸어서 큰 가마 연輦을 호위하여 가고 있다.

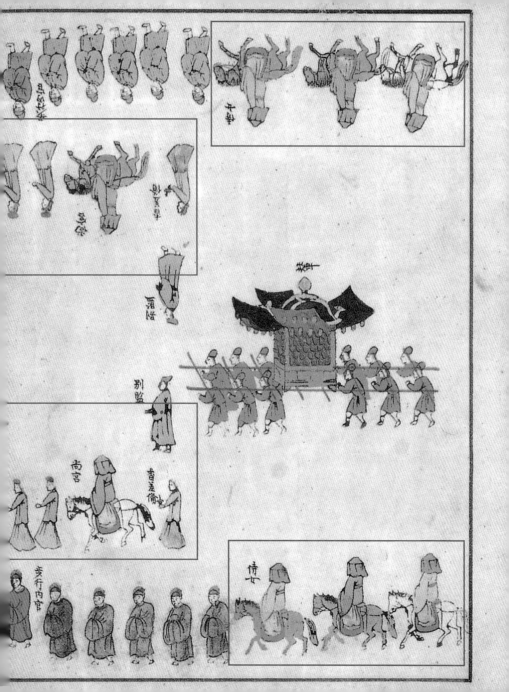

정5품 상궁 이하 내명부의 명칭에는 의례儀禮, 의복, 음식, 침식
寢息, 기록, 의약醫藥, 시설 집기, 음악 연주 등의 표현이 들어 있
다. 이로써 미루어 궁녀들이 하는 일을 어느 정도는 짐작할 수도
있겠다. 하지만 이는 품계의 명칭일 뿐 그들이 하는 일, 곧 직무
職務를 정확하게 표현하는 것은 아니다. 『경국대전』 내명부조의
규정이 생기기 전인 『세종실록』 10년 3월 경인조에 궁녀가 하는
일에 대한 기사가 나온다. 이 기사에 따르면 내관內官과 궁관宮官
이 있는데, 내관은 국왕 후궁 반열의 여관이요, 궁관은 그 아래
실무를 맡은 여관이다. 그 안에 품계와 명칭, 각각 하는 일이 기
록되어 있는데 다소 복잡한 기사 내용을 표로 정리하면 다음과
같다.

내관과 궁관의 구성 및 직무

구분	명칭	인원	품계	담당 업무	경국대전 내명부	
					명칭	품계
내관內官	빈嬪		정1품	비妃를 보좌, 부례婦禮를 논함	빈	정1품
	귀인貴人				귀인	종1품
	소의昭儀	1	정2품	비례妃禮를 찬도贊導	소의	정2품
	숙의淑儀	1			숙의	종2품
	소용昭容	1	정3품	제사祭祀와 빈객賓客 일을 관리	소용	정3품
	숙용淑容	1			숙용	종3품
	소원昭媛	1	정4품	연침燕寢을 베풀고 사시絲枲를 다스려서 해마다 헌공獻功	소원	정4품
	숙원淑媛	1			숙원	종4품

구분	명칭	인원	품계	담당 업무	경국대전 내명부 명칭	경국대전 내명부 품계
궁관宮官	상궁尚宮	1	정5품	중궁中宮을 인도引導 사기와 전언을 통솔	상궁	정5품
	사기司記	1	정6품	궁내의 문부文簿 출입	상기尚記	종6품
	전언典言	1	정7품	선전宣傳과 계품啓稟	전언	종7품
	상의尚儀	1	정5품	예의禮儀와 기거起居. 사빈과 전찬을 통솔(10리당)	상의	정5품
	사빈司賓	1	정6품	빈객, 조현朝見 연회宴會, 상사賞賜	전빈典賓	정7품
	전찬典贊	1	정7품	빈객, 조현, 연식宴食 찬상贊相, 도전導前	전찬	정8품
	상복尚服	1	정5품	복용服用, 채장采章을 수량대로 공급. 사의와 전식을 통솔	상복	종5품
	사의司衣	1	정6품	의복衣服과 수식首飾	전의典衣	정7품
	전식典飾	1	정7품	고목膏沐과 건즐巾櫛	전식	정8품
	상식尚食	1	정5품	선수膳羞와 품제品齊의 공급 사선과 전약을 통솔	상식	종5품
	사선司膳	1	정6품	제팽制烹과 전화煎和	전선典膳	정7품
	전약典藥	1	정7품	방약方藥	전약	정8품
	상침尚寢	1	정5품	연현燕見과 진어進御의 차서次序 사설과 전등을 통솔	상침	정6품
	사설司設	1	정6품	위장幃帳, 인석茵席 쇄소灑掃, 장설張設	전설典設	종7품
	전등典燈	1	정7품	등촉燈燭	전등	종8품
	상공尚功	1	정5품	여공女功의 과정課程 사제와 전채를 통솔	상공	정6품
	사제司製	1	정6품	의복과 재봉裁縫	전제典製	종7품
	전채典綵	1	정7품	훈백纁帛과 사시絲枲	전채	종8품
	궁정宮正	1	정5품	계령戒令, 규금糾禁, 적벌謫罰 전정을 통솔	상정尚正	종6품
	전정典正	1	정7품	궁정宮正을 보좌	전정	종8품

1795년 정조의 화성 행차 시 득중정에서 활쏘기하는 「득중정어사도得中亭御射圖」의 어좌御座 부분. 궁녀들이 군병들과 함께 어좌를 모시고 섰거나 엎드려 있다.

내관은 정1품부터 정4품까지 상급 직급으로 왕의 후궁에 해당된다. 이들은 단지 왕의 비공식 부인, 사가에서 말하는 첩妾이 아니라 왕비를 보좌하는 직무를 맡았음을 눈여겨볼 필요가 있다. 기본적으로 내관들은 왕비를 대상으로 그를 돕는 일을 하는 것이다.

정1품의 빈과 귀인은 왕비를 보좌하며 부례婦禮를 논하는 일을 맡았다. 정2품의 소의와 숙의는 비례妃禮를 찬도贊導한다고 되어 있다. 왕비로서 갖추어야 할 행동 규범에 대해 자문하고 조언한다는 뜻이다. 정3품의 소용과 숙용은 제사祭祀와 빈객賓客에 관한 일을 맡는다고 되어 있다. 물론 제사나 빈객에 관한 일을 이들이 모두 주관했다는 뜻은 아닐 것이다. 왕이 드리는 제사나 왕이 손님을 맞는 것이야 예조를 비롯한 여러 관청에서 맡아 처리했다. 여기서 말하는 것은 제사와 빈객에 관한 일 가운데 왕비와 관련된 부분에 대해서 돕는 일을 한다는 뜻으로 해석하는 것이 옳을 것이다. 정4품의 소원과 숙원은 연침燕寢을 베풀고 사시絲枲를 다스려 해마다 공을 바친다고 되어 있다. 연침이란 왕과 왕비의 침석이요, 사시란 명주실과 모시실 곧 옷감을 짜는 재료인 실을 가리킨다.

내관이 왕비를 측근에서 보좌하는 상급의 내명부 즉 왕의 후궁들이라 한다면, 궁관은 궁궐의 여러 분야에 배치되어 다양한 실무를 맡는 중하급의 내명부 즉 궁녀들이라고 볼 수 있다. 궁관들은 그 직무의 성격에 따라 7개 영역으로 묶여 있었으며, 그 각각의 영역은 정5품이 수장이 되어 정6품과 정7품을 통솔하는 것으로 체제가 짜여 있다.

이들이 맡은 바는 첫째 비서 영역이다. 왕비 측근에서 왕비의
공적 활동과 명령 하달, 문서 출납을 담당하며 정5품 상궁, 정6
품 사기, 정7품 전언으로 구성된다. 상궁은 중궁을 인도하며 사
기와 전언을 통솔한다. 중궁을 인도한다는 것은 공식적인 의식
행사에서 왕비를 의전 절차에 맞게 안내하고 보필한다는 뜻이
다. 사기는 중궁전에 드나드는 문서의 출입을 맡고, 전언은 중궁
전의 명령을 전하고 중궁전에 올리는 보고 문건을 들이며 내는
일을 맡는다. 첫째 영역은 일반 관서로 말하자면 왕명을 출납하
는 승정원에 비견된다고 할 수 있다.

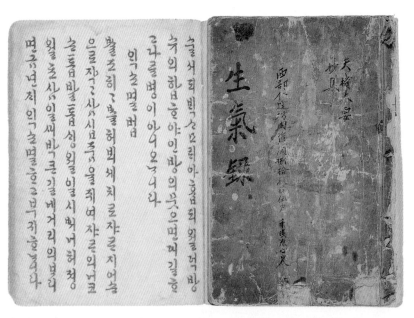

『생기록』, 천원영 엮음, 1900년대, 서울역사박물관. 궁중에서 교서나 봉서 등을 전문으로 쓰는 서사상궁書寫
尙宮의 경우 비빈들이 열람할 수 있도록 서적을 베껴 쓰는 일이 많았는데, 이 책은 상궁 천영원이 「천기대요
天機大要」에서 내용을 뽑아 엮은 것으로 보인다. 단아한 필체로 미루어, 천영원은 서사상궁으로 여겨진다.

둘째는 의전儀典 영역이다. 왕비의 의전과 일상생활을 돕는 분야이다. 정5품 상의, 정6품 사빈, 정7품 전찬으로 구성되어 있다. 상의는 예의禮儀와 기거起居를 맡으며 사빈과 전찬을 통솔한다. 예의란 예를 드러내는 의전 절차요, 기거란 일상생활을 일컫는다. 사빈은 손님을 맞이하는 일, 조회에 뵙는 일, 잔치를 차리는 일, 상賞을 내려주는 일을 맡는다. 전찬 역시 손님을 맞이하는 일, 조회에 뵙는 일, 잔치를 차리는 일과 찬상贊相(손님들이 왕비를 뵙는 일), 도전導前(손님들을 왕비에게로 인도하는 일)을 맡는다. 둘째 영역은 일반 관서로 말하자면 전례에 관한 일을 담당하는 예조와 통례원通禮院 등 그에 속한 아문들에 비견된다고 할 수 있다.

셋째는 복식 영역이다. 왕비의 복식에 관한 시중을 맡은 분야이다. 정5품 상복, 정6품 사의, 정7품 전식으로 구성되어 있다. 상복은 복용服用, 채장采章의 수량에 맞게 공급하고 사의와 전식을 통솔한다. 복용이란 복식에 관련된 일체의 쓰임새를 말하고, 채장이란 색깔과 무늬를 갖춘 장식용품을 가리키는 것으로 보인다. 사의와 전식이 다시 이를 분담하는데, 사의는 의복衣服과 수식首飾(머리 장식)에 관한 것을, 전식은 고목膏沐(목욕하고 몸에 바르는 화장품)과 건즐巾櫛(머리를 다듬는 수건이나 빗) 따위를 담당한다. 셋째 영역은 국왕을 시중드는 관서로 비견하자면 대체로 상의원尙衣院에 해당된다고 할 수 있다.

넷째는 음식 영역이다. 음식상이나 약제를 지어 바치는 분야이다. 정5품 상식, 정6품 사선, 정7품 전약으로 구성되어 있다. 상식은 선수膳羞 곧 잡수실 음식물을 차려 바치는 것과 품제品齊

곧 음식의 품질과 맛을 고르게 하는 일을 맡았고, 사선과 전약을 통솔한다. 사선은 제팽制烹(삶아 만드는 음식)이나 전화煎和(달여 만드는 음식)를 담당하고, 전약은 방약方藥(처방한 약제를 달이는 것)을 담당했다. 넷째 영역은 궁중 음식을 담당하는 사옹원司饔院과 유사한 일이었다.

다섯째는 접대 영역이다. 왕비 측근에서 손님 접대와 그에 필요한 시설 환경을 조성하는 일을 맡았다. 정5품 상침, 정6품 사설, 정7품 전등으로 구성되어 있다. 상침은 연현燕見과 진어進御의 순서를 맡고 사설과 전등을 통솔한다. 연현이란 왕비를 사사로이 만나 뵙는 것을 말하고, 진어란 음식물 따위를 올려 바치는 것을 말한다. 사설은 휘장, 깔자리[茵席], 청소[灑掃], 집기 설치[張設] 등을 담당하고, 전등은 등이나 초를 밝히는 일을 맡는다. 다섯째 영역은 왕비를 가까이 만나러 온 사람들을 왕비가 편하게 만날 수 있게 안내하고 실내 환경을 조성한다는 점에서는 국왕을 측근에서 모시는 내시들과 비슷한 일을 한다고 볼 수 있으며, 공적 영역에서는 예빈시나 전설사, 장전고 등 연향 및 시설 담당 관서들과도 통한다.

여섯째는 직조織造 영역이다. 직물과 의복의 생산을 관리하는 분야이다. 정5품 상공, 정6품 사제, 정7품 전채로 구성되어 있다. 상공은 여공女功의 과정을 관장하고 사제와 전채를 통솔한다. 여공이란 길쌈을 가리키는 것으로, 옷감을 만들고 바느질하는 과정을 관리하고 감독하는 일을 상공이 맡은 것이다. 사제는 의복 만드는 일을, 전채는 비단 짜고 물레질하는 일을 관리했다. 여섯째 영역은 옷감을 지어 옷을 만든다는 점에서는 일반 관서들 가운데에는 직접 이를 담당하는 기관이 없는, 여성인 궁관들에게만 있었던 고유 영역이라 할 수 있으며, 직물의 진헌이라는 점에서 보면 제용감과 통한다.

일곱째는 사법司法 또는 기율紀律 영역이다. 왕비의 영을 세우고 이를 어긴 궁녀들을 적발하여 치리하는 것을 담당하는 분야이다. 다른 영역과 달리 정5품 궁정과 정7품 전정 두 직급으로만 구성되어 있다. 궁정은 계령戒令, 규금糾禁, 적벌謫罰을 담당하며 전정을 통솔하고, 전정은 궁정을 보좌한다. 계령이란 왕비가 궁궐의 여성들을 경계하여 내린 영을 가리키고, 규금이란 이를 어긴 자들을 잡아들이는 것이며, 적벌이란 죄에 해당하는 벌을 주는 것이다. 일곱째 영역은 궁궐에서 활동하는 여성들에게 영을 세우고, 이를 어겼을 때 잡아다 처벌한다는 점에서 일반 관료사회에서 사헌부나 형조, 한성부와 같이 법사法司의 구실과 상통한다.

비서, 의전, 복식, 음식, 접대, 직조 등의 영역이란 곧 궁녀들이 모시는 임금이나 왕비와 같은 윗분들이 품위를 유지하고 격식을 갖추어서 활동할 수 있도록 여성들이 시중드는 분야이다. 사법 영역은 궁녀를 비롯한 내명부들을 통제하고 치리하는 데 필요한 영역이었다. 궁녀들이 위와 같은 일곱 영역을 담당했다고 해서 그들이 직접 실을 잣고 천을 짜서 옷을 만든다거나 음식을 조리하는 등 구체적인 일을 직접 했다는 뜻은 아니다. 비서나 의전, 사법 같은 영역의 어떤 역할은 궁녀들이 직접 담당했겠지만, 대부분의 경우는 위에 해당되는 제반 물품 시설들이 늘 갖추어져서 모시는 분의 기거 의절이 때 맞춰 차질 없이 진행되도록 준비하고 관리하는 일을 하였다는 뜻이 더 강하다. 궁녀들은 일차 노동자라기보다는 이차 관리자라고 해야 할 사람들이다.

"600명의 궁인도 부족하다"

궁궐에 사는 궁녀들의 수효가 얼마나 되었을까? 사람 사는 곳 어디나 그렇지만 특히 궁궐에 사는 사람들은 세월이 흘러감에 따라 바뀌어갔고, 그 수효도 변했다. 태조 6년 3월 조선 왕조 들어서 내관의 호를 처음 제정할 때 후궁 반열에 10인, 그 아래 상궁 이하 궁인 반열에 18인을 두는 것으로 정해졌다. 이 수효가 태조 연간 내관의 수효를 어느 정도 보여주긴 하나 이것이 그대로 유지되었을 리는 없다. 국가 왕실의 짜임새가 갖추어지고 그 구성원이 늘어남에 따라 궁녀의 규모도 늘어났다. 태종대 시녀의 수효는 20~30명 규모였다. 세종대에는 검소함을 칭송하면서 궁녀의 수효가 100명을 넘지 않았다는 기사가 있는 것으로 보아 태종대보다 많이 늘기는 했지만 100명 미만에 머물렀다.

성종 원년에는 대왕대비전, 왕대비전, 대전에 각각 시중드는 인원수를 다음의 표와 같이 정했다. 아직 왕비가 없는 상황이며, 여기서 정한 대상에 상궁은 포함하지 않은 것으로 보아 당시 궁녀 전체의 규모라고 보기에는 어려움이 있지만, 시녀만 39명, 그 아래 무수리, 파지, 수모, 방자, 여령 등 더 낮은 신분의 여성들을 자들을 모두 포함하면 105명 정도였다. 왕비가 책봉되었을 때 이 수는 더 늘어났겠지만 그래도 대전보다 많지는 않았을 것

	시녀	무수리	파지	수모	방자	여령	계
대왕대비전	10	6	4	3	5	1	29
왕대비전	9	5	3	2	7	1	27
대전	20	10	6		12	1	49
계	39	21	13	5	24	3	105

이니 어림 잡아 전체가 150명 이내, 시녀만 보면 50명 남짓 되었을 것이다. 인조대에 이르러서는 나인內人의 수효가 230명쯤 되었다가, 조선사회가 중기에서 후기로 넘어가는 숙종연간에 이르면 궁녀 수효가 대폭 늘어났던 것으로 보인다.

영조대에 영조는 "600명의 궁인도 오히려 부족하다"고 말했다. 이 말을 놓고 그것을 비판하는 관원과, 그 이야기는 진실로 본심이 아니었다고 하는 영조의 해명이 부딪치는 일도 있었다. 궁인 수효가 600명이라는 인식은 그 시기에 널리 퍼져 있었던 듯하다. 성호 이익李翼(1681~1763)도 환관의 수효를 335인, 궁녀의 수효를 684인이라고 구체적으로 적시한 바 있다. 그런데 영조가 말했다는 궁인 600인이라 할 때의 궁인이나, 성호가 궁녀 684인이라고 할 때의 궁녀는 과연 어떤 사람들을 지칭하는가? 내명부에 포함된 상궁, 시녀뿐만 아니라 그들 밑에서 허드렛일을 하는 무수리 등 궁궐에서 활동하는 하급의 계집종까지 모두 포함한 것이며, 영조가 말한 궁인의 범위도 같았으리라 짐작된다.

1918년 영친왕 귀국 당시 작조찬을 나을 때 내인들이 따라서 계단을 내려오고 있다.

1918년 일본으로 갔던 영친왕이 귀국할 때 환영 인파 속에 내인內人들이 반열을 이루고 있다.

궁녀는 반공반사의 영역에서 일하였다. 군주로서 공적인 엄정함을 추구하는 임금은 사적인 영역에서 스스로 절제를 하며 자신의 가족들에게도 그렇게 하기를 요구하는 경향이 있다. 토지와 같은 재산을 줄이거나 적어도 늘리려 하지 못하게 했고 복식이나 음식, 주거에서 검소하도록 통제하였다. 그러할 때 궁녀의 수를 줄이는 것도 포함되었다. 조선후기에 숙종이나 영조가 사적인 영역을 지키고 늘리려는 편이었다면 정조는 그것을 줄이고 절제하려는 편이었다고 하겠다.

정조는 즉위 초부터 비용을 절감하는 방편으로 불필요한 궁녀 자리를 과감하게 줄이는 정책을 추진했다. 하지만 늘어난 재산이나 부리는 아랫것들을 줄이는 일이 그리 쉽지는 않은 법이다. 정조 당대 궁중의 규모로 보아 궁녀와 그 아래 일하는 여성들을 모두 합하면 적어도 400명, 많으면 500명 내외의 수효는 유지되지 않았을까 추정된다. 그러한 규모는 19세기 조선 말기까지도 유지되거나 조금 더 늘어나는 추세였다.

내명부, 그 가운데서도 궁녀와 그 아래 일하는 여성들은 수효로만 보자면 조선 궁궐에서 가장 큰 비중을 차지하는 집단이었다. 수효가 많으면 세력도 생기고, 또 그에 따른 문제도 불가피하게 생기는 법. 궁녀에 대한 이런저런 논란은 끊임이 없었다.

궁궐의 여성들 속 궁녀의 위상

궁녀는 궁중에서 어느 정도의 위상位相을 갖고 있었을까? 시중을 드는 일을 하였으니 높다고 할 수는 없겠다. 그럼 가장 낮은 자인가? 그렇지는 않다. 궁녀를 시중드는 이들도 있었으니까. 궁녀는 궁궐에 기거하였다. 한번 궁궐에 들어오면 늙거나 병들어 은퇴하거나 혹 죄를 지어 먼 곳으로 내쫓기거나 죽기 전에는 궁궐을 벗어날 수 없는 것이 법도다. 궁궐에서 살려면 최소한 먹을 것, 입을 것, 살 곳은 해결되어야 했을 터. 궁녀의 위상을 가늠해 보는 데는 그들이 어떤 대우를 받았는가를 보는 것이 좋겠다.

국가기관의 주요 구성원들, 곧 품계를 갖고 있으면서 관료기구에 소속되어 공적 직무를 수행하는 문반文班과 무반武班의 정규 관원들은 국가에서 녹祿을 받았다. 국가를 위해 공적 임무를 수행하지만 정규 관원보다 낮은 체계에 소속되어 있는 사람들은 녹이 아닌 요料를 받았다. 각 전궁殿宮의 사약司鑰과 무감武監, 관서의 이서吏胥 등 실무 담당자인 원역員役들, 군대의 하급 지휘자인 군관軍官들, 궁중의 옷을 만드는 상의원의 침선비針線婢, 장인匠人들, 잡직雜職들, 군대에서 부리는 말[馬치], 내의원의 의관醫官, 사학의 유생儒生, 각종 무기 제작자, 취재取才에 합격하여 체아과遞兒窠를 받은 사람들, 조예皂隷, 의녀醫女, 내시內侍 등이 요를 지급받는 사람들이었다.

궁녀는 녹과 요를 받는 대상에 포함되어 있지 않다. 그러면 그들

은 어디서 무엇을 얼마나 받아서 살았을까? 호조에는 전례방前例房
이라는 부서가 있는데, 여기서 맡은 일 가운데 궁궐에서 생활하는
왕실 가족에게 소요 물품을 공급하는 일供上이 포함되어 있다.

공상의 구체적인 내용은 전궁殿宮, 곧 왕과 왕비 그리고 왕실
가족에게 물품을 바치는 것 외에 여러 후궁 이하 상궁, 시녀 등
에게 식사를 제공할 때 쓸 쌀이나 콩, 물고기와 젓갈, 각종 반찬
거리 등을 각기 그 조달을 담당하는 관사의 보고에 따라 미리 마
련된 규정과 매달의 수요 공급을 계획한 도표를 근거로 하여 회
계 처리하는 일이다.

사도시司䆃寺에서 매일 왕과 왕비 이하 유모를 시중드는 계집
종乳母陪婢에 이르기까지 궁궐에 사는 사람들에게 미곡 등 각종
식료품을 공급하는데, 그 가운데 상궁과 시녀에게는 각각 중미
두 되 다섯 홉, 두부콩 두 되, 단 장 네 홉, 맑은 장 한 홉 여섯 작
을 준다. 우선 미곡을 공급하는 대상을 보면, ①양전兩殿 ②양궁
兩宮 ③봉보부인奉保夫人 ④아기유모阿只乳母 ⑤상궁尙宮 ⑥시녀侍
女 ⑦무수리水賜 ⑧수모水母 ⑨파지巴只 ⑩방자房子 ⑪아기배비阿只
陪婢 ⑫유모배비乳母陪婢 등이다.

'양전'이란 대전과 중궁전, 곧 왕과 왕비를 가리킨다. 말할 나
위 없이 궁궐의 주인이요, 미곡을 비롯한 각종 물자를 바쳐야 할
주 대상이다. 양전에게 바치는 물자는 손에 꼽을 수 없을 만큼
다양하나 여기서는 우선 상궁 시녀가 받는 것과 대비되는 항목
만을 추린 것이다. '양궁'이란 세자궁과 세자빈궁 곧 세자와 세
자빈을 가리킨다. '봉보부인'은 임금을 젖 먹여 키운 유모다. 임
금이 어머니와 같이 우대하는 사람으로 외명부의 종1품 직급이

지만, 실제로는 궁궐에서 상주했다. 아기란 아직 어린 왕의 자녀들을 가리키는 것으로, '아기유모'란 이들의 유모이다.

'무수리'는 한자로 '수사水賜' '수사이水賜伊' '수사리水賜里' 또는 '수사노水賜奴'라고도 쓰는데 몽골어를 음차한 것이다. 이들은 궁궐에서 심부름을 하는 계집종인데, 궁궐 밖에 살면서 궁궐에 드나들거나 궐내에 상주하는 경우도 있었다. 때로는 남편 있는 여자라도 무수리가 되었다. '수모'는 세수간을 담당하는 계집종이다. '파지'는 궁궐에서 소제 등의 허드렛일을 하는 어린 계집종을 말하는데, 원래는 각 관서에서 일하는 어린 남자 노비를 궁궐로 들였다가 소녀로 바꾸었다. '방자'는 여러 관서에서 허드렛일을 하는 계집종인데 궁궐에서는 주로 시녀들의 사사로운 잔일을 맡았다. '아기배비'는 임금의 어린 자녀가 있을 때 그에게 딸린 계집종을 말하며, '유모배비'는 임금의 어린 자녀에게 젖을 먹이는 유모에게 딸린 계집종을 가리킨다. 이처럼 열두 부류의 사람들이 궁궐에서 늘 식사를 하는 사람들, 말하자면 "궁중 식구"들인 셈이다.

이들에게 지급하는 미곡과 장류 가운데 먼저 쌀을 보면, 갱미粳米는 멥쌀, 직미稷米는 기장쌀, 중미中米는 깨끗하게 쓿지 않은, 품질이 중길쯤 되는 쌀이요, 두탕심갱미豆湯心粳米는 콩탕에 넣는 알심용 멥쌀인 듯하다. 콩으로는 포태泡太가 있는데 이는 두부콩이다. 그리고 겨자芥子를 얼마나 먹는지 특별히 겨자가 들어가 있다. 장으로는 단장甘醬과 맑은 장清醬이 있다. 이상 궁중 식구들과 이들이 사도시에서 받는 미곡과 장류의 종류를 정리하면 다음의 표와 같다.

		갱미 粳米	직미 穄米	중미 中米	포태 泡太	개자 芥子	두탕심갱미 豆湯·心粳米	감장 甘醬	청장 淸醬
① 양전	대전大殿	6되	9홉		1말2되	3홉	2홉		
	중궁전 中宮殿	6되	9홉		1말2되	3홉	2홉		
② 양궁	세자궁 世子宮	4되5홉			6되	2홉1작	2홉		
	세자빈궁 世子嬪宮	4되5홉			6되	2홉1작	2홉		
③	봉보부인 奉保夫人			3되	4되5홉	9작		1되 5홉	
④	아기유모 阿只乳母			3되	2되6홉	6작		9홉	
⑤	상궁尙宮			2되5홉	2되			4홉	1홉6작
⑥	시녀侍女			2되5홉	2되			4홉	1홉6작
⑦	무수리水賜			2되	1되			2홉	1홉
⑧	수모水母			2되	6홉			2홉	
⑨	파지巴只			2되	6홉			2홉	
⑩	방자房子			2되				2홉	
⑪	아기배비 阿只陪婢			2되				2홉	
⑫	유모배비 乳母陪婢			2되				2홉	

크게 보아 상궁 시녀는 무수리, 수모, 파지, 방자, 아기배비, 유모배비보다는 나은 대우를 받았으나, 양전과 양궁은 물론이요 봉보부인이나 아기유모보다는 낮은 대우를 받았다. 이러한 등급 서열은 다른 물품을 지급받는 데서도 대체로 비슷하게 적용되었다.

조선 전문가의
일생

212

사재감은 물고기, 육류, 소금, 땔나무를 공급하는 관서인데, 상궁 시녀는 매일 각각 석수어石首魚(조기) 두 마리, 청어靑魚 한 마리 반, 진어眞魚(준치) 반 마리, 소어蘇魚 젓갈, 백하白蝦(흰새우) 젓갈 각 7작 5리里, 소금 5작을 받았다. 내자시는 쌀, 면, 주, 장, 기름, 꿀, 채소, 과일 등 식료품을 궁중에 바치는 일을 관장했는데, 거기서 상궁 시녀들에게는 반찬으로 쓸 참깨를 한 홉씩 수시로 공급했다. 내섬시는 식용기름(饌油)과 초 및 반찬거리를 바치는 일을 관장했는데, 상궁과 시녀에게는 식용기름 4작씩을 공급했고, 또 사흘에 한 번씩 비누용 팥(小豆) 2홉 6작을 공급했다.

기름은 등에 넣은 조명용 연료로 취급되는 것인데, 상궁 시녀는 매일 등법유燈法油 5작을 지급받았다. 해조류의 하나인 황각黃角은 1냥 5전씩 지급받았다. 의영고에서 취급하는 소선(반찬거리)은 주로 해조류인데 상궁과 시녀는 이 가운데서 상곽常藿(보통미역) 1냥을 하루에 두 번 지급받았다. 얼음은 국왕으로부터 왕실, 종친, 고위 관원과 국왕을 측근에서 모시는 핵심 관원들에게만 나누어주게 되어 있었다. 그런데 상궁 시녀가 큰 특전이라 할 수 있는 얼음을 나누어 받는 대열에 끼었다는 점은, 이들이 권력의 핵심부에 있었던 까닭보다는 국왕과 왕실을 측근에서 모시는 이들이었기 때문이라고 할 수 있다.

제용감에서는 왕과 왕비, 세자와 세자빈에게 다달이 각종 고급 베나 모시를 다량 바치도록 되어 있다. 그 외에 궁방 이하 궁궐에서 활동하는 사람들에게도 옷감을 공급했다. 그 대상을 보면 봉보부인, 아기유모와 각 전궁의 상궁, 시녀, 무수리, 수모,

파지, 방자, 배비, 봉보부인 방자 그리고 대전장번大殿長番, 치사장번致仕長番과 각전의 수직 내관各殿守直內官 등이다. 궁녀는 그 내명부 등급에 따라 상궁과 시녀로 나뉜다. 이들이 위로는 봉보부인에서 시작하여 아래로는 봉보부인 방자까지 해당되는데, 궁궐에서 일하는 여성들 가운데 어느 정도 위상을 점하는 이들에게 지급되는 옷감의 종류와 수량에도 그러한 점이 드러나 있다.

이들에게 공급하는 옷감의 종류로는 정포正布, 수주水紬, 백저포白苧布, 백세목白細木, 관목官木, 칠승정주七升鼎紬, 오승목五升木, 중면자中綿子, 상면자常綿子, 면화綿花, 포布 등이 있었다. 포란 삼베로 짠 마포麻布, 저포苧布는 모시로 짠 천, 목이란 목화를 원료로 뽑은 실로 짠 면포, 주紬는 누에고치에서 나온 실과 목화실을 섞어 짠 명주, 면자란 씨를 뺀 목화솜, 면화란 씨를 빼지 않은 목화를 가리킨다. 천을 얼마나 가는 실올로 얼마나 쫀쫀하게 짰는가, 다시 말하면 천을 짜는 틀에 단위 길이에 얼마나 많은 씨줄을 거는가에 따라 승수升數를 따져 승수가 높은 천이 고급이다.

정포는 국가에서 포를 거둘 때 기준이 되는 오승포五升布를 가리킨다. 수주는 수화주水禾紬라고 하여 품질이 좋은 비단이고, 백저포는 희게 표백한 모시, 백세목은 희게 표백한 가는 실로 짠 면포, 관목은 관에서 세금으로 받아들인 면포, 칠승정주는 수주보다 품질이 떨어지는 명주, 오승목은 오승 정도의 기준이 되는 조직도를 갖는 면포, 중면자는 중간 정도 품질의 목화솜, 상면자는 일상적으로 통용되는 품질의 목화솜으로 판단된다. 옷감의 종류는 이외에 더 있으나, 궁궐에서 활동하는 사람들에게 제용감에서 공급한 옷감의 종류가 위와 같다는 뜻이다.

이렇듯 복잡한 것을 아래의 표와 같이 정리하면 이해하는 데 도움이 된다.

이 표에서도 상궁과 내시는 봉보부인과 아기유모보다는 낮게, 그러나 각 전궁의 무수리, 수모, 파지, 방자, 배비 그리고 봉보부

제용감에서 궁인 내시들에게 공급한 옷감의 종류와 분량

		춘						추								
		정포	수주	백저포	백세목	관목	칠승정주	정포	수주	백세목	오승목	중면자	상면자	면화	칠승정주	포
봉보부인		6필	1필	1필	1필	1필		1필	1필	1필	1필	1근	1근	1근		
아기		2필	1필	반필	1필			2필	1필	1필			1근	2근		
각 전궁	상궁	2필		반필			1필	2필						2근	1필	
	시녀	2필		반필			1필	2필						반근	1필	
	무수리	1.5필						1.5필						8냥		
	수모	1필						1필						5냥		
	파지	1필						1필						5냥		
	방자	1필						1필						5냥		
	배비	1필						1필						5냥		
봉보부인 방자																20척
대전 장번		2필						2필								
치사 장번		2필						2필								
각전 수직 내관		1필						1필								

인 방자보다는 높게, 특히 내시들보다도 높은 대우를 받았음이
드러난다.

　이상 살펴보았듯이 궁궐에 기거하며 일하는 사람들에 대한 국
가의 반대급부는 대부분 현물로 이루어졌다. 그러나 이 현물은
녹도 아니고 요도 아닌, 그들이 모시는 왕을 비롯한 왕실 가족에
대한 진공進供에 부수적인 형식으로 이루어졌다. 이런 점에서 볼
때, 이들은 국가 관료기구의 공식 구성원으로 인정받지는 못했
다. 그러나 왕실 구성원에게 사적이자 개인적으로 예속된 노비
로서 그들의 공급에 의존하는 것은 아니었다. 왕실에 물품을 조
달·공급하는 여러 관서로부터 물품을 공급받았다는 점에서 어
느 정도 공적 위상도 점하고 있었다. 말하자면 반공반사半公半私
의 불안정하고 모호한 위상을 갖고 있었다고 할 수 있다.

　궁중에서 기거하고 활동하는 사람들로서 물품 지급 대상이 되
는 사람들은 ①양전 ②양궁 ③봉보부인 ④아기유모 ⑤상궁 ⑥시
녀 ⑦무수리 ⑧수모 ⑨파지 ⑩방자 ⑪아기배비 ⑫유모배비 등이
었다. 양전, 양궁 다시 말해서 임금과 왕비, 세자와 세자빈 등은
주인으로서 당연히 포함되어야 할 것이고 그 종류와 양은 두말
할 나위 없이 많았다. 봉보부인이나 아기 유모도 거의 왕실 가족
처럼 인정되었기에 높은 대우를 받았다.

　궁중에서 일하는 여성 일꾼은 ⑤상궁 ⑥시녀 ⑦무수리 ⑧수모
⑨파지 ⑩방자 ⑪아기배비 ⑫유모배비 등이다. 상궁 시녀는 궁궐
에서 일하는 여성들 가운데서는 가장 높은 대우를 받는 위상을
갖고 있었던 것이다.

궁녀의 출신 성분

상궁 시녀, 곧 궁녀가 이렇게 궁중에서 일하는 여성들 가운데 가장 높은 위상을 점하고 있었다면 그들의 신분身分은 무엇이었을까? 관원인가? 관원을 아닐지라도 관원에 준하는 신분, 즉 중인中人 정도는 되는가? 흔히 그렇게 생각하기 쉽다. 이 문제를 따져 보기 위해서는 어떤 사람이 궁녀가 되는가, 아니 누구를 궁녀로 뽑는가를 밝혀야겠다.

궁녀의 위상을 이해하는 데 근본적인 이 질문에 대해서는 『대전회통』에, 좀더 정확히 이야기하자면 『속대전』 공천公賤조에서 다음과 같은 내용의 본문과 주가 원칙적인 답을 주고 있다.

본문: 궁녀는 단지 각사各司의 하전下典으로만 뽑아들인다.

주: 버비內婢는 뽑아 궁녀로 충원할 수 있고, 시비寺婢는 특교特敎가 없으면 뽑지 못한다. 양가良家의 딸은 일절 거론하지 못한다. 양인이나 시비를 추천하여 들이거나 스스로 궁녀가 되어 들어오는 자는 장杖 60대를 때리고 도徒 1년에 처한다. 종친부와 의정부의 노비는 시녀侍女나 별감別監으로 골라 정하지 못한다.

궁녀가 되는 각사의 하전이란 어떤 사람들인가? 하전은 여러 관서에 소속된 하급 실무자이다. 허드렛일보다는 때로는 문장을 짓고, 화살을 만들거나 농원農園을 관리하는 등 다소 전문성을 지닌 직무를 수행했다. 여성의 경우 의녀醫女가 적간摘奸 임무를 잘못 수행했을 때 하전으로 만든다는 이야기로 미루어보아 의녀보다 낮은 지위의 실무자로 인식되었다. 이전吏典, 사령使令, 조례皂隸 등과 비슷한 지위로 인정되며, 그 신분은 기본적으로 천인賤人이다. 국가 공공기관에 예속된 노비 가운데 실무능력을 인정받아 전문적인 일을 맡아 수행하는 일꾼을 하전이라 할 수 있다. 그런 하전으로만 궁녀를 뽑아들인다는 것은 민간 영역을 침범하지 않고 일단 공공 영역에서 충원한다는 뜻으로 봐야 할 것이다.

그런데 모든 관서의 하전을 제한 없이 궁녀로 뽑았던 것은 아니다. 주에서 말하는 내비란 내수사內需司와 여러 궁방宮房에 예속된 신분으로 지방에 살면서 신공身貢을 바치는 계집종을 가리키며, 시비란 의정부 육조를 비롯하여 중앙 관서에 예속된 신분으로 지방에 살면서 신공을 바치는 계집종을 가리킨다. 내비는 국왕과 왕실을 뒷바라지하는 기관, 넓은 의미의 궁중에 소속된 터이므로 궁녀로 선발하여 궁궐에 들이는 것은 큰 문제가 될 것이 없었다. 그러나 시비는 궁중과는 구별되는 공공의 영역, 부중府中에 소속된 존재이므로 이를 궁중으로 옮길 때는 국왕의 특별한 재가를 받도록 제한한 것이다.

"양인의 딸"은 궁중도 부중도 아닌 사적인 민간 영역에 속하는 존재이므로 이를 침범하지 못하게 각별히 금지한 것이다. 그런데 이렇게 법전에 강력히 금지하는 내용이 들어갔다는 것은 역으로 이러한 현상이 이미 사회적으로 문제되고 있다는 반증이기도 하다. 양인이나 시비를 추천하여 궁궐에 들이거나, 혹은 스스로 궁녀가 되기 위해 몸을 던지는 일들이 조선후기 현실 사회에서는 적지 않게 벌어지고 있었다. 18세기에 들어와서는 관청에 소속된 하전에서 벗어나 양인 또는 양반의 서녀들까지 궁녀가 되는 예가 생겼고, 더 나아가 수동적으로 타인에 의해 궁녀로 천거되어 궁궐에 들어가는 것이 아니라 궁녀가 되기 위해 자발적으로 투탁하는 예도 있었음을 보여준다.

궁녀 인생

궁녀가 된다는 것은 궁중과 부중 가운데 궁중에 소속된다는 것이요, 궁극적으로는 국왕에게 예속됨을 뜻한다. 그러므로 궁녀들은 궁중에 있는 동안 혼인할 수 없을 뿐만 아니라 어떠한 성적 접촉도 허용되지 않았다. 이를 어기면 남녀 모두 통상적 사형 시기인 추분부터 춘분까지의 기간을 기다리지 않고 바로 최고형인 참형斬刑에 처하도록 『속대전』에 규정되어 있다.

　궁녀들은 궁중에 있을 때는 물론이고 어떤 사유로 궁중에서 물러나 궁녀 신분에서 벗어나더라도 정상적인 혼인을 할 수 없었다. 상급의 상궁은 물론이고 하급의 시녀, 더 나아가 시녀의 하인인 무수리도 마찬가지였다. 『경국대전』 금제禁制조에는 조정 관원이 궁중에서 내보낸 시녀나 무수리를 처나 첩으로 맞아들이면 장 100대의 처벌을 받도록 규정되어 있다. 관청에 사사로이 출입하는 것, 유생儒生의 부녀婦女가 절에 드나드는 것, 문서를 훼손하고 다시 조작하는 것, 도성 안에서 야제野祭를 지내는 것, 사족의 부녀가 산간이나 골짜기에서 야제나 산천제, 성황제, 기타 사당에 제사 지내는 것, 과거 보는 곳에서 관아의 이전吏典이나 복예僕隸가 몰래 무언가를 통해주는 것, 고의로 관의 조사를 받지 않는 것 등과 함께 사회 기강을 문란하게 하는 죄로 취급되었던 것이다.

비단 조정 관원만 그런 것이 아니라 종친宗親도 마찬가지였다. 성종 17년에는 놓아보낸 궁녀를 첩으로 삼은 종친을 처벌하는 문제를 논의한 끝에 조정 관원과 마찬가지로 종친도 처벌하는 것으로 정리되었다. 하지만 인생사가 어찌 원칙대로 규정대로만 흘러가겠는가? 궁녀들이 궁궐에

한국 임금의 시녀attendant. 뒤에 가림막을 치고 서양식 의자에 앉은 모습의 연출 사진이다.

드나들기 쉽던 종친들과 눈이 맞고 배를 맞추었다가 들통이 나는 일이 간간이 생겨 문제가 되었다. 하지만 그런 경우 대개 궁녀는 큰 벌을 받아 죽임을 당하기까지 하지만 종친은 그럭저럭 풀려나고 말았다.

궁궐에서 벌어진 크고 작은 사건, 특히 정치적으로 파란을 불러온 역모 사건에는 궁녀가 끼는 경우가 많았다. 물론 주도자로서가

궁중의 여인. 세트가 갖추어진 스튜디오에서 촬영한 사진이다. 명성황후 사진으로 잘못 알려져 있다.

아니라 무슨 심부름을 했다거나 목격을 했다거나 하는 정도의 혐의가 대부분이다. 하지만 이들은 가혹한 형벌을 받아 그 인생이 망가지기가 십상이었다. 약자의 설움인 것이다.

하지만 역으로 궁녀들은 지존이신 임금이나 왕비, 아니면 왕실 가족을 측근에서 모시는 이들이기에 그 모시는 분의 권위를 업고 호가호위狐假虎威하는 경우도 없지 않았다. 정조 2년 윤6월에 정조는 궁녀들이 놀러다니며 잔치를 벌이는 데 대하여 매우 엄한 하교를 내렸다.

"대저 궁녀宮女라 이름하는 자들이 기녀妓女를 끼고서 풍악을 벌이고 액례掖隸와 궁노宮奴를 많이 거느리고 꽃놀이라 선유船遊라 하여 길거리에 끊임이 없이 오가면서 되돌아보고 거리낌이 없다. 심지어 재상宰相들의 강변 정자나 교외郊外 별장에 마구잡이로 들어가는 일도 있다 한다. 이밖에도 천박하고 더러운 일이 더 있으나 말만 추잡해진다. (…)

법사法司에서는 각전各殿과 각 궁방宮房의 궁녀를 관장하고 있는 중관中官 및 궁임宮任에게 엄하게 신칙申飭하라. 이처럼 금령禁令을 내린 다음에도 만일에 다시 이전의 구습舊習을 되풀이한다면 직계職階가 높은 상궁尙宮이나 시녀侍女를 막론하고 발각되는 대로 마땅히 먼 지방으로 정배定配하겠다 하라. 여러 법사法司에도 알려서 더욱 잘 살피게 하여서 발각되어 잡히면 즉각 잡아 가두고 배소配所를 정하여 압송押送한 뒤에 보고하는 것으로 정식定式을 만들라. 이렇게 하여 누습陋習을 개혁하고 내정內庭을 맑게 하라."

즉위한 지 얼마 되지 않아 이런 엄한 하교를 내리는 젊은 임금 정조의 추상같은 뜻을 헤아리지 못할 바는 아니나, 이를 역으로 해석하자면 이렇게 임금이 직접 나서서 엄한 하교를 내려야 할 정도로 궁녀들의 행태가 대단했음을 볼 수 있다. 궁녀라고 해서 궁궐 어느 모퉁이에서 눈물짓는 그런 가녀린 존재만은 아니었나 보다.

어느 궁녀의 인생 역정

서울시 은평구 여우골이라 하는 곳에서 궁녀의 묘표가 발견되었다. 주택단지를 만들기 위해서 터를 닦다가 흙 속에 묻혀 있던 것이 나왔다 한다. 묘표란 묘 앞에 세운 비석인데, 폭 48.5센티미터, 높이 103센티미터이니 일반 양반의 묘포에 비교해봐도 그

조선 전문가의
일생

리 작지 않은 편이라고 하겠다. 게다가 비석 뒷면에는 상당한 분량의 한문 문장이 있는바, 이를 찬찬히 살펴보면 어느 궁녀의 인생 역정이 보인다.

"상궁은 성이 임林씨이고 본관은 옥구沃溝이다. 아버지는 효원孝元으로 동지중추부사同知中樞府使였는데, 재산을 가벼이 여기고 위급한 일을 구제하였기 때문에 그 지역에서 칭송을 받았다. 할아버지 회檜는 통정대부였다. 어머니는 해주 오씨 금금錦金의 따님이다."

여기서 아버지가 재산을 가벼이 여기고 위급한 일을 구제하였기 때문에 칭송을 받았다는 말은 액면 그대로 받아들이자면 참 훌륭한 분이었구나 할 내용이지만, 이를 뒤집어 보면 그가 받았다는 동지중추부사라는 관직이 실직이 아니라 구제로 받은 명예직임을 짐작케 한다. 할아버지가 통정대부였다는 것 역시 실제 관직을 수행한 것이 아니라 품계만 받았음을 가리키는 것이다. 그러니까 옥구 임씨 가문은 문지가 번듯한 양반 가문이 아니라 부유한 평민 정도 아니었을까 짐작된다.

"숭정崇禎 을해乙亥년 5월 26일에 태어났다. 나이 13살에 궁궐[掖庭]에 들어가 원손궁元孫宮에 소속되었다. 이때 현종이 새로 원손위元孫位에 올랐는데, 이후 좌우에서 30년을 모셨으되 죄과를 범하지 않았다. 여관女官의 품계를 받아 상궁尙宮에 이르렀다."

숭정 을해년은 1635년, 인조 13년이다. 열세 살에 궁궐에 들어갔으니까 1647년, 인조 25년에 궁녀가 되었다. 궁녀로서 배속받은 데가 원손궁, 그러니까 인조의 손자요, 당시 세자이자 나중에 효종이 되는 이의 아들이요, 더 나중에 현종이 될 아이를 모시게 되었다는 것이다. 현종이 1641년생이니까 나이가 임상궁보다 여섯 살 아래요, 임상궁이 궁궐에 들어간 그해에는 일곱 살 어린 아이였다. 그때부터 30년을 모셨다면 1674년 현종이 승하할 때까지 줄곧 모셨다는 말이 된다. 현종보다 여섯 살이나 위였으니 누님처럼 모셨으려니 짐작된다. 그러니까 궁녀로서 내명부 정5품 상궁에서 끝나고 후궁의 반열에는 오르지 못하였나보다.

"명성태후明聖太后가 돌아가시어 3년 상을 마치고 나자, 다시 장렬태후莊烈太后(1624~1688, 인조의 계비) 전殿에 이속移屬되었다. 장렬태후가 돌아가시자 임금(숙종)이 죽은 명안공주明安公主(?~1687)가 일찍이 임상궁을 부모[傅姆]와 같이 여겼음을 생각하고 밖에 나가서 공주 집에 살면서 명안공주의 제사 받드는 일을 살피도록 하였다."

현종이 승하한 뒤에 임상궁은 현종의 비이자 숙종의 모후인 명성왕후(1642~1683) 전으로 자리를 옮겼다가, 1683년(숙종 9) 명성왕후가 돌아가시자 다시 장렬왕후 전으로 이속되었다. 장렬왕후(1624~1688)는 인조의 계비로서, 위계상으로는 현종의 할머니요 숙종의 증조할머니가 되지만 1683년에는 육순이었다. 그 5년 뒤인 1688년(숙종 14)에 장렬왕후가 돌아가셨다. 이때 임상궁은 56세로, 궁궐에서 또 다른 이를 모시기에는 너무 늦었다고 생각했는지 궁궐 밖 명안공주 집으로 내보냈다.

명안공주는 현종과 명성왕후 사이의 셋째 딸로서 숙종의 누이였다. 1680년 숙종 6년에 해창위海昌尉 오태주吳泰周에게 시집갔다. 어려서부터 병약하여 그 어머니 명성왕후가 가련히 여겨 사랑하였던 딸이다. 숙종 9년 명성왕후가 돌아간 뒤에 숙종 역시 총애하여 가사 전토를 많이 내렸다. 그런 명안공주가 1687년 숙종 13년, 장렬왕후가 돌아가시기 전해에 죽었다. 숙종은 명안공주가 생시에 임상궁을 보모처럼 따른 것을 생각하여 임상궁을 명안공주의 집, 다시 말해서 오태주 가로 보내어 제사를 모시게 조처한 것이다.

> "기축년 정월 11일 병으로 죽으니 향년이 75세였다. 임금이 임상궁이 여러 해 애써 일하면서 마음을 조심하여 두려워하며 삼가서 처신하였음을 유념하여 관재棺材와 포백布帛을 하사하고 서울의 서쪽西쪽 교외 신혈리神穴里의 진향辰向에 장사 지내게 하니, 부모와 할아버지의 무덤 부근이다. 장사 지낸 4년 후 계사년 5월에 묘비를 세우다."

임상궁은 이렇게 몸은 궁궐에서 나갔으나 왕실과의 인연을 완전히 끊은 것은 아닌 상태로 11년을 살다가 1709년(숙종 35)에 75세로 돌아갔다. 숙종 임금이 임상궁을 후히 장사 지내도록 한 것은 저간의 사정을 알고 보면 당연한 조처였다. 평생을 궁궐과 명안공주 시댁인 오씨 가에서 지냈지만 마지막 안식처는 친정

1919년 고종 국장 시 홍릉에 하관한 뒤 궁녀들이 곡을 하고 능을 내려오고 있다.

아닌 친가 선영에 묻혔다.

　임상궁은 그 인생이 행복했는지는 모르겠지만, 겉으로 보기에는 궁녀들 가운데서 드물게 복이 많은 이였다. 열세 살 어린 나이에 궁궐에 들어가 일흔다섯 노년에 이르기까지 60년이 넘는 긴 세월을 현종―명성왕후―장렬왕후―오태주 가 명안공주의 영령 이렇게 네 분을 이어 모신다는 것이 참 드문 일이다. 우선 장수하지 않으면 이루어지기 어려운 일이요, 정치 풍파를 겪어도 이어지지 못할 일이며, 사람들과의 관계가 원만치 못해도 순탄하게 수행하기 어려운 일 아닌가?

　하지만 모든 궁녀들이 임상궁 같으랴? 대부분의 궁녀들은 꽃다운 나이에 궁궐에 들어와 그 육신이 늙거나 병들어 일을 하지 못할 때까지 궁궐에 매여 있다가 속절없이 끝나는 인생이다. 그 친가로 돌아가 생을 마감하고 선영에 묻히면 다행. 돌아갈 친가가 없거나, 혹 있어도 부질없는 사람들은 자기들끼리 정업원淨業院이라는 곳에 모여 승僧도 아니고 속俗도 아닌 삶을 산 것으로 알려져 있다.

8장

목장木匠의 종류만 스물둘

◉

조선의
집 짓는 사람들

김왕직 · 명지대 건축학부 교수

한옥의 초석은 누가 놓았는가

한옥은 한국 땅에 지어진 한국의 역사와 문화가 스미고 살아 숨쉬는 집을 말한다. 집 짓는 것이야 동서양이 다를 바 없겠지만, 건축 양식과 재료가 차이 나는 까닭에 장인의 종류와 기술도 다를 수밖에 없다. 건물은 미학적인 형태가 전부는 아니다. 그것은 사회를 반영하기 때문이다. 건물이 무엇을 담아내는가를 결정하는 데는 그것이 작은 집이냐 큰 집이냐가 관건이 아니다.

한옥은 돌과 흙 그리고 나무로 지어진다. 그렇기에 장인들 역시 재료에 따라 나뉘곤 한다. 집을 시공하기 전에는 구상이 우선이며 누구나 알아보기 쉽게 그림으로 표현하는데, 이를 설계도라고 한다. 설계도가 완성되고 재료를 갖추면 집 지을 기초적인 준비는 끝난 것이다.

집 짓는 이들을 직능별로 분류하면 수십 종에 이를 만큼 종합

적이고 복잡하다. 조선시대 법전인 『경국대전』에는 건축을 담당
했던 선공감에 등록된 장인이 21종류로 분류되어 있다. 이중에
서 발이나 우산, 자리를 만드는 이들을 제외하고 건축 공사에 직
접 참여했던 장인을 들면 다음과 같다. 마조장磨造匠, 목장木匠,
석장石匠, 돌장埃匠(온돌장), 도채장塗彩匠(단청장), 조각장彫刻匠,
석회장石灰匠, 니장泥匠(미장), 개장蓋匠(기와를 잇는 장인), 전장磚匠
(방전 및 벽돌을 다루는 장인), 야장冶匠, 아교장阿膠匠…. 외공장外
工匠(지방 관아에 딸린 공장)으로 기와를 만드는 와서瓦署에 소속
된 장인들로는 와장瓦匠(기와를 만드는 장인), 잡상장雜像匠(지붕마
루에 올라가는 장식기와를 만드는 장인)이 있고 종이나 자리를 보
관했던 장흥고長興庫에는 도배장塗褙匠이 있었다.

　　1833년 창경궁 내전을 수리할 때는 『경국대전』에 언급된 장
인 외에 선장船匠(배 만드는 목수), 화원畵員(그림 및 단청장), 인거
장引鉅匠(톱장), 기거장歧鉅匠(톱장), 걸거장틀鉅匠(톱장), 가칠장假
漆匠(단청장), 목혜장木鞋匠(공포를 만드는 목수), 아교장阿膠匠, 박
배장朴排匠(철물을 만드는 장인), 대은장大銀匠, 기계장機械匠 등이
추가로 등장한다. 공정이 매우 세분화되어 있었던 것이다. 현대
건축에선 여러 공정이 합쳐지거나 어떤 공정은 생략되기도 하
며, 장인이 아닌 공장에서 만든 제품을 사용하는 까닭에 장인의
종류와 기능이 대폭 줄었다. 한옥의 골격을 만드는 목수와 창호
를 제작하는 소목장, 온돌과 벽체를 만드는 미장, 기와를 얹는
개와장, 장판과 벽지를 바르는 도배장 정도가 있을 뿐이다.

정약용의 『목민심서』에는 "수령이 선해繕廨를 하려고 할 경우 먼저 간가도間架圖를 작성하고 장인을 불러 의논하여 대들보가 몇 개, 도리가 몇 개, 기둥이 몇 개, 서까래가 몇 개 등 재료의 수량을 조목조목 나열한다. 이를 바탕으로 장인이 목재의 물량을 산출하면 구해야 할 원목으로 대송大松이 몇 그루, 중송中松이 몇 그루, 잡송雜松이 몇 그루, 소송小松이 몇 그루 필요한지 알게 될 것이다. 이를 가지고 고을 안을 살펴 10리 안에서는 큰 나무를 취하고, 20리 안에서는 중간 나무를 취하며, 30리 안에서는 작은 나무를 취할 것이니 운반하는 데 노역의 차이가 있기 때문이다(공전工典6조 제3조 선해繕廨)"라고 하였다.

이를 보면 건물을 짓기 전에 먼저 설계도를 그리고 필요한 물량을 산출한 다음 여기에 근거해 재료를 구입하는 과정이 상세히 드러난다. 오늘날의 '설계도'라는 표현 대신 '간가도間架圖'라는 용어가 쓰였다. 설계도는 근대 건축 이후에 사용된 용어이지만 공정은 전통 건축과 다를 바 없다.

설계도는 조선시대 관영 공사에서는 도화서에 소속되어 있는 화원이 그렸으며, 민간에서는 도편수가 그 역할을 맡았다. 나무를 다루는 목수의 우두머리가 도편수이건만, 한옥은 공정의 대부분이 목공사였던 까닭에 목수가 설계사의 역할도 겸했다. 그러나 건축의 도면 명칭은 현대와는 많이 달랐다.

일반적으로 건축설계도는 소양小樣, 견양見樣, 화畵, 가도家圖, 도圖, 도형圖形, 초도형草圖形, 도설圖說 등으로 불렸으며, 오늘날

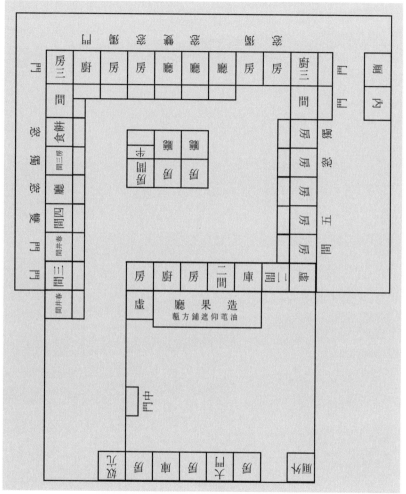

「순조인릉 나인 간가도」, 1834, 『인릉산릉도감의궤』 중, 규장각한국학연구원.

배치도라 부르는 것은 전도全圖로, 평면도는 간가도間架圖로, 입면도는 ○○도圖로, 단면도는 이도裏圖 등으로 표기되었다. 주로 왕릉의 재실을 그릴 때는 평면도를 배치도에 사용했지만 일반

「동궐도」(대조전, 집상루, 징광루 부분), 1830년대, 고려대박물관. 동궐도는 정확한 제작 동기와 연대는 밝혀져 있지 않으나, 순조 3년(1803) 12월 창덕궁 인정전이 선정전 서행각에서 발생한 화재로 인해 불타버린 후 재건하는 과정에서 이 그림을 그리게 한 것으로 추정된다. 비록 완공 후 그린 것이지만, 정밀한 설계도 같으면서 지도와 같은 역할도 하고 있다. 넓은 창덕궁과 창경궁 및 그 주변의 방대한 지역에 대한 측량, 각종 건축물과 시설물의 위치 및 크기와 형태에 대한 철저한 파악, 수많은 초벌 그림의 작성 등으로 미루어 수년에 걸쳐 작업된 것으로 짐작된다.

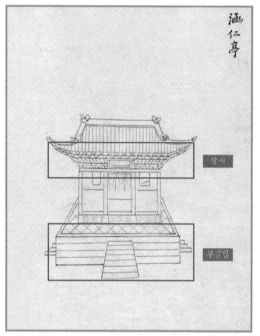

「창경궁 함인정도」, 1830, 『창경궁영건도감의궤』 중, 규장각한국학
연구원. 처마 아래를 올려다본 앙시와 위에서 기단을 내려다본 부
감법이 동시에 사용되었다.

건물은 입면도를 써서 배치도를 그렸다. 입면배치도를 사용하는 것은 서양 도면과는 구별되는 점이며, 목구조인 한·중·일에서는 공통으로 나타나는 특징이다. 입면도를 사용하면 건물의 위계뿐 아니라 방향성이 있는 까닭에 외부 공간의 중심이 어디인지 쉽게 파악할 수 있다. 일례로 창경궁 함인정도가 입면도인데, 처마 아래를 올려다본 앙시仰視와 위에서 기단을 내려다본 부감법이 동시에 사용된 이동시점법으로 그렸다. 하나의 도면에 여러 도법을 동시에 적용시킴으로써 많은 정보를 담도록 한 것이 도면의 경제성과 효율성을 높였는데, 이는 자유롭고 융통성 있는 사고체계에서 나온 것이다. 이처럼 도면에는 도법과 사상이 스며 있기 때문에 오늘날의 건축에서도 전통 도법을 외면할 수 없다.

재료를 마련하여 첫 걸음을 떼다

한국 건축은 목조이므로 목재를 구하는 것이 급선무이다. 작은 살림집 정도는 목상木商에서 구입해 쓰면 되지만 궁궐이나 성곽처럼 규모가 큰 공사라면 재료를 직접 구해야 한다. 목상은 대개 수요가 많은 작은 목재만 취급했기 때문이다. 관영 공사는 임시 건설 본부격인 도감都監에서 재료를 직접 구하거나 오늘날의 조달청처럼 나라에서 쓰는 물품을 대어주는 공인貢人들로부터 제공받았다. 공인은 선혜청에서 물건 값을 선불로 지급하고 납품받는 방식인 전인廛人에 의한 원공元貢과, 호조에서 후불로 지급하는 방식인 외도고外都庫 공인에 의한 별무別貿 방식이 있었다. 원공은 시가보다 물건 값을 많이 받을 수 있어 호황이었는데, 각 지방의 과다한 세금 징수로 부채가 쌓여 1768년에 이르러 혁파되었다. 이후 목재도 후불제인 외도고 공인들이 납품을 맡게 되었다. 외도고 공인들이 시가보다 낮은 비용을 받으면서 과중한 세금을 감내했던 이유는 벌목권을 얻기 위해서였다. 그러나 난전亂廛과 운송 기술이 발전함에 따라 공인의 경쟁력은 점점 떨어지고 19세기부터는 민간 목재 상인이 주로 공급을 담당했다.

목재는 수로를 통해 배로 운송되었다. 수로 운송을 맡았던 배는 시기별로 달랐다. 먼저 17세기에는 세곡을 운송하는 조선이 주로 쓰이고 방선과 병선 등 군선이 동원되기도 했다. 그러나 18세기에 이르면 조선보다는 오히려 군선과 사선의 비중이 커진다. 이러한 경향은 19세기까지 이어졌다. 군선은 경강선이나 지토선보다 선체가 크고 튼튼했기 때문에 자주 동원되었다. 그럼에도 건축 재료 운송에 조세선이 완전히 사라지지 않은 것은 원거리 운항 기술이 축적되어 있었고 항해술이 노련하여 군선보다는 사고의 위험이 덜했기 때문이다. 조세선은 주로 남해 지역과 같은 원거리 운송을 맡곤 했다. 반면 19세기 이후에는 사선과 상선들도 항해술을 갖춰 운항에 큰 어려움이 없었다. 나아가 20세기 초 대한제국 시기에는 모든 사회체제가 민간 중심의 자유시장 체제로 변하면서 목재 구입과 운송 역시 목상木商이 주로 담당했다.

다음으로 운송을 담당한 사람들을 살펴보자. 육로 운송을 포함하여 17세기까지는 강 연안의 백성들이 부역으로 동원되었지만, 1707년(숙종 33)에는 마계馬契가 창설되어 이를 전담했다. 이후 1729년에는 모민계募民契와 별개로 운부계運負契가 만들어져 운송을 담당했다. 경강에서 세곡의 하역과 각 창고까지의 운반을 맡았는데, 주로 등짐이나 지게로 져서 날랐다. 도성 내에서 수레를 이용하는 운송은 마계가 맡았으며, 이들은 모두 공인계貢人契였다.

건축 재료를 구입하고 운송하는 책임은 17세기에는 영역부장領役部將에게 있었다. 영역부장은 도감의 최하위 관리직으로 작업소별로 몇 명씩 배정되어 실무를 맡았다. 그 위의 도청都廳은 재료의 반입 및 공사장의 검수 등 행정 전반을 진두지휘했다. 영역부장 밑으로는 실제 운송을 담당하는 요역이나 군역의 의무를 지고 부역으로 동원된 상번군인上番軍人, 승군僧軍이 배치되었다. 지방에 배정된 재료 구입은 지방 감영 소속의 군수나 만호萬戶가 담당했다. 정조 13년(1789) 문희묘 영건 공사부터는 영역부장이 사라지고 패장牌將이 등장하여 그 역할을 대신했다.

목재를 구매하는 패장은 특별히 구분지어 무목패장貿木牌將이라 불렀다. 벌목하여 운송해오는 경우 도감에서는 패장을 책임

자로 하여 그에게
돈을 주어 지방에
내려 보냈다. 이때
패장은 계사計士
및 목수와 함께 내
려갔는데, 목수는
필요한 목재를 감
벌하고 계사는 수
량 등을 기록해 이
를 도감에 보고했
다. 이렇게 한 조를
이뤄 목재 감벌을
끝내면 지방 수령
은 감영 소속의 관
원을 벌목 책임자
로 임명하고 방군
이나 군사를 동원
하여 벌목해 포구
까지 끌어내렸다.

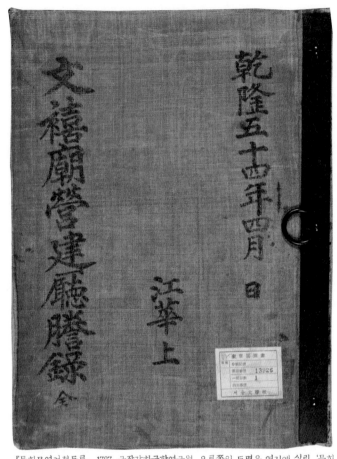

『문희묘영건청등록』, 1787, 규장각한국학연구원. 오른쪽의 도면은 여기에 실린 '문희묘도' 부분이다.

그리고 이를 적치해두면 도감에서 내려간 패장과 계사, 지방 관
원이 함께 목재의 말구末口(끝동부리) 부분에 낙인을 찍고 수량을
확인하였다. 그다음에는 운송 책임자를 지방 감영에서 임명하여
운송하는데, 이때 운송감독관으로 호송관이나 독운차사원督運差
使員을 두었고, 운송 책임은 영운차사원領運差使員이나 영납차사

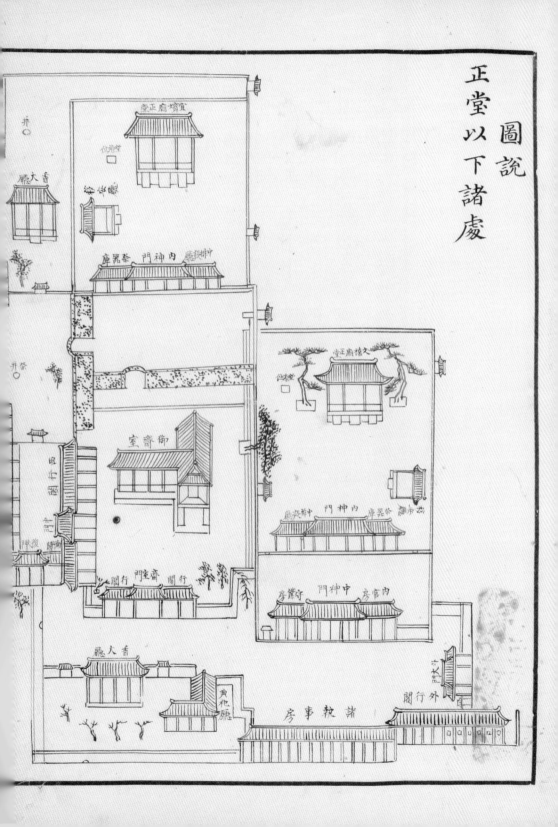

正堂以下諸處圖說

원령납차사원員領納差使員이란 명칭으로 지방의 군수나 감영의 관원 중에서 뽑아 임명하였다. 뱃길을 통해 전국에서 모아진 목재는 한강을 타고 오늘날의 이촌동에 하역되었다. 여기서 무게를 줄이기 위해 초벌 치목治木(목재를 손질함)을 한 다음 육로를 통해 한양 목적지까지 운송되었다. 이촌의 사촌리 하역장에서 공사 현장까지는 차마계공계인車馬契貢契人들이 그 운송을 담당했다.

한양에서 쓸 목재는 가능하면 가까운 남한강이나 북한강 등지에서 구했는데, 강가에서 2~3리 떨어진 곳에서 벌목해 낱개로 방류하고 화천에서 물길이 어느 정도 깊어지면 뗏목을 엮어 운송했다. 뗏목은 한 번에 50~70개가 하나로 묶이며, 경강에 이르면 강선으로 운송했다. 뗏목을 엮기 위해서는 나무 끝에 구멍을 뚫는데, 가끔 이를 잘라내지 않고 사용해 지금도 이런 부재들이 발견되곤 한다.

1796년 수원 화성 공사 때에는 목재 한 주당 예운군曳運軍이 6전을 받았으며 마차는 10리당 5전, 말은 10리당 1전을 받았다. 1830년 창경궁 공사 때에는 배로 목재를 운송한 격군에게는 목재 한 주당 4냥과 매일 쌀 2되씩을 제공했으며, 하역을 마치고 돌아갈 때는 노잣돈으로 배 한 척당 10냥씩을 지불했다.

집짓는 데는 기초를 견고히 다져야

서유구는 『임원경제지』에서 "집을 지음에 기초가 가장 중요하다는 것은 누구나 알고 있다. 그래서 여유 있는 집에서는 그 비용

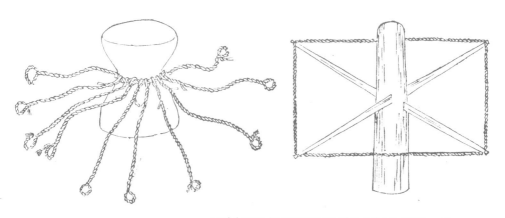

『화성성역의궤』(규장각한국학연구원) 중 돌달고와 나무달고 도면

을 아끼지 않는다. 혹은 숯을 가지고 다지고, 혹은 소금을 가지고 다지면서 견고하게 세웠다고 생각하나 얼마 지나지 않아서 동쪽이 무너지고 서쪽이 내려앉는다. 그 까닭은 먼저 대를 다지지 않은 데 있고 주춧돌을 놓음에 법도가 없는 데 있다"며 기초의 중요성을 강조하였다.

기초다짐에 사용되는 연장을 달고達古라고 하며, 이것으로 땅을 견고하게 하는 일을 달고질 또는 지경닫기라고 한다. 달고는 돌이나 나무로 만드는데 돌로 만든 것을 돌달고石柌, 나무로 만든 것을 나무달고木柌라고 한다. 『화성성역의궤』에 달고 그림의 예가 나온다. 돌달고는 절구통처럼 생긴 잘록한 부분에 동아줄을 여러 가닥 매어 쓰고, 나무달고는 크기에 따라 2~4개의 달굿대라는 손잡이를 달아서 쓴다. 돌달고는 동아줄을 매기에 여러 사람이 공동 작업을 할 수 있어 큰 건물의 기초를 다지는 일에 쓰이곤 했다. 캄보디아 앙코르와트에서는 오늘날에도 문화재를 수리하는 데 절굿공이처럼 생긴 일인용의 긴 몽둥달고를 사용하는 모습을 흔히 볼 수 있다.

　조선시대에는 달고패라고 하여 달고질만 전문적으로 하는 집단이 있었다. 이들은 보통 11명으로 구성되며 좌우에 5명씩 10명이 동아줄을 잡고 달고질을 하는데, 한 명은 작업 능률을 높이고 피로감을 덜어주기 위해 장구 치고 메김소리를 한다. 이 노래가 지신밟기 노래이며 전국적으로 분포한다.

나무 다루는 장인이 전체의 절반

한국 건축은 목조가 주류를 이루는 까닭에 나무를 다루는 장인이 중심이 되며, 이들을 통칭해 목수라고 부른다. 『경국대전』에서는 목장木匠으로 분류되는데, 매우 세분화되어 있다. 수원 화성 공사에는 총 22종의 장인이 동원되었다. 원목을 운송해오면 우선 켜고 잘라 사용할 재료로 만든다. 지금은 제재소에서 그 일을 하지만, 조선시대에는 톱장이들이 그 역할을 맡았다. 이들은 톱 종류에 따라 인

「나무 켜기」, 김준근, 종이에 채색, 122.6×69.6cm, 프랑스 기메박물관.

거장, 기거장, 걸
거장으로 구분
된다. 인거장은
또다시 대大인거
장, 소小인거장으로
나뉜다.

「기와이기」 중 목수 부분, 김홍도,
종이에 담채, 27×22.7㎝,
『풍속화첩』 중, 국립중앙박물관.

　조각장彫刻匠은
건물에 쓰이는 각
종 조각 부재를 다루
는 장인들로, 지금은 사라
져 대목이 역할을 대신하고
있다. 선장船匠은 배를 만드는
장인인데 건축 공사에도 동원되
어 일반 목수와는 달리 곡선부재
등을 다루는 데 전문적으로 참여했을
것으로 보인다. 창호를 만드는 장인은 따
로 보이지 않으며, 대신 병풍장이 있다. 병풍장은
물론 병풍을 만드는 장인이지만 건축 현장에서는 병풍과 유사
한 창호와 붙박이장지 등을 만들었을 것이다. 목혜장木鞋匠은 나
막신을 만드는 장인인데, 공사 현장에서는 공포 부재와 같이 일
정하고 반복되는 작은 부재들을 만드는 일을 했을 것으로 짐작
된다.

　오늘날 목수는 건축 골조를 만드는 대목과 창호 만드는 소목
으로 축소되었지만, 조선시대에는 나무 다루는 장인이 전체의

절반을 차지할 정도로 그 임무가 다양했고 숫자도 많았다. 목재를 다루는 장인들의 우두머리는 대목 혹은 도편수라고 부른다. 특히 대목은 18세기 이전에 부른 명칭이고, 18세기 접어들면서는 도편수라 칭했다. 이때 도편수는 목공에만 해당되는 것이 아니라 모든 공정의 우두머리를 부르는 호칭이었다. 도편수는 그 아래에 장인을 여럿 거느렸는데, 관영공사에서는 건물별로 세분된 편수가 조직되었고, 그 바로 아래 장인이 딸렸으며, 사찰 공사에서는 대개 부편수를 두고 그 아래 일반 장인이 조직되는 형식이었다.

부드러운 돌맛을 낸 석수들
화성 축성 때 662명 동원

돌을 다루는 장인을 『경국대전』에서는 석장石匠으로 분류했지만 오늘날에는 석공 또는 석수라고 부른다. 이들은 기단을 만들고 석축 및 성곽 쌓는 일에 동원되었다. 이외에도 석교나 석빙고 등 돌로 만드는 구조물과 건축 공사에서 꽤 비중 있는 역할을 맡았다. 수원 화성을 축성할 때는 성곽 공사의 특성상 목수는 335명이 동원된 데 비해 석수는 그 배에 달하는 662명이 동원되었다. 석수가 다루는 석재는 목수가 다루는 목재에 비해 무겁고 위험하며 일이 힘든 까닭에 조선후기로 접어들면 목수에 비해 높은 품삯을 받았다. 화성 공사 때에는 목수에 비해 두 배가량의 인건비를 받았으며 현사궁 공사에서는 30퍼센트쯤 더 받았다. 그러나 철을 다루는 야장에 비해서는 적은 임금을 받았다.

한국에서 건축에 쓰이는 돌은 대개 화강석이다. 화강석은 어디서나 손쉽게 얻을 수 있기 때문에 지금도 흔히 사용된다. 화강석은 장대석 기단이나 가구식 기단, 석탑, 석축 및 성곽 등에 쓰였는데, 석질이 단단하고 아름다운 게 장점이다. 돌을 쓰려면 우선 채석을 해야 하는데, 채석장은 운반을 고려해 현장에서 최대한 가까운 곳에서 구한다. 1647년 창덕궁 수리 때에는 바닥에 깔기 위한 박석을 강화도에서 채석해 배로 운송했다. 또 1796년의 화성 성곽 공사 때에는 공사장에서 3~7리 떨어진 팔달산 서쪽 중턱에서 채석했다. 육로로 운반할 때는 큰 마차는 바퀴가 커서 싣고 내리기 어려우므로 동차童車를 이용했고, 겨울철에는 썰매를 끌기도 했다. 또 작은 돌은 들것에 나르거나 등짐을 져 나르기도 했다. 궁궐 담장 등에 사용하는 사괴석은 한 사람이 네 덩이를 들 수 있는 크기의 돌이라는 뜻이다. 화성 공사부터는 돌 크기를 표준화하여 일의 양을 계량할 수 있었고 도급이 가능했다. 현장에서의 치석治石은 석장들에 의해 이루어졌다. 대개 정을 사용했는데, 다양한 크기의 정을 갖추고 있었다. 톱 없이 정으로 돌을 다듬었던 까닭에 옛 건축물들은 모서리가 예리하지 않으며 둥글고 부드럽다. 조각도 훨씬 부드러운 맛을 낸다. 화강석처럼 단단한 돌을 능수능란하게 다루는 장인들이 바로 한국의 석장들이었고, 이러한 석장 기술은 고대로부터 일본에 전파되었다.

城津鎮

磨天嶺在端川吉州之間南北道自此
分馬嶺之一支東馳斗入海中為城津
鎮古有土城萬曆丙午觀察使李時發
聞于朝廷設鎮乙卯觀察使崔瓘築
石城其地三面皆海獨後一面連陸而
高峯峰馬城有內外內城之東景最高處
觀觀日月出之峯而其下為僉使之居
西有孤峯斗起為將壇外城之西阜有
朝日軒乃客館也西門之西有斬鯨臺
東門之東有望海亭朝日之上壓峯頂
有麗譙鎮北樓自東門之側引川入
城蓄水為池而海濤衝射之地則勢不
可築城皆插木為栅矣盖其地形之
大海氣八無極而兀然特立於鯨鯢之
薄之中標緲者在六鼇之顛而浩浩乎
如乘舟縱纜與波上下開防之要害遊
賞之奇勝可謂無得之矣

「도간운벽도陶侃運甓圖」, 이도영, 종이에 담채, 20.8×33㎝, 1926, 서울대박물관. 꽃나무 아래에서 한 관리가 두 인부에게 벽돌을 운반하도록 지시하고 있는 장면이다.

「척공공적도」, 강희언, 비단에 담채, 22.8×15.4cm, 국립중앙박물관

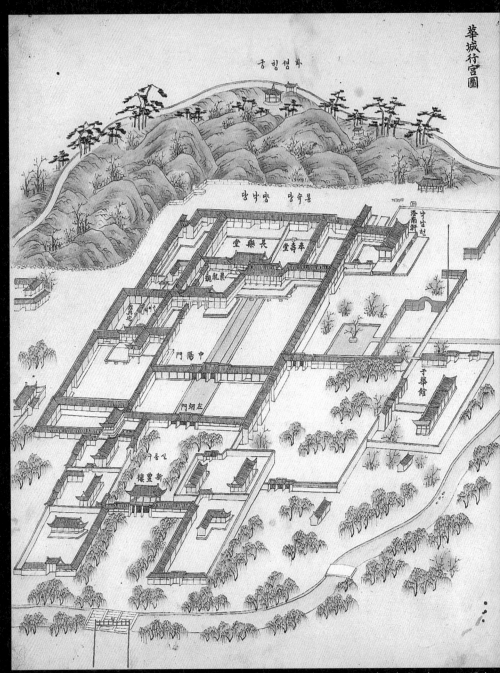

華城行宮圖

화셩힝궁

룡슈뎡 룡낙뎡

長樂堂 奉壽堂

洛南軒

得中亭

觀龍房

中陽門

于華館

左朔門

新豊樓

「화성행궁도」, 필자미상, 종이에 채색, 61.6×94cm, 『원행을묘정리의궤도』 중, 국립중앙박물관. 화성 축성 때는 성곽 공사의 특성 때문에 목수보다 석공이 훨씬 많이 동원되었다. 그 수는 목수 335명의 배에 달하는 수치로 662명이나 참여했다.

제와장과 개와장이 완성해낸 기와
농부들이 품앗이로 이은 초가

한국에는 기와집과 초가집이 가장 흔했다. 강원도 같은 산간에서는 소나무를 도끼로 쪼개 판재를 만들어 기와 대신 올리기도 했는데, 이를 너와집이라고 한다. 판재 대신 혹 얇은 돌을 올리기도 한다. 너와는 소나무로 만들며 반드시 도끼로 쪼개야만 배수가 원활하고 오래간다. 초가는 농경사회에서 가장 흔히 구할 수 있는 재료였기에 많이 쓰였지만 수명은 길지 않다. 매년 초가를 갈거나 덧씌우는 작업을 해야 했는데, 특별한 기술자가 있었던 것은 아니고 농사가 끝나면 서로 품앗이로 초가를 이었다. 초가 중에는 용마름을 엮는 것이 가장 고급 기술이어서 이엉을 엮는 사람 가운데 비교적 솜씨 있는 이들이 이 일을 맡았다. 지금은 초가가 사라지면서 누구나 보유하고 있던 이엉 엮는 기술도 사라지고 있다.

　지붕 중에서도 기와지붕은 전문 장인이 필요했다. 특히 기와를 만드는 사람과 잇는 사람이 각각 나뉘어 있었는데, 오늘날엔 만드는 이는 제와장製瓦匠, 잇는 장인은 번와장翻瓦匠이라 칭한다. 물론 고문헌에는 이 두 명칭이 나오지 않는다. 오히려 한자가 다른 번와장燔瓦匠은 옛날에 기와를 만드는 장인을 뜻했다. 『경국대전』의 장인 분류에는 번와장은 없고 개장蓋匠이라 하여 선공감에 소속된 기와를 잇는 장인이 등장한다. 공사 기록인 영건의궤들에서는 1805년까지는 개장이라 하였고 그 이후에는 개와장蓋瓦匠이라고 기록하고 있다. 『경국대전』에서 기와를 제작하

는 장인은 와서瓦署에 소속되었는데, 와장瓦匠과 잡상장雜像匠으로 세분화되었다.

초가나 기와를 잇는 데는 흙이 꽤나 들어갔다. 서까래 위에는 판재를 깔거나 싸리나무로 엮은 산자엮기를 하고 그 위에 일정한 두께로 흙을 올려준다. 흙은 빗물이 누져 스며드는 것을 방지하고 단열 효과도 냈다. 이 흙을 개토蓋土라고 하는데, 개토를 나르고 비비는 데 동원된 부토군負土軍은 장인은 아니지만 개와장에 비해 그 수가 훨씬 많았다. 이들은 주로 거자擧子(들것)로 흙을 날랐다. 기와 중에서 처마 끝에 거는 막새는 추락을 방지하기 위해 못으로 고정하는데, 이때 못구멍(드림새구멍)을 뚫는 장인을 안자장鞍子匠이라 불렀다. 안자장은 말안장을 만드는 장인으로,

조선 전문가의
일생

건축 공사에서는 송곳으로 구멍 뚫는 공정에 주로 동원되었다.
기와일은 고되었기에 개와장은 석수와 목수 다음으로 많은 품삯
을 받았다.

니장, 전장, 석회장, 야장…
집을 마무리하는 사람들

기와를 올리고 나면 집의 뼈대가 완성된다. 다음으로는 벽체를
들이고, 마루를 깔고, 온돌과 천장을 설치하며 창호 다는 일이
남는다. 창호는 소목이 만든다. 벽체는 토벽, 사벽, 회벽 등으로
마감하는데, 흙을 다루는 일이므로 미장이 담당한다. 미장은 『경
국대전』의 장인 분류에서는 니장泥匠으로 표기했다. 온돌 놓는
일을 오늘날에는 미장이 겸하지만 조선시대에는 돌장을 별도로
두어 구들을 들이고 굴뚝 쌓는 일을 맡겼다. 당시에는 모든 집에
온돌을 깔았기에 꼭 돌장이 아니더라도 구들을 놓을 수 있는 사
람은 흔했다. 돌장은 의궤에서는 눈에 띄지 않는데, 온돌을 놓는
것은 돌장이 했겠지만 바닥 미장은 니장이 협력했을 것으로 짐
작된다.

궁궐이나 사대부 집에서는 기단 바닥이나 실 바닥에 방전方甎
을 깔았다. 하방 아래와 합각 부분 등에는 벽돌로 마감하기도 하
는데, 이를 전甎 또는 벽甓이라고 한다. 그리고 이를 다루는 장인
을 전장甎匠이라고 불렀다.

벽이나 용마루 등에는 회를 바르는 경우가 많았는데, 이것은

한국의 대표적인 전통 가옥으로는 초가집과 기와집이 있다. 초가를 잇는 작업은 주로 품앗이로 전문 장인 없이 해냈지만, 용마름 엮는 것은 까다로운 일에 속했기에 솜씨 있는 이들이 맡았다. 한편 기와집의 지붕을 잇는 데는 전문 장인이 필요했다. 특히 기와를 잇는 사람과 잇는 사람이 나뉘어져 이들이 전문적인 영역이었음을 알려준다. 왼쪽 그림은 「채씨의 효행도」, 허련, 비단에 담채, 23 ×31.7cm, 김민영 소장이고, 오른쪽 기와집은 「북원수회도」, 정선, 비단에 담채, 39.3×54.4cm, 1716, 『북원수회도첩』중, 손창근 소장이다.

특수한 기술을 요했기에 석회장石灰匠은 따로 두었다. 살림집에
는 채색을 하지 않지만 궁궐이나 사찰은 화려한 채색을 했다. 오
늘날에는 이런 일을 하는 이들을 단청장이라고 하는 반면, 『경국
대전』에서는 도채장塗彩匠으로 분류하였으며 의궤에서는 가칠장
假漆匠, 화공 등으로 기록했다. 화공은 조선시대에는 대개 도화서
에 소속된 장인들로, 이들은 행사를 기록하는 그림도 그렸지만
건축 공사장에서는 건물에 단청하는 일을 맡았다. 가칠장은 단

「경직도」중 나무 다루는 장면, 필자미상, 비단에 채색, 135.5×49.4cm, 조선후기, 국립중앙박물관. 경직도이지만 농업과 잠업 장면보다는 목공과 지붕 고치기 등과 같은 풍속화적 표현이 많이 포함되어 있다.

청 문양을 그리기 전에 바탕칠을 하는 장인으로 의궤 기록에 나타난다. 대개 한국에서는 옥색의 뇌록磊綠으로 가칠했으며 모든 건물이 가칠을 바탕으로 문양을 냈기 때문에 일이 많았다.

창호를 다는 데는 철장석이 중요했다. 건물을 짓는 과정에서 연목을 박을 때는 연정椽釘이 필요하고 기와를 고정시키기 위해서는 와정瓦釘이 있어야 한다. 철장석을 달려면 각종 못이 있어야 하며 건축 공사를 위한 연장도 철로 만든다. 따라서 대장장이

「태평성시도」, 필자미상, 비단에채색, 113.6×49.1cm, 국립중앙박물관. 나무를 다듬거나 켜는 이들, 재목을 나르는 소, 집 터를 다지고 있는 장면, 벽에 회칠하는 인부들, 기와 이는 장면, 착공 등 집짓기와 관련한 온갖 장면들이 그림에 섬세히 묘사되어 있다.

「太平城市圖」세부

중국의 태평성세를 묘사한 「청명상하도」(청대 구영의 모본) 역시 집짓기와 관련한 다양한 장면들을 풍속화의 필치로 흥미롭게 펼쳐놓고 있다. 큰 틀에서 조선과 중국의 가옥 구조가 비슷했기에 재료나 집 짓는 장면이 조선의 것과 유사하다. 벽에 걸린 도구들이 흥미롭다.

기녀들이 모여 치장하고 담소 나누는 툇마루 뒤로 단아하고 깔끔하게 발린 창호가 눈
에 띈다. 조선시대에 창호는 소목에 의해 제작되었다. 「기녀」, 유운홍, 종이에 수묵담
채, 23.9×36.2cm, 개인 소장

는 그 비중이 클 뿐 아니라 일도 고되었기에 장인 중에서 최고의
품삯을 받았다. 『경국대전』에는 이들을 야장冶匠으로 기록하고
있다. 이외에도 기계를 만드는 기계장機械匠, 수레를 만드는 거장
車匠, 가설 비계를 설치하는 부계장浮械匠, 사포질을 하는 마조장
磨造匠, 창호와 병풍을 만드는 병풍장, 황동 문고리와 자물쇠 등
을 만드는 두석장豆錫匠이 있고, 잡일을 돕는 인부로는 모군募軍
이 있었으며, 인부들의 식사를 담당하는 화정火丁이 인부 10명당
한 명씩 배정되었다.

조선 전문가의
일생

10~14시간의 고된 노역
된장에서 침과 약, 반한거리 하사도

17세기 들어 나타났던 새로운 형태의 고용 인부인 모군은 각종 건축 일에서 단순 작업에 종사하는 비숙련 잡역부였다. 모군은 도성 주변에서 모집되면 경모군京募軍, 지방 군현에서 모집되면 향모군鄕募軍이라 불렀다. 경모군은 도심지에 사는 전문 노동자층이 주류를 이뤘던 반면, 향모군은 지방의 농부들이 농한기에 부업으로 맡았던 까닭에 노동력에서 질적인 차이를 보였다.

모군은 도감에서 한성부에 요청하여 모집했다. 장인들을 동원하는 것도 한성부의 임무였다. 한성부는 주로 인력을 동원하고 운송용 차량 등을 제공했다. 모군을 모집할 때는 작업의 종류, 작업장의 위치, 품삯의 액수, 지급 방식 등을 미리 제시해 자유 의지에 따라 지원하도록 했다. 모군들은 해가 져서야 작업을 파했기에 하절기와 동절기의 작업 시간에 차이가 많았다. 그래서 동절기에는 작업 시간이 짧다는 이유로 품삯이 깎이기도 했다. 모군들은 하루에 10~14시간의 고된 노역에 시달렸으며, 석재를 운송하는 등 힘든 일에 동원되었다. 그렇더라도 자유 의지에 따라 응모한 일꾼들이었기에 야간작업 등에 동원될 경우는 특별한 대가를 지급받았다. 1794년 화성 성역 공사에서 모군과 장인들은 비바람이나 무더위로 작업을 잠깐 중단하는 기간에도 1인당 1전4푼씩의 식대를 특별지급 받았다.

장인과 모군들의 건강을 위해 혜민서에서는 작업장에 전의감을 별도로 파견해 침과 약을 제공하기도 했다. 이전의 부역 노동자들은 점심과 작업 도구 등을 각자 알아서 지참해야 했던 반면, 고용 노동자들은 도감에서 전부 마련해줬다. 점심은 모군 중에서 특별히 식사 당번으로 화정火丁을 임명하여 준비하게 했는데, 대략 열 명당 한 명이 배정되었다. 식사 준비를 위한 가마솥도 도감에서 마련해주었다. 비정기적이긴 해도 고된 노역을 담당한 이에게는 상으로 쌀이 지급되기도 했으며, 된장 등 반찬거리와 술과 감주 등도 하사되었다.

장인과 고용 인부들의 관리는 18세기 말까지는 영역부장領役部將이 맡았지만 정조연간의 문희묘 영건 공역부터는 패장牌將이라는 직급을 새로 만들어 이들을 담당했다. 패장은 5일 간격으로 도총에게 인부들의 출결 상황을 보고해 인건비 지급의 기준이 되도록 했으며, 이들의 작업 진행을 살피는 실질적인 감독 역할을 했다. 또 패장들은 인부들의 근무 상태를 파악해 태만한 자는 곤장을 치거나 쫓아버릴 수 있었다. 패장이라는 직책은 1789년(정조 13) 문희묘 영건 공사 때 처음 등장하였다. 이들은 현장의 최일선에서 직접 장인들을 부리는 말단 관리자이긴 해도 기술자였던 까닭에 시공의 정밀도를 높이는 데 중요한 역할을 했다.

모군들은 패장의 감독을 받았지만, 승군에 영승領僧이 있어서 작업을 관리했던 것처럼 모군 자체에도 십장의 역할을 하는 도등패都等牌가 있었다. 보통은 30명이 한 조를 이뤄 작업하며, 이들이 한 등패를 이루었다. 모군들은 숙소로 가가假家를 이용했는데, 자신들이 직접 지었다.

장인들과 잡역직인 모군들의 품삯은 시대마다 달랐다. 17세기까지는 그 둘이 같았으나, 18세기부터는 모군의 봉급이 더 많았다. 기술을 겸비한 장인이 모군보다 적은 월급을 받았던 이유는 아직 장인들은 관에 예속되어 있었던 반면 모군들은 일찍 부역에서 벗어나 자유 고용 형태로 일했기 때문이다. 18세기 경모궁 개건 공사 때부터는 쌀 대신 돈으로 월급이 지급되었는데, 이는 화폐경제의 활성화를 반영한 것이었다. 또한 1789년 문희묘 영건 공사부터는 장인의 종류와 일의 경중에 따라 품삯을 달리 지급했으며, 이로써 모군에 비해 장인이 더 높은 삯을 받게 되었다. 또 지급 방식도 월급제에서 일한 날수에 따라 받는 일당제로 바뀌었고 모두 현금으로 지급되었다. 즉 18세기 말부터는 장인도 관의 예속에서 벗어나 기술과 능력에 따라 일당을 받았으며 자유롭게 해촉이 가능한 임노동자층이 형성되었다. 이는 노동시장의 융통성과 시장 원리가 작동하기 시작한 노동시장의 근대화라고 할 수 있다. 20세기에 들어서면 사회 혼란으로 인플레이션이 일어나 인건비가 급격히 상승했으며 모군은 장인에 비해 절반에도 못 미치는 일당을 받았다.

장인 종류	쌀(되)	돈(전)	비고
석수	6	4.5	매 패/ 조역 1인, 8패마다 화정 1인에게는 쌀3되, 돈 1전3푼
대장장이		8.9	매 패/ 조역 3인
목수, 미장이		4.2	매 명/ 10명에 화정 1인에게는 돈 2전5푼
조각장, 목혜장木鞋匠, 수레장, 안자장鞍子匠, 마조장磨造匠, 화공, 가칠장, 박배장朴排匠, 병풍장		4.2	매 명
인거장, 기거장, 걸톱장, 선장船匠, 비계장		3.0	매 명
와벽장, 잡상장	3	2.0	
개와장		6.0 4.0	오량각 칸당 (매일 밥값 4전, 3일당 짚신 값 7푼) 행각 칸당 (매일 밥값 4전, 3일당 짚신 값 7푼)
차부車夫		3.2	매 명
담군擔軍		3.0	12명마다 등패等牌 1, 화정火丁 1인에게는 돈 3전
모군募軍		2.5	30명마다 등패 1, 화정 1, 짐꾼 1인에게는 돈 2.5전
우직牛直		2.5	
몰이꾼 딸린 마차의 소		5.0	10리당

1796년 화성 성역 공사 때 장인들의 인건비 비교표

9장

붓끝에서 탄생한
무명의 예술혼

◉

조선의
화원

황정연 · 국립문화재연구소 학예연구사

기예로 명을 떨친 자들, 화원

단원 김홍도, 혜원 신윤복, 오원 장승업…. 오늘날 드라마나 신
문, 잡지 등 미디어를 통해 조명되면서 우리에게 친숙한 존재가
된 조선 화가들의 이름이다. 그림을 천한 기예賤技라 하여 그리
높게 평가하지 않던 시대에 생전에 이미 화가로서 명성을 얻었
던 이들이야말로 매우 특별한 사람들이었다. 조선시대 회화사의
굵직한 몇몇 경향은 이들처럼 뛰어난 작가의 등장으로 만들어졌
지만, 그 이면에는 이름조차 생소한 화가들의 역할이 컸음을 간
과할 수 없다. 바로 왕실 도화圖畫기구인 도화서圖畫署에 소속되
어 왕실을 위해 봉직한 화원畫員이 그들이다. 오늘날 조선왕실
문화를 복원하는 데 중요한 자료인 의궤에서는 다양한 왕실 행
사에 참여해 자신들의 역할을 수행한 역대 화원들의 이름을 확
인할 수 있다. 이중에는 당대에 이름을 떨친 유명 인사들도 있지

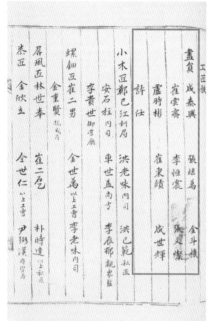

『진종·효순후 가례도감의궤』에 기록된 화원 명단, 1727, 규장각한국학연구원

만 상당수는 왕실을 위해 봉직한 무명 작가들이다.

　화원이란 궁중에 소속되어 그림 그리는 일을 업으로 삼아 생계를 꾸리던 사람을 말한다. 우리가 흔히 쓰는 화가畵家라는 용어는 근세의 것이고, 옛날에는 화사畵師(畵史, 畵士), 화공畵工 등으로 칭했으나 도화서에 소속된 화가는 '화원'으로 통일해서 불렀다. 도화서는 궁중에서 그림과 관련된 업무를 전담하는 관청이었으나 궐내에 있지 않고 오늘날의 청계천 일대인 한성의 중부 태평방太平坊 광통교廣通橋 부근에 자리 잡고 있었다. 따라서 화원들은 평소에는 도화서로 출퇴근하고 왕실의 부름이 있거나 유사시 궁을 방문하였다.

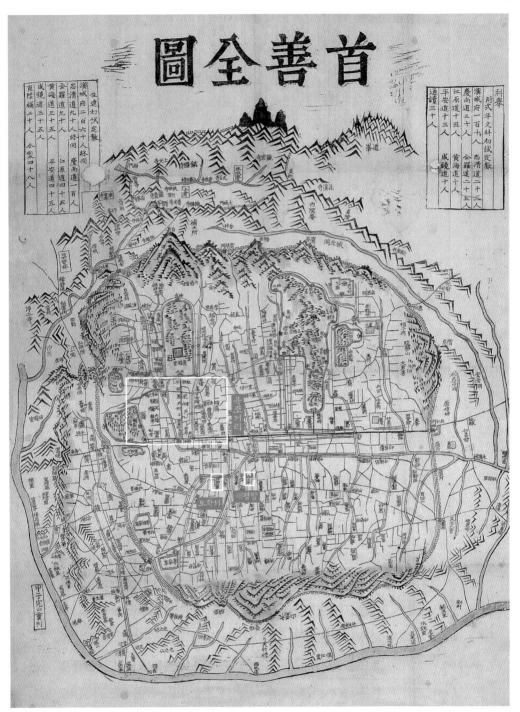

「수선전도首善全圖」, 김정호, 목판본, 96.5×69.4cm, 1840년대, 서울역사박물관. 도화서는 위의 전도 표시 부분에서 보듯, 궁궐 안에 있지 않고 태평방 장통교 부근에 위치해 있었다.

도화서가 언제부터 있었는지는 명확하지 않지만 조선 건국 초기부터 그림을 그리는 관청이 설치되었던 것으로 보인다. 실록에서 도화원에 대한 최초의 기록은 1400년(정종 2) 관제를 정비해나가는 과정에서 도화원의 불필요한 관직을 줄이라는 명을 내린 기사에서 찾아볼 수 있다(『정종실록』 권4, 2년 4월 신축). 이후 태종연간에 들어와 도화원을 예조 소속의 관청으로 기록한 것을 통해 이 무렵에는 도화원이 정식 기구로 설치되어 있었음을 알 수 있다(『태종실록』 권9, 5년 3월 병신). 법적으로도 『경국대전』 반포로 인해 도화서의 직제가 확립된 후 『대전통편大典通編』(1785), 『대전회통大典會通』(1865), 『육전조례六典條例』(1867) 등 법전이 후속으로 편찬될 때마다 직제와 정원이 개편되는 과정을 거쳤다.*

처음에는 도화원圖畵院으로 불렸으나, 성종연간에 도화서로 개칭되었고 도화원의 경거직京官職도 5품직인 별좌別坐에서 종6품의 별제別提로 격하되었다. 이후 연산군 재위 시절(1494~1506) 궁중에 '내화청內畵廳'이라는 화업畵業을 담당하는 비공식적인 기구가 설치되었고, 18세기 영·정조연간 화원들이 대내외적인 행사에 차출되면서 활약상이 부각됨에 따라 도화서의 직제도 증설되었다. 하지만 1894년 갑오경장 때 근대식 관제官制 개편으로 소속이 규장원奎章院으로 바뀐 후 일제의 도화기구 축소 정책에 따라 1910년에 폐지됨으로써 도화서의 실질적인 역할은 역사 속으로 사라졌다.

* 본래 도화서 직제는 제조 1원, 별제 2원, 잡직 화원 20원(선화 1원, 선회 1원, 화사 1원, 회사 12원, 생도 15명)이었으나 정조연간에 정원이 30원으로 늘었고, 겸교수兼敎授직이 증설되었다.

도화원圖畵院 →	도화서圖畵署 →	1894년 도화서 공식 폐지 →	1895년 규장원에서 장예원掌禮院으로 소속 변경
개국 후~1463년 이전	· 성종연간인 1463~1469년 자비대령화원 신설 - 규장각 소속 - 1783(정조 7)~1881(고종 18)년에 운영	· 궁내부宮內府 · 규장원奎章院 소속으로 변경 · 화원畵員→도화주사圖畵主事로 직명 변경	1910년 경술국치와 더불어 완전 폐지

도화서의 변천

"무릇 화공은 잡기이거늘"

조선시대 화원의 신분을 살펴보면 도화서 화원이 받았던 대우가 어떠했는지 알 수 있으며, 한편으로 도화서 설립의 타당성에 대해서도 짚어볼 수 있다. 앞서 말했듯 도화원이 도화서로, 별좌에서 별제로 강등된 것은 이들을 점차 비중이 덜한 존재로 본 것이라 할 수 있다. 이런 상황에서 일찍이 도화서 화원들은 자신들의 처우를 개선해줄 것을 상부에 끊임없이 상고하여 그 결과 1429년(세종 11)에는 취재 때 수석을 한 자는 군직軍職에 서용하거나 화원 생도의 수를 늘려 부족한 일손을 메우고, 장기 근무자에게는 체아직遞兒職을 수여하는 방안이 수용되기도 했다. 1477년(성종 8)부터는 6품의 직을 받은 후에야 관직에 나갈 수 있도록 규정해 직제상의 상승은 더욱 제한됐지만, 지속 근무자에 한해 체아직을 제수하여 녹을 받아 생활할 수 있도록 기회를 주었다. 이는 궁중에서 글씨 쓰는 업무를 전담하는 사자관寫字官과 크게 다르지 않은 처지로, 기예를 바탕으로 활동한 잡직雜織인 경우 유사한 대우를 받은 것으로 보인다.

법제상의 변화가 있었지만 화원의 사회적 신분은 실질적으로 그리 높지 않았다. 더욱이 그림을 천기賤技로 여긴 사회 분위기에서 몇몇 인물을 제외하고 이들의 삶이란 그리 풍요롭지 않았음을 짐작할 수 있다. 가령 15세기 최경崔涇과 안귀생安貴生은 선왕의 어진도사御眞圖寫를 성공적으로 마친 공을 인정받아 성종이 이들을 당상관堂上官으로 승급시키려 했는데, 결국 신분이 미천하다는 이유로 신료들이 반대해 무산되고 말았다. 대사간大司諫 성준成俊이 이들을 당상관에 제수하는 것을 막고자 성종에게 진언한 내용은 화원에 대한 문인 관료들의 인식을 극명하게 보여준다.

"(최경과 안귀생이) 비록 근본이 비천한 데 속하지 않는다고 하나 무릇 화공은 잡기雜技이고 각사司의 이전吏典은 모두 양인인데, 만약에 일기일예一技一藝의 능함이 있다면 모두 천인賤人이 아니라고 하여 으레 당상관에 제수하겠습니까? (…) 지금 사필史筆을 잡은 자가 쓰기를 '모년 모월 모일에 화공 아무 아무에게 특별히 당상관을 제수하였다'고 하면, 오랜 세월 뒤에 어떻게 생각하겠습니까? 엎드려 바라건대 속히 성명成命을 거두어 조정을 맑게 하소서."(『성종실록』 권18, 3년(1472) 5월 을축)

성준의 말은 화업을 낮게 평가한 당시 양반사회의 분위기를 잘 드러낸다. 철저한 신분제 사회이자 그림에 소질이 있던 사대부들조차 자신의 재능을 드러내길 꺼렸던 분위기를 감안하면 신분이 낮은 화공들에게 양반들 못지않은 상전賞典을 허용하기란 정서상 쉽지 않았을 것이다.

이렇듯 예술가를 바라보는 시각이 그리 녹록치 않았던 것이 조선의 현실이었다. 그럼에도 화원의 임무는 조선후기로 갈수록 더욱 다양해졌고, 특히 왕실 행사에서 주요한 위치를 담당한 장인匠人으로서 그 자리를 뚜렷하게 매김했다.

18세기 이후에는 특정 기술을 연마해 생업에 전념하는 중인층이 성장하면서 예술가에 대한 인식도 달라졌고, 양반 사대부가 특정 화가에 대해 또는 중인 스스로 자신들의 작품세계를 높이 평가하기 시작했다. 예를 들어 서예가이자 서화수장가, 금석학자로서 뚜렷한 자취를 남긴 홍양호洪良浩(1724~1802)는 "유독 우리나라의 사대부만 화가를 잡기라고 지목하여 비록 타고난 재주가 있어도 배우지 않고, 능한 자라 할지라도 문득 서로 바라보고는 조롱을 해대니, 이는 (그림과 글씨의) 형상의 근원을 알지 못하는 것이다"라며 그림을 천시하는 세태를 지적하기도 했다.

홍양호처럼 사회 주류층이 예술을 긍정적으로 평가한 것은 예술가에 대한 인식도 변화시켰는데, 이와 관련해 나타난 현상 중 하나가 예술가에 대한 촌평이나 활동상을 소개한 '전傳'이 등장한 것이다. 물론 이러한 내용은 이미 윤두서의 『화기畵記』에서 시도된 바 있으나, 18~19세기에 편찬된 이규상의 『병세재언록幷世才彦錄』, 유재건의 『이향견문록里鄕見聞錄』, 조희룡의 『호산외사壺山外史』 등에서는 단순한 작가평이 아닌 신분을 초월하여 범상한 재능을 가진 서화가들의 진솔한 일화를 소개했다는 점이 차별된

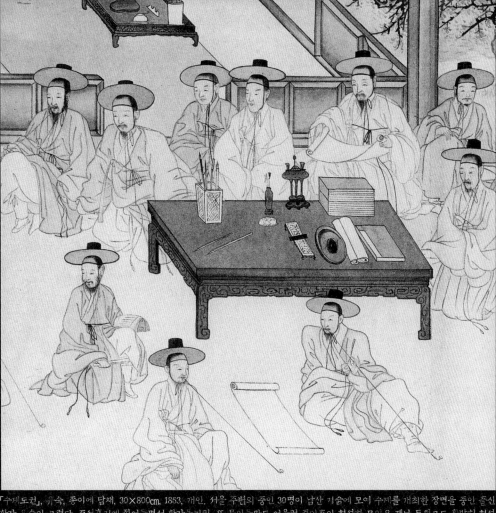

「수계도권」, 유숙, 종이에 담채, 30×800cm, 1853, 개인, 서울 주변의 중인 30명이 남산 기슭에 모여 수계를 개최한 장면을 중인 출신 화가 유숙이 그렸다. 조선후기에 접어들면서 화가들끼리, 또 문인들과도 어울려 중인층이 형성한 모임은 패나 두텁고도 활발히 형성되었다. 화원으로 활동한 유숙은 그러한 모임들을 기록으로 남기는 역할을 담당하면 했다.

다. 이들 저술에는 진재해秦再奚나 변상벽卞相璧처럼 특정한 분야에 재능을 보인 화원들도 소개되어 있다. 이러한 변화의 일면에는 양반과 화원들의 예술적 교류가 증대되고 18~19세기 들어 중인층 화가들의 활동이 활발해짐에 따라 계층 내에서도 자존감이 높아졌던 것이 한몫을 했다. 즉 기예를 중시한 장인에서 '예술가'로서 의미를 부여받게 된 것이다.

화원의 신분에 대해서는 일률적으로 규정할 수 없지만, 대체로 천민 출신은 아니고 의역관, 율관 등 중인층과의 혼인을 통해 신분 및 직업을 세습한 예가 많았다. 조선초기에는 한품서용限品 敍用으로 인해 화원이 종6품 이상으로 승급하는 데 대한 반대가 심했기에 종6품의 별제는 물론이고 그 이하의 직책도 받기 힘들었다. 그러나 17세기 이후 기술직 중인 가문이 형성되는 시기와 맞물려 화원 집단들도 화업을 가업으로 계승하기 시작했다. 현재까지의 통계에 따르면 조선중기부터 후기까지 화원 집안은 40개 이상이 파악되었으며,* 이중에는 뒤에서 살펴볼 인동장씨仁同張氏처럼 200여 년간 지속적으로 화원을 배출한 가문도 있었다. 결국 이들이 직계로 또는 다른 화원 집안과 연계하여 도화서 내에서 우위를 차지했던 것이며, 이런 결과는 화원의 지위 상승과 사회적 인식이 변화함에 따라 점진적으로 일어난 현상이었다.

* 오세창의 『근역서화징』, 『화사양가보록』 등 참조

조선에서 관료가 되려는 자가 생원진사시, 문과, 무과 등 과거시험에 응시했듯이, 도화서 화원이 되려는 자 역시 일정한 선발과정을 거쳐야 했다. 가장 공식적인 방법은 일종의 국가공채시험인 취재取才에 응시하는 것이었다. 도화서 취재시험은 흔히 중인이 되기 위한 시험인 잡과雜科에 속하지 않고 별도로 운영되었는데, 이는 다른 시험보다 경중이 낮을 뿐 아니라 도화 분야를 경시한 사회풍조가 작용했기 때문인 듯하다.

『세종실록』에는 도화원 화원의 정원과 화원 취재 규정이 상세히 실려 있다(권46, 11년(1429) 11월 을축; 권61, 15년(1433) 윤8월 기묘). 이에 따르면 화원의 수는 40명이고 도화원에 들어온 지 1년이 지난 자를 대상으로 시험을 치러 그들에게 품계에 따른 직을 주도록 했다. 또한 『경국대전經國大典』「예전禮典」조에 실린 도화서 취재를 보면, 화원이 되려는 자는 후년 사맹삭四孟朔(1·4·7·10월)에 응시할 수 있도록 되어 있다. 시험 과목은 대나무[竹], 산수山水, 인물人物, 영모翎毛, 화초花草 중 둘을 고르되, 대나무를 1등으로 하고 산수를 2등, 인물과 영모를 3등, 화초를 4등으로 했다. 이때 화초에서 '통通' 성적을 받으면 2푼을 주고 '약略'을 받으면 1푼을 주되, 인물과 영모 이상은 차례로 등수를 올려서 그 성적에 따른 분수分數를 일 푼씩 더해주었다.

이러한 시험 외에 1783년에는 정조의 명으로 이전에 임시로 운영되던 '자비대령화원差備待令畵員' 직제가 공식적으로 신설되었다. 자비대령화원은 도화서 화원 중 별도의 시험을 통과하여

「도화소시화圖畵所試畵」, 안건영, 종이에 담채, 54×35.5cm, 국립중앙박물관. 19세기 말 활동
했던 차비대령화원 안건영이 시취에 응해 남긴 고사인물도이다. 화원들의 답안지가 현재 전
하는 것이 확인되지 않기에, 이러한 자료는 당시 화원들의 답안을 추정하는 데 도움을 준다.

「도화소시화圖畵所試畵」, 백은배, 종이에 담채, 54×33.4cm, 국립중앙박물관, 19세기 말 안견

규장각 소속으로 활동한 당대 최고수 화원들을 일컫는 것으로, 이들은 어제御製(국왕의 글)를 등서謄書하고 왕명에 의해 이뤄지는 왕실의 도화를 전담하여 녹봉과 상전賞典에 있어서 특별 대우를 받았다. 시험 방식은 '산수' '누대樓臺' '인물' '영모' '초충草蟲' '속화俗畵' 등 화문畵門에 따라 출제된 화제畵題를 선택하여 진채眞彩 2장, 담채淡彩 2장씩을 그려 제출하도록 하였다.

자비대령화원 제도는 이후 1881년(고종 18)까지 100여 년간 지속되었지만 아쉽게도 화원들이 제출한 답안지(그림)가 현재 전하는지에 대해선 알려진 바가 없다. 다만 19세기 말에 활동한 유숙劉淑(1827~1873), 안건영安健榮(1845~?), 백은배白殷培(1820~1900) 등이 시취에 응시하여 그린 각종 고사인물도故事人物圖가 남아 있는데, 이것이 자비대령 녹취재시험 답안이라는 증거는 없지만 응시생들이 제출했을 법한 답안을 추정하는 데 도움을 준다. 그림에서 보듯 안건영과 백은배의 작품은 둥글둥글한 얼굴과 필획의 비수肥瘦가 강조된 의습 표현에서 김홍도의 화풍을 따른 흔적이 역력히 드러나 궁중 화원화에 김홍도의 영향력이 지속되었음을 짐작게 한다. 또한 앞 시기의 범본을 답습하는 화원화의 보수적인 성격을 보여주는 예이기도 하다.

국가에서 주관하는 시험 외에 궁중에서 화원으로 발돋움할 수 있는 또 다른 관문으로 양반 관료나 유력 가문의 추천에 의한 천거薦擧가 있었다. 천거제도는 법전에도 명시되어 있는데, 『대전회통大典會通』에 따르면 도화서 소속 화원 30인은 일 년에 네 차례에 걸쳐 추천장推薦狀으로 이조吏曹에 보고하여 사령서辭令書를 받는 것으로 되어 있다(『대전회통』 권1, 「이전吏典」). 그러나 왕실 행사에 투입되는 화가에 대한 천거는 법전의 절차보다는 조정에서 논의해 추천과 시험을 거쳐 즉흥적으로 이루어진 경우가 많았다. 이러한 즉각적인 천거는 도화 업무의 핵심인 어진도사御眞圖寫를 위해 화원을 선발하는 과정을 통해 살펴볼 수 있다.

한 예로 1713년 숙종의 어용을 그린 작업 전말을 기록한 『숙종어용도사도감의궤肅宗御容圖寫都監儀軌』를 보면, 솜씨가 적합한 화원을 선정하기 위해 숙종과 대신들이 많은 공을 들였음을 알 수 있다. 그 과정을 살펴보면, 본래 화원 진재해秦再奚로 하여금 초본을 그리게 하였으나 부족한 점이 있다고 판단돼 숙종과 신

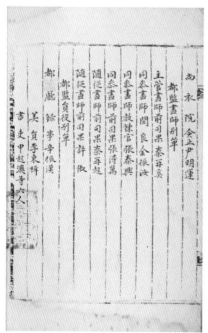

『숙종어용도사도감의궤』에 실린 화원들의 명단, 1713, 규장각한국학연구원

료들이 다시 화원을 선정하기 위해 논의했다. 먼저 김진규金鎭圭 (1658~1716)가 도화서 화원인 박동보朴東普를 추천하였으나 숙종이 박동보의 연로함을 문제 삼자, 다시 방외화사方外畵師인 이치李瑞와 평양화사 김진여金振汝, 광주에 기거하던 김익주金翊周를 추천했다. 결국 진재해와 나머지 세 화가가 불려와 초본을 그리는 시험을 치렀고 그 결과 진재해의 것이 정본으로 채택되었다. 이렇듯 김진규처럼 그림에 해박하고 평소 화가들과 교유를 맺었던 문신들은 선발과정에서 화가를 적극 추천하여 왕실 그림 제작에 참여시키는 중간자 역할을 하기도 했다.

어진 제작에 참여한 화원은 각자 차지하는 비중과 담당 분야에 따라 주관 화원과 동참 화원, 수종隨從 화원으로 구분되었다. 주관 화원(화사라고도 함)은 어진의 초草를 잡고 주요 부위를 그리는 중심 역할을 했고, 동참 화원은 주관 화원을 도와 의복 등을 색칠하는 일을 맡았으며, 수종 화원은 보조 역할을 하며 화업을 배우는 화원을 일컬었다. 앞서 인용한 1713년 의궤를 보면 당시 주관 화원은 진재해, 동참 화원은 김진여, 장태흥張泰興, 장득만張得萬, 수종 화원은 진재기秦再起, 허숙許淑이 맡은 것으로 되어 있다. 진재해는 초상화에 능해 18세기 어진화사로 이름을 떨친 인물로, 1714년 왕세제 시절의 영조를 그린 「연잉군상延礽君像」이 그가 그린 유일한 어진으로 남아 있다. 화면의 오른쪽 3분의 1 정도가 불에 그슬렸지만 다행히 용안이 완전하고 원본이라는 점에서 귀중한 작품이다.

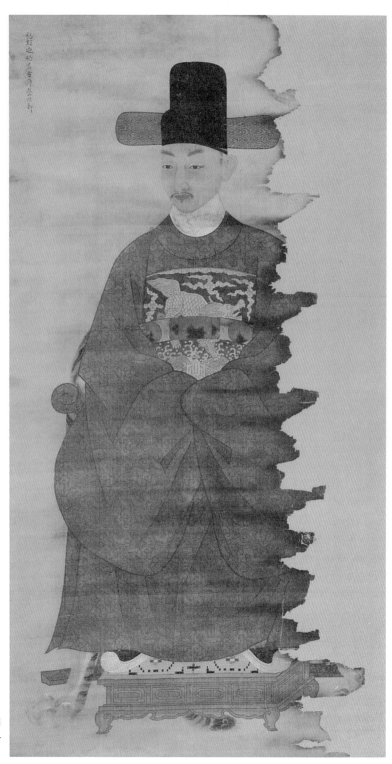

「연잉군상」, 진재해, 비단에
담채, 183x87cm, 1714, 국립고
궁박물관

가장 사실적인 것이 가장 탁월한 것

도화서 화원에게 공적으로 부과되는 임무는 다양했지만, 대체로 실용적이고 기록적인 성격의 그림을 그리는 것이 그들의 주된 임무였다. 국가에서 요구한 화원의 역할은 아래의 글이 잘 암시하고 있다.

"지금 화공畵工에게 명하여 그림을 그리게 하는 것이 어찌 완상하여 즐기기 위하여 그런 것이겠는가? 도화圖畵가 비록 정치에 관계되지는 않았으나, 윗저고리와 아래치마의 문장과 자수가 모두 그림이 아니면 얻을 수 없는 것이므로 없어서는 안 되는 것이다. 또 없어서는 안 되는 것이라면 정밀하게 해야 하는 것이다. 이외에도 선왕先王이 어용御容을 고쳐 그리는 일이나 중국의 사신 중에 그림을 구하는 자가 있으니 어찌 도화를 폐할 수 있는가?"(『성종실록』권9, 9년(1478) 8월 계사)

이처럼 화원은 국가의 실용적인 도화 업무를 위해 사물을 정확히 묘사하고 정교한 필치를 구사할 것을 요구받았다. 결국 화원의 재능이란 뛰어난 묘사력으로 판가름 난다고 할 수 있는데, 당시에는 이런 능력이 사대부 문인화에 대한 숭상에 가려져 제대로 평가받지 못한 면도 있지만, 어쨌든 작가로서 온전한 역량을 십분 증명할 기회가 주어졌던 것이다.

화원들은 다양한 역할을 수행했는데, 가장 대표적인 것이 왕실의 공식 행사 기록인 의궤에 수록된 도설圖說이나 반차도班次圖

를 그리는 것이었다. 각종 의례 행사에서 쓰이는 기물이나 장대한 행렬도를 화원들이 각자 분업하여 그린 것이다. 『책봉의궤』속에 그려진 교명敎命과 현전하는 실물을 통해 알 수 있듯이 이러한 의궤도는 대상을 충실히 재현하는 데 목적을 두었기 때문에 각자의 개성은 드러나지 않았다. 이밖에 궁중에서 행해진 행사도를 비롯하여 왕실에서 요구한 감계화鑑戒畵나 감상화, 지도, 궁궐도, 건물의 단청 작업, 옥책玉冊이나 인장印章의 글씨 모사, 서책의 인찰선印札線 긋기, 중국이나 일본 사행시 수행 화원으로 참여하여 풍물을 그리는 등 여러 분야에 동원되었다. 특히 진찬進饌·진연도進宴圖처럼 왕과 왕비를 위해 베풀어진 행사를 그리는 데는 여러 화원이 참여해, 화려한 궁중 연향의 모습을 사실적으로 재현하여 마치 한 장의 사진을 보는 듯하다.

　화원의 직분 중 가장 특별한 것은 바로 왕의 초상인 어진御眞을 그리는 일이었다. 절대권력자인 왕의 모습을 그린다는 것은 명예로운 일이기도 했지만 화원으로서 뛰어난 재능과 기술을 갖추었다는 무언의 인정이기도 했던 것이다. 그런 까닭에 어진 제작에 참여한 화가들은 이를 큰 영광으로 여겼으며, 제작 후 공로에 따라 품계를 3단계 올려 받거나 상품을 하사받았다. 앞서 살펴본 바와 같이 '영정도사影幀圖寫' '어진도사御眞圖寫' '어진모사御眞摹寫'라는 제목이 붙여진 어진 제작 관련 의궤에는 어진을 그리는 데 참여한 화원들을 어떻게 선발하고 작업은 어떻게 이뤄졌는지 상세히 기록되어 있다. 비록 역대 국왕의 어진은 한국전쟁 와중에 상당수 소실되어 구체적인 실물은 확인하기 어렵지만, 현존하는 「태조어진」 등을 통해 정교한 묘사와 화려하고 섬

『영정모사도감의궤』 속의 반차도. 규장각한국학연구원. 화원들이 수행했던 가장 대표적인 행사가 반차도를 그리는 것이었다. 조선 왕실의 주요 행사들은 이처럼 의궤를 통해 그 기록이 전해지고 있다.

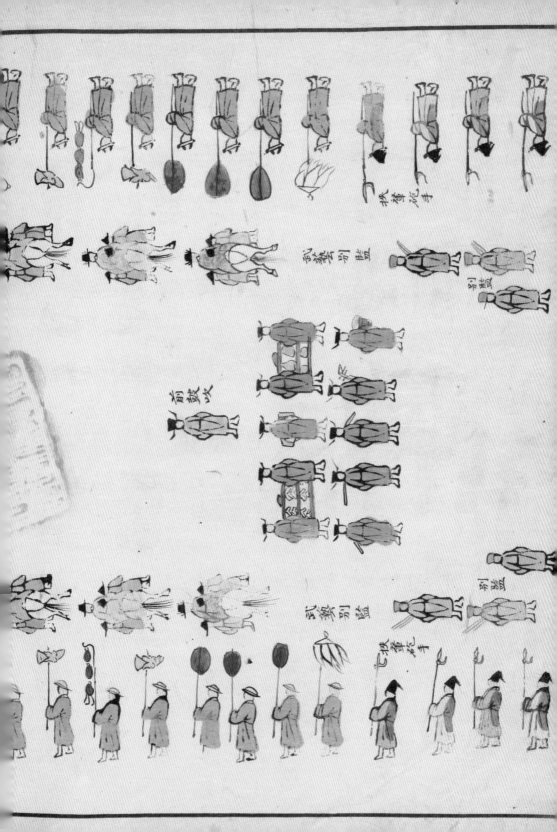

臣禮曹判書徐左輔

命爲慶嬪於戲爾其

彌自淑慎克懋敬恭

持躬則惟孝惟順操

心則乃儉乃勤上承

下御用贊翼禮之治

前休後烈永孚蕃斯

之頌故玆教示想宜

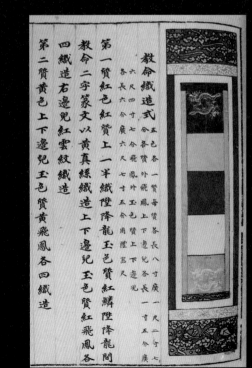

教命織造式

第一質紅色紅質上一半織陞降龍玉色質紅纁陞降龍間

教命二字篆文以黃真絲織造上下邊兒紅雲紋織造

四織造右邊兒紅雲紋織造

第二質黃色上下邊兒玉色質黃飛鳳各四織造

玉色各一質每質各長八寸廣一尺二寸七
分各質外飛鳳上下邊兒各長一寸五分廣
六尺四寸七分飛鳳外玉色質上下邊兒
各長六分廣六尺七寸五分

『책봉의궤』에 수록된 '교명직조식敎命織造式' 도설

王若曰惟我

太母濬惟

宗社萬年之圖誕宣揀嬪

之命此三代以來對

越天數之禮也本支

之慶求廣於斯昌熾

之運肇基於斯咨爾

金氏文元古家

仁敬懿親詩禮之訓源遠

而流長閥閱之光根

『무신년진찬도병戊申年進饌圖屛』, 비단에 채색, 136.1×47.6㎝, 1848, 국립중앙박물관

『무신년진찬도병』 중 「인정전진하仁政殿陳賀」

『무신년진찬도병』중「통명전내진찬通明殿內進饌」

「태조어진」, 조중묵·박기준·백은배 등, 1872년 모사본, 비단에 채색, 220×151cm, 전주 경기전

세한 색감의 사용, 국왕의 위엄 있는 풍모를 그려낸 화원들의 역량을 엿볼 수 있다.

도화서 화원은 화원 집단 내에서 우위를 차지한 몇몇 대표적인 가문 출신을 제외하고는 대개 보수나 지위가 보장되지 않았고, 취재를 통해 지속적으로 재능을 증명해야 하는 처지였다. 그러나 18세기 영·정조연간 이후로 왕실 행사에 동원된 화원에게 상전賞典을 하사하고 녹봉을 받을 수 있는 직책을 부여함으로써 화원들의 생계와 지위는 이전에 비해 점점 여건이 나아져갔다.

안동장씨, 중인층 화원의 정점을 찍다

17세기가 지나면서 조선에는 한 가문 내에서 특정 직업을 세습함으로써 독점적인 우위를 차지한 중인中人 가문들이 등장했는데, 화원 집단에서도 이와 유사한 움직임이 나타나기 시작했다. 특정 가문이 화원직을 대대로 세습했다는 것은 가내 화업의 전통을 계승했다는 의미도 있지만, 이를 통해 회화 양식이 자연스럽게 전승되고 신분사적으로는 중인층 형성에 일조했다는 데도 의의가 있다. 19세기에 이르면 몇몇 화원 가문은 수백 년간 이어온 명맥을 바탕으로 계보를 형성하였다. 구한말 역관이자 서화 감식가로 명성을 떨친 오세창吳世昌(1864~1953)이 편찬한 『화사양가보록畵寫兩家譜錄』처럼, 화원들의 계보를 정리한 저술이 편찬된 시기도 이즈음이다. 이 책에는 조선왕조 시기에 활동한 45개의 화원 가문이 소개되었는데, 대부분 16세기 이후 형성된 가문들로 중인층이 등장한 때와도 맞물린다.

16세기 미법산수米法山水(북송 미불·미우 부자가 창시한 화법)를 발전시킨 이정근李正根을 배출한 경주이씨 가문, 절파화풍浙派畵風을 계승한 이숭효李崇孝를 배출한 전주이씨 가문, 허숙許淑을 비롯하여 19세기까지 많은 화원을 배출한 양천허씨 가문, 김득신金得臣·김응환金應煥 등 조선후기 걸출한 화원을 배출한 개성 김씨 가문, 초상화와 고양이 그림에 뛰어났던 변상벽을 배출한 밀양변씨 가문, 김홍도와 쌍벽을 이룬 이인문李寅文으로 대표되는 해주이씨 가문 등 조선 회화사에서 이들이 차지하는 비중은 대단한 것이었다.

이처럼 조선의 화단을 주도한 가문 가운데 빼놓을 수 없는 집안이 인동장씨仁同張氏이다. 오세창의 증고모부인 이창현李昌鉉이 편찬한 중인 족보인 『성원록姓源錄』에 따르면 인동장씨는 8대에 걸쳐 30명 이상의 화원을 배출한 것으로 나타난다. 인동장씨는 조선시대 들어 승지를 지낸 장수張脩를 시조로 발전한 가문으로, 1480년 전후로 생존한 장맹순張孟洵이 잡과에 입격하면서 중인층이 되었다. 본래 이들은 장현張炫(1613~?)으로 대표되는 역관 가계로 뚜렷한 족적을 남긴 가운데 17세기 이후 도화서로 진출하면서 일가에서는 화원 가계를 형성한 것이었다.

인동장씨 인물들 중 화원으로 활약한 제1세대는 사역관 첨정僉正을 지낸 장후감의 아들인 장충명張忠明(1635~?)과 장충헌張忠獻을 비롯하여 역시 역관을 지낸 장후순의 아들 장시량張時良, 장우량張佑良, 장상량張尙良이었다. 이들의 선대는 역관으로 활동했지만 장충명이 화원으로 활동하면서 화원 계열을 이루어나

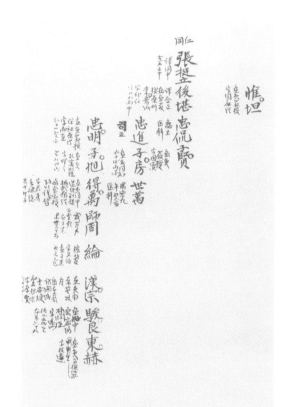

『화사양가보록』, 오세창, 국립중앙도서관. 인동장씨 집안 화원들이 세대별로 열거되어 있다.

갔다. 이후 장후감의 장남인 장충간張忠侃은 의관으로서 혜주부惠主簿를 지냈으나, 그의 둘째 아들인 장자현張子賢(1650~?)은 화교수畫教授를 지내 화원으로 활약하였다. 장자현은 1677년 남별전南別殿 궁전과 1684년 현종비 명성왕후 빈전도감에 차출되는 등 18세기 초반까지 도화서 화원으로서 왕성한 활동을 했다. 또 장후감의 차남 장충진張忠進은 자방子房과 자호子奧 두 아들은 두었는데 장자방만 화원의 길을 걸었다. 나아가 장충간의 제3남 장충명張忠明(1635~?)은 화원으로서 화교수를 역임했고, 슬하에 자욱子旭과 자엄子嚴을 두었는데 모두 화원으로 활동하였다. 이때부터 인동장씨 가문은 화원직을 본격적으로 세습하기 시작했다.

　장자욱은 예빈시禮賓寺 별제別提를 지냈으며 1675~1718년 스무 차례 넘게 각종 왕실 행사에 참여해 명성을 쌓았고, 1688년 「숙종어진」을 그려 동반정직同班正職을 제수받았을 만큼 그 재능을 인정받았다. 그는 정확한 사실성을 기초로 한 초상화와 궁중

「금강전도金剛全圖」, 김응환, 종이에 담채, 22.3×35.2cm, 개인소장

도화서 화원을 지낸 김응환은 개성김씨 화원 집안을 대표하는 인물이다. 우리나라 산천실경을 그린 진경산수화를 많이 남겼다. 이 그림은 구도와 표현에 있어 겸재 정선의 「금강전도」에 영향을 받은 것으로 마치 하늘에서 바라본 듯한 금강산의 모습을 한 화폭에 구현하여 장대한 느낌을 전해준다.

「송하한담松下閑談」, 이인
문, 종이에 담채, 109.5×31.6
cm, 1805, 국립중앙박물관

기록화 이외에도 산수인물화에 능통하여 왕실의 부름을 받아 감상용 그림을 그렸던 모양인데, 현재 호암미술관에 소장된 『만고기관첩萬古奇觀帖』이 그중 하나이다. 총 29점의 작품이 수록된 이 첩은 중국의 유명 고사를 그림과 시문으로 표현한 것으로, 이중 「송하문동자도松下問童子圖」를 보면, 절파화풍에 기초한 조선중기의 고식적인 양식을 따르면서 청신한 색채의 사용으로 대상을 명확하게 구현한 전형적인 궁정화의 양식을 보여준다.

장자욱은 슬하에 득만得萬·덕만德萬·벽만壁萬 세 아들을 두었으며, 이중 맏아들인 장득만(1684~1764)은

「윤봉구상尹鳳九像」, 변상벽, 비단에 담채, 118.7× 88.9cm, 1750, 미국 LA카운티미술관

산수와 인물 등에 모두 능해 각종 도감에 차출되어 가장 이름을 떨쳤다. 장득만은 초상화에 능해 1713년 「숙종어진」을 그렸고 1735년 이홍李鴻과 함께 「세조어진」을 모사하였다. 1719~1720년 김진여, 박동보 등과 함께 기로소耆老所 잔치 모습과 기신耆臣들의 초상화를 수록한 『기사계첩耆社契帖』을 남겼다. 이러한 궁중행사도는 여러 화원이 함께 작업하다보니 각자의 개성을 살리는 데 한계가 있어 이 그림으로는 장득만의 화풍을 식별하기 어렵다는 것이 못내 아쉽다.

「영수각친림도靈壽閣親臨圖」, 장경주 등, 비단에 채색, 43.5×67.8cm, 『기사경회첩耆社慶會帖』중, 1744~1745, 국립중앙박물관

噫吁嚱危乎高哉蜀道之難難於上青天蠶叢及魚鳧開國何茫然爾來四萬八千歲不與秦塞通人煙西當太白有鳥道可以橫絕峨嵋巔地崩山摧壯士死然後天梯石棧相鉤連上有六龍回日之高標下有衝波逆折之回川黃鶴之飛尚不得過猨猱欲度愁攀緣青泥何盤盤百步九折縈巖巒捫參歷井仰脅息以手撫膺坐長歎問君西遊何時還畏途巉巖不可攀但見悲鳥號古木雄飛雌從繞林間又聞子規啼夜月愁空山蜀道之難難於上青天使人聽此凋朱顏連峯去天不盈尺枯松倒掛倚絕壁飛湍瀑流爭喧豗砯崖轉石萬壑雷其險也如此嗟爾遠道之人胡為乎來哉劍閣崢嶸而崔嵬一夫當關萬夫莫開所守或匪親化為狼與豺朝避猛虎夕避長蛇磨牙吮血殺人如麻錦城雖云樂不如早還家蜀道之難難於上青天側身西望長咨嗟

李白

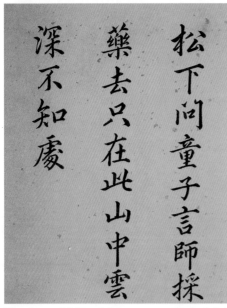

松下問童子言師採
藥去只在此山中雲
深不知處

「蜀도난蜀道難」(위) 「송하문동자松下問童子」, 장득만, 종이에 담채, 각 38.0×30.0cm, 『만고기관첩萬古奇觀帖』중, 18세기, 삼성리움미술관

이후 장득만의 재능은 둘째 아들 장경주張敬周(1710~?)로 이어져 장자욱-장득만-장경주 삼대가 어진도사 화원으로 뽑혔을 정도로 도화서 내에서 입지를 굳혔다. 장경주는 자가 예보禮輔이고 벼슬은 지사知事를 지냈다. 인물과 초상화 분야에 특장이 있어 1748년 영정모사시 주관 화사로 참여하여 가자加資를 받고 첨사僉使에 제수되는 등, 18세기에 활동한 인동장씨 화원들 중 가장 두드러진 활약을 펼쳤다.

장득만의 맏아들인 장사주張師周(1707~?) 역시 화원이었는데, 슬하의 자식 중 장한종張漢宗(1768~1815)과 손자 장준량張駿良(1802~1870)이 19세기 전반까지 활동하면서 가계의 전통을 이어나갔다. 특히 이 둘은 조선말기 어해도魚蟹圖 분야에서 화명을 남겼을 뿐 아니라 장한종은 수원목관水原牧官에, 장준량은 자헌대부資憲大夫의 품계에 오른 것으로 보아 이들의 사회적 입지 역시 낮은 수준은 아니었던 듯하다. 이처럼 안동장씨 사람들은 200여 년 동안 화원직을 세습하면서 독점적인 가문으로 부상했고, 그 외 중인 가문과의 통혼을 통해 자신들의 신분을 견고하게 유지했던 것이다.

한편 도화서에 소속된 화원이라도 명망 있는 사대부 가문의 수요에 부응하며 작품활동을 한 흔적을 찾아볼 수 있으며, 조선후기 이름 있는 화원들을 다수 배출한 인동장씨로서는 이러한 인적 구조 속에서 활동한 것이 자연스런 현상이었다. 서울을 중심으로 기거한 양반들은 이들과 긴밀한 교유관계를 맺어 작품을 요구하면서 일종의 후원자 역할을 했는데, 특히 기계유씨紀溪兪氏 유한준兪漢雋(1732~1811) 집안과 관계를 돈독히 하면서 이 집안 선조들의 영정 제작을 의뢰받아 제작하였다. 영정을 제작한 인물로는 장홍張泓이 있다. 장홍은 1772년 육상궁毓祥宮 시호도감諡號都監과 1800년 정조의 국장도감國葬都監에 차출되어 궁중화원으로 활동한 경력이 있었다. 유한준의 아들 유만주俞晩柱(1755~1788)가 쓴 일기인『흠영欽暎』에 의하면 장홍은 1777년 유만주의 종숙부 유언숙俞彦鏞의 초상을 모사하였고 같은 해 유한준(호는 저암著庵)의 영정을 제작하였다.* 그러나 이때 장홍이 그린 유한준의 초상화는 알려지지 않았고 서울대 규장각에 1800년(69세)에 그려진 작자미상의 「저암공상著庵公像」만이 전하고 있다.** 비록 이 그림의 작자는 확실치 않지만 여러 정황상 장홍

「저암공초상著庵公像」, 작자미상, 비단에 담채, 1800, 규장각한국학연구원. 확실히 밝혀지진 않았으나, 여러 정황으로 미루어볼 때 장홍張泓의 작품으로 추정된다.

---

* 『흠영』 제3책 정유부丁酉部 2월 초2일조 참조. 1777년 장홍은 초상화 제작을 위해 유씨가를 여러 번 방문한 것으로 보인다. 유만주는 1777년 3월 초2일자 일기에서 '장생이 그린 여러 초상화를 보았다見張生所畵諸眞'고 했을 뿐 실명을 거론하지 않았다. 그러나 이해 유씨가를 방문한 화가는 장홍이 유일하므로 장생은 곧 장홍을 일컫는 것으로 여겨진다.

** 유한준의 초상화는 기계유씨 문중이 서울대 측에 기증한 것으로 2005년 6월 규장각 창건 230주년 특별전에 출품되었다. 작품상에 화가의 관지款識는 없다.

이 그린 구본舊本 초상화와 크게 다르지 않을 것으로 추측된다.

인동장씨 집안은 화원 집안이 실질적으로 형성된 17세기 후반 이전부터 직분을 세습했기 때문에 가문의 전통이 비교적 앞서 이루어졌다. 또한 후대로 내려오면 상당수 화원 집안이 맥이 끊기거나 활동이 미약해졌던 반면, 인동장씨계는 19세기까지 지속적인 활동을 펼쳤다. 이러한 맥락에서 이 가문은 왕실을 중심으로 한 화원화畵員畵의 끈끈한 명맥을 이으며 조선왕조와 운명을 함께했다고 해도 과언이 아니다.

＊

이상으로 도화서 화원의 선발과 업무, 화원 가문의 형성을 통해 왕실의 도화 업무를 전문적으로 담당했던 이들의 생활상에 대해 살펴보았다. 왕실 회사繪事에는 어진 제작이나 궁궐 단청 등 고난도의 일이거나 작업량이 많은 경우 궐 밖에서 활동한 방외화사方外畵師를 초빙하기도 했지만, 대부분의 업무는 도화서에 소속된 화원이 담당했다. 이들은 왕실에서 필요한 각종 장식화와 감계화鑑戒畵, 지도 제작 등은 물론 서책의 인찰印札과 어필御筆 간행, 궁궐 영건營建에도 참여하며 다양한 역할을 수행했다. 현재까지 전해오는 각종 궁중 행사도, 왕실 소용 그림들, 의궤와 같은 관련 기록들은 조선시대 화원들의 존재와 역할을 구체적으로 증빙해준다.

각종 기록을 통해 보면 조선초기에 화원은 천민층은 아니었지만 실제로는 이와 유사하게 여겨졌을 정도로 매우 낮은 대우를 받은 것으로 보인다. 따라서 왕실의 도화 업무에 꾸준히 공로를 세웠음에도 그 역할을 제대로 인정받지 못한 것에 대한 의견이 꾸준히 제기되었고 그 결과 도화서 정원을 늘리거나 품계를 올려받는 등 일말의 변화가 있었다. 사농공상의 엄격한 신분 구조 속에서 화업畵業을 천시하던 당시 사회 분위기상 화원의 신분을 변화시키는 파격적인 조치는 불가능했지만 자신의 솜씨를 발휘하여 인정을 받으면 화원 집단에서 어느 정도 우위를 차지할 기회를 얻기도 했다.

한편 화원은 17세기 이후 중인 계층의 형성과 더불어 기타 잡직雜職의 중인 가문과 통혼通婚을 통해 서서히 중인층으로 계층이 고착화되는 단계를 밟아갔다. 또한 의관이나 역관 집안이 그러하듯, 화원들 역시 세대를 거듭하며 직업을 세습함에 따라 조선후기에 이르면 40여 개의 화원 가문이 등장했을 정도로 이들의 활동층이 매우 두터워졌음을 확인할 수 있다. 인동장씨 화원 가문처럼 200여 년 동안 그 직업을 대물림한 사례는 이들 사이에서 화업을 천직으로 여긴 직업관과 기술의 전승이 이루어졌고, 화원에 대한 사회적 변화도 어느 정도 수반되었음을 보여준다.

기존의 연구 성과에서도 누누이 언급되었지만, 일반적으로 궁중 행사에 투입되어 제작된 화원화畵員畵는 공적인 성격상 개성적인 화풍을 드러낼 수 없고 기존의 패턴을 따라 반복한 것이 특징이어서, 오늘날의 시각으로 보면 자칫 예술적인 가치가 낮은 것이 아닌가 하는 의견이 있을 수 있다. 하지만 적게는 서너 명, 많게는 수십 명의 화원이 동원되어 하나의 작품을 함께 완성한 단결성, 색채와 문양에 있어 정제된 물감과 먹선을 사용한 집중력 등이 동원된 노력의 결실이라는 점은 강조해도 지나치지 않는다.

그림 제작과 관련하여 흔히들 하는 말 중에 '화룡점정畵龍點睛'이라는 말이 있다. 그림이 완성되는 직전 가장 심혈을 기울여 마지막을 장식한다는 의미로, 조선 왕실에서 봉직한 화원들이야말로 마지막 화룡점정을 위해 평생을 바친 이들이라고 할 수 있다. 이중에는 이름이 드러난 이들도 있지만 공公을 위해 무명의 예술혼을 불태운 화원들도 많을 것으로 예상된다. 우리 나라 전통 회화사의 중요한 축을 이루었던 수많은 화원들을 발굴하고 그들의 활동상을 지속적으로 조명해야 할 이유가 여기에 있다.

10장

작은 기예를 부리던 자에서
문화 선봉장이 되기까지

◉

조선의 역관은
어떻게 탄생했나

백옥경 · 이화여대 사학과 교수

선조宣祖가 중국 사신을 접견할 때 중국 사신에게 읍하고 사양하여 말하기를, "사신王使은 벼슬이 낮더라도 서열이 제후보다 위이니, 먼저 의자에 앉으시오" 하였는데, 중국 사신이 선조의 말을 이해하지 못하고 노한 기색이 있었다. 표헌이 어전통사御前通事로서 곧 한마디 덧붙여 전하기를, "사신은 벼슬이 낮더라도 서열이 제후보다 위인데, 더구나 귀한 사람이겠습니까?" 하니 중국 사신이 옳게 여겼다. 임금이 그 대답을 잘한 것을 가상히 여겨 특별히 가자加資하라고 명하였다.

그 뒤 중국 사신을 접견하여 잔치할 때에, 사신이 평소에 술을 잘 마신다고 소문이 났으므로 임금이 대작해버지 못할 것을 염려하여 꿀물을 바치게 하였다. 사신은 취하고 임금은 취하지 않게 되자 사신이 깨닫고 잡은 잔을 바꾸기를 청하니, 공이 청하여 임금의 잔을 받들고 사신 앞으로 가다가 문득 넘어지는 체하고 잔을 엎었다. 임금이 사신에게 실례하였다 하여 그 죄를 다스리라고 명하였는데, 사신이 굳이 요청하여 그만두었다. 사신이 돌아간 뒤에 한 자급을 올리라고 명하였다.

임진년壬辰年(1592, 선조 25)에 임금이 서쪽으로 피하였을 때에 요동으로 건너가자는 의논이 있었는데, 조정에서 쟁론하고 공도 복합伏閤하여 그 불가함을 힘써 아뢰기를, "나라를 잃은 자를 나라로 대우하였다는 말을 듣지 못하였습니다" 하였다 한다.

위에 든 예는 『통문관지』의 인물조에 있는 나와 있는 표헌이라는 역관에 대한 몇 가지 에피소드이다. 그는 명나라 사신과 조선 국왕 사이에서 통역을 담당하면서 예상치 못한 일들이 일어날 때마다 순발력 있게 대응해 어려운 고비들을 넘겼다. 뿐만 아니라 국제 정세에 대한 날카로운 감각을 지니고 있었던 것도 확인할 수 있다. 이처럼 역관들은 외교 일선에서 활동하면서 조선의 외교관계가 그 틀을 닦고 앞으로 뻗어나가는 데 필수적인 역할을 해냈다.

이런 역관들은 대개 한어漢語, 몽고어, 일본어, 여진어 등 4개 외국어를 전문적으로 했지만, 시기에 따라서는 유구어와 위구르어 등을 익히기도 하였다. 이들은 외국 사신이 오거나 또는 외국으로 사신을 보낼 때 통역하는 것은 기본이고, 각종 국제 정보를 탐지하고 국제무역을 펼치며 외국 문물을 도입하는 등 조선의 외교관계가 그 틀을 닦고 앞으로 뻗어나가는 데 필수적인 존재였다.

언어가 다른 국가와 원활하게 관계를 맺어나가는 데는 무엇보다
자질과 능력을 갖춘 역관이 필요했다. 이에 조선에서는 국가가
역관 양성 교육을 담당하면서 시취試取제도와 연계시켜 운영하
였다. 역관이 되려면 국가기관인 사역원司譯院에 생도로 입학하
여 교육을 받고, 역과譯科에 합격하는 것이 가장 일반적인 방법
이었다.

  사역원은 1393년(태조 2)에 설립된 통역 담당 관서이자 교육
기관으로서, 그 산하에 교육시설인 생도방生徒房을 두고 언어 영
역별로 생도를 모집하였다. 조선초기에는 자원자 우선으로 생도
를 선발했지만, 후기에 들어서는 그 조건이 훨씬 엄격해져 지원
자들로 하여금 반드시 현직 역관의 추천과 심사, 시험을 거치도
록 하였다. 그중 '완천完薦'이라 불렸던 심사과정에서는 현직 역
관의 추천을 받은 입학 희망자들에 대해 부·모·처의 4조祖
(부·조·증조·외조) 등 가문뿐만 아니라 추천자까지 심사 대상
으로 포함하였다. 심사위원은 현직 역관 15인으로 구성되었는
데, 13인 이상의 찬성을 얻는 지원자에게만 입학이 허락되었다.
합격자들은 그후 시강試講에 응시하여 성적에 따라 생도방에 결
원이 생기는 대로 충원되었다.

  사역원 생도들의 입학은 대개 10대나 혹은 그전에 이루어졌
다. 이는 언어 습득의 효과를 높이기 위하여 나이 어린 생도들
을 선발하면서 나타난 현상으로, 조선초기에는 15세 이하라는
입학 연령 상한선이 설정되기도 하였다. 조선후기로 갈수록 연

령은 훨씬 낮아져서, 18세기에 활동한 역관 현계근玄啓根은 5세에 입학한 것으로 확인된다. 19세기 역학 생도에 관한 정보를 담은 「완천기完薦記」에서도 생도의 평균 연령은 10대 60.2퍼센트, 9세 이하 28.4퍼센트로서 10대 이하가 상당한 비중을 차지한다.

한편 사역원 생도들의 전공은 한어, 몽고어, 일본어, 여진어의 4개 분야로 구분된다. 생도의 총 정원은 조선전기에 80명이었다가 후기에는 204명으로 증가했다. 사역원 생도의 교육 기간은 최소 3년으로, 교육의 주안점은 전공 언어의 통역능력 향상에 있었다. 사역원에서는 이를 위해 언어 영역별로 교관을 두었으며, 현지어를 익힐 수 있도록 귀화 외국인들도 교육에 적극 활용하였다.

교재로는 『노걸대老乞大』『박통사朴通事』『역어지남譯語指南』『역어유해譯語類解』 등 여러 종류의 책이 쓰였다. 그중 『노걸대』와 『박통사』는 다양한 상황에서 응용할 수 있는 실용적인 회화책이었다. 특히 『노걸대』는 14세기에 고려 상인이 중국에 장사하러 가면서 실제로 부딪치는 여러 사건을 생생한 대화체로 기록함으로써 가장 많이 활용되었다. 이 책은 실용 회화와 교역에 직접 관련된 대화 위주로 이루어졌고 문장 구성도 체계적이어서, 한 쪽 내에서 같은 단어를 반복해 읽다보면 자연스럽게 외울 수 있도록 해두었다.

생도들에게는 문서 번역과 글씨 연습도 주요 수강 과목이었다. 이는 원래 공문서의 번역과 베껴 쓰기를 위한 것이었으나, 생도들이 정치적 · 도덕적 귀감서, 역사서, 병서兵書, 의서醫書,

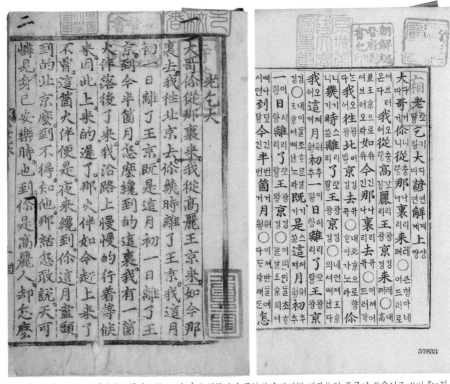

『노걸대언해』, 1670, 규장각한국학연구원. 고려 말에 편찬되어 조선시대 사역원 역관들의 중국어 교습서로 쓰인 『노걸대』를 언해하여 간행한 책이다. 『노걸대』는 조선후기 중국어 변화에 발맞춰 수정해 1795년 『중간重刊노걸대』로 다시 간행하고, 이를 한글로 번역하였다. 글자마다 중국음을 적고 문장이 끝나면 그 뜻을 풀이하였다.

시詩 교재 등 다양한 서적을 접하는 계기가 되어 정치 · 경제 · 문화적 식견을 풍부하게 갖출 수 있었다. 『소학小學』 및 경사經史 교육도 생도들의 유교적인 교양을 높이는 데에 기여하였다. 그리고 이러한 교육과정을 통해 생도들은 외국어 실력뿐만 아니라 국제 감각, 세련된 매너, 상대국 고위관리들과 소통할 수 있는 학문적 소양 등 역관으로서 필요한 지식과 경험을 갖춰나갔다.

조선전문가의
일생

생도들은 교육 기간 중 취재取才라는 시험을 통해 역관으로 임용될 수도 있었지만, 역과 합격은 역관 고위직 진출을 가능하게 한다는 점에서 훨씬 중요했다. 역과는 잡과의 하나로, 3년마다 한 번씩 정기적으로 치러지는 식년시式年試 외에 임시 특별시험인 증광시增廣試 혹은 대증광시大增廣試 등이 있었다. 조선 정부는 사역원에서 양성한 인재라도 반드시 역과를 통해 그 능력을 검증한 뒤 관리로 등용하려 했다. 여기에는 역관들을 국가의 공적 체제에 흡수시켜 그 통제를 강화하려는 정부의 의지도 담겨 있었다.

역과에는 사역원 생도와 관원들이 응시할 수 있었으며, 2단계의 시험을 거쳐 최종 합격자를 선발하였다. 시험 과목은 외국어 실력 외에도 인격적 소양을 점검하는 사서오경四書五經 등이 포함되었다. 최종 합격 정원은 한학 13인, 몽학·왜학·여진학 각 2인으로 총 19명이었지만, 기준에 미치는 인재가 없을 경우 인원을 채우지 못해도 선발하지 않았다. 역과에 합격하면 1등 합격자 1명에게는 종7품직이, 2등 3명에게는 종8품계가, 3등 15명에게는 종9품계가 주어졌다. 합격자 중 1등은 사역원에 바로 서용되었던 반면 2등과 3등은 사역원의 권지權知로서 일정한 수습 기간을 거쳐야 했다. 그리고 합격자가 이미 관품이 있다면 모두 1품계를 올려주었고, 올려줄 품계가 마땅히 주어야 할 품계와 서로 같거나 미치지 못할 경우에는 1품계를 더 높여주었다. 결과적으로 역과에 합격하면 고위 품계에 일찍 도달할 수 있는 기회가 열리는 것이다. 조선시대에 『역과방목譯科榜目』을 통해 확인되는 역과 합격자의 총수는 2976명이며, 전체 잡과 합격자

6122명 가운데 약 50퍼센트를 차지하고 있다.

역관들은 이처럼 여러 단계의 과정을 거쳐 임용되지만, 그 뒤로도 통역능력을 함양하기 위해 끊임없이 노력해야 했고 수시로 그 능력을 검증받아야 했다. 사역원에서는 원시院試, 녹취재祿取才, 부경취재赴京取才 등 여러 시험을 실시해 그 실력이 검증된 역관들에게만 승진과 중국 사행의 수행 등을 결정하였던 것이다.

역관, 국가적 현안 해결에 기여하다

역관의 업무 중 가장 큰 비중을 차지하는 것은 외국 사신의 영접, 외국으로 가는 사신단의 수행과 통역이었다. 사신 영접 업무는 국경에서 외국 사신을 맞이하는 데에서부터 시작된다. 사신들이 한양에 도착해 태평관太平館(중국 사신의 숙소), 동평관東平館(일본 사신의 숙소), 북평관北平館(여진 사신의 숙소) 등에 머물면, 역관들은 그들을 수행·통역하며 사신활동을 도왔다. 사신이 조선의 국왕을 배알할 때에는 어전통사御前通事들이 곁에서 통역을 전담하였다.

한편 사신단의 수행은 중국 및 일본으로의 사행 위주로 이루어졌다. 사신단은 임무의 중요도나 지역에 따라 그 규모가 수십 명에서 많게는 500여 명에 이르렀으며, 사행 기간도 수개월 이상이 되었다. 일반적으로 사신단에는 정사正使와 부사副使가 있어서 사행 목적의 달성을 위한 대외적 역할을 담당하고, 서장관

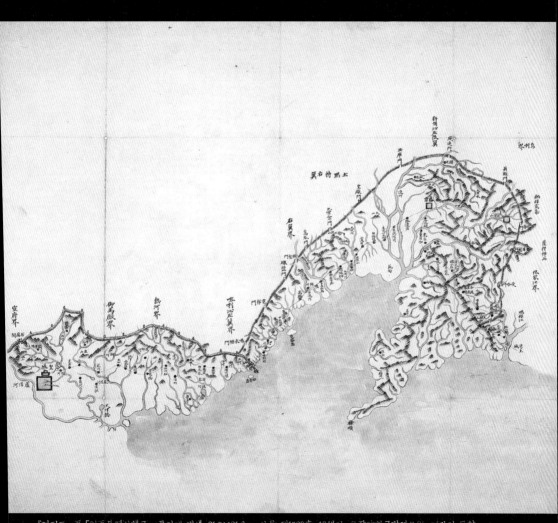

『여지도』중「의주북경사행로」, 종이에 채색, 31.5×21.6cm, 보물 제1529호, 18세기, 규장각한국학연구원. 역관이 동참
했던 사신단은 주로 중국과 일본 사행을 담당했다. 위의 지도는 의주-북경 사이의 사신로로, 그 통로가 매우 상세히 그
려져 청확성에서 상당히 뛰어난 지도이다. 이렇게 세밀한 지도는 청나라에서 제작될 수밖에 없는 것으로, 조선에서 쉽
게 입수할 수 없는 것이었고, 따라서 조선에서 사행 업무 완수를 위해 지도 입수나 제작에 얼마나 심혈을 기울였는지
입증해준다.

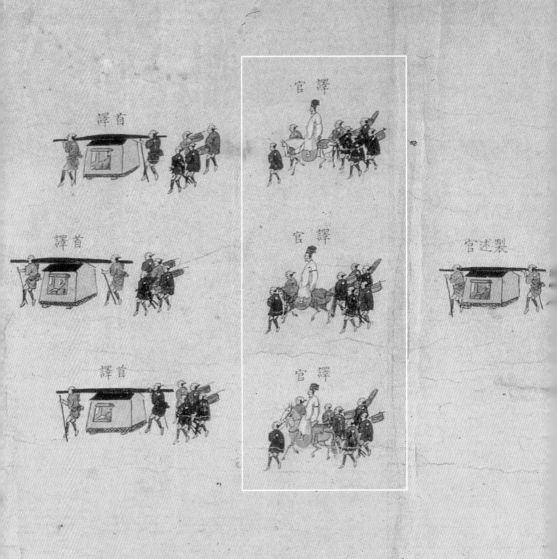

「인조 14년 통신사행렬도」, 김명국, 종이에 채색, 30.6×596cm, 1636, 국립중앙도서관. 1636년 제4차 조선통신사인 정사임광, 부사 김세렴을 포함한 475명이 일본의 에도성(도쿄)에 들어가는 모습을 기록한 것이다. 이들은 일본의 태평함을 축하하기 위해 파견되었지만, 다른 한편으로는 일본의 정세를 파악하려는 목적도 지니고 있었다. 행렬 중 역관의 모습이 눈에 띈다.

書狀官은 규율을 담당하였다. 그러나 일행 중 역관을 제외하고는 언어에 능통한 관료들이 거의 없었으므로, 사신 업무의 성사는 역관의 언어와 사무처리 능력에 달려 있었다고 해도 과언이 아니었다. 역관들은 1회에 10~20명이 따라갔는데, 대개는 여러 차례의 사행 경험을 갖고 있었다. 따라서 이들은 본국에서 가지고 간 사안이 전달되어야 할 부서나 그 처리 경로에 대해서 매우 익숙했으며, 상대국 관리들과도 친밀한 인맥을 맺을 수 있었다. 조선에서 중요한 사안으로 사신을 파송할 경우, 사신들이 일처리에 능숙한 역관을 데려가려 한 것도 이런 까닭에서였다. 명나라에 대한 금은金銀 세공歲貢을 면제받는 데 기여했던 세종대의 역관 원민생元閔生, 대일관계에서 포로의 쇄환 문제를 해결하였던 태종대의 윤인보尹仁甫 등은 조선전기 외교관계에서 공적을 남겼던 대표적인 역관이었다.

한편 왜란과 호란을 겪고 청나라나 일본과의 외교관계가 급격히 변화되는 조선후기에 이르러서 역관들의 활동은 더욱 두드러진다. 그중 홍순언洪純彦과 김지남金指南 등의 활약상은 당대에도 매우 높이 평가되었다. 홍순언은 명나라의 『대명회전大明會典』에 잘못 기록된 태조 이성계의 세계世系를 바로잡은 '종계변무宗系辨誣'에 결정적인 역할을 한 것으로 전해진다. '종계변무'는 조선 건국 이래 매우 중요한 외교적 과제 중 하나였다. 이는 고려말 윤이尹彝와 이초李初가 명나라로 망명해 '이성계는 친원파親元派 권신權臣 이인임李仁任의 후사'라고 모함한 것이 명나라에서 사실로 기록된 데서 비롯되었다. 조선에서는 이를 바로잡기 위해 갖은 애를 썼으나, 명나라는 전혀 응하지 않던 상황이 선조대까지 지속되고 있었다. 그런데 『연려실기술』 등의 기록에 의하면 홍순언이 명나라에 갔을 때 청루에서 몸을 팔려는 여인을 구해주었는데, 이 여성이 명 예부시랑禮部侍郎 석성石星의 후처가 됨으로써 '종계변무'가 극적으로 해결될 수 있었던 것으로 전해진다. 이 이야기의 사실 여부는 확인하기 어렵지만, 종계변무 해결 이후 홍순언은 1590년(선조 23) 광국공신光國功臣에 책훈策勳되고 당릉군唐陵君에까지 봉해짐으로써 그 공로를 인정받았던 것이 분명하다.

한편 숙종대의 역관 김지남은 백두산정계비를 세워 국경을 확정하는 데 공을 세웠다. 1712년(숙종 38) 청나라와 조선 사이에 국경 분쟁이 일어나자 청의 강희제는 이를 해결하기 위해 오랄총관烏喇總官 목극등穆克登을 파견하였다. 조선에서는 응대를 위한 접반사接伴使로 박권朴權을 임명하였는데, 박권의 요청에 따라 김지남과 그 아들인 역관 김경문金慶門이 참여하게 되었다. 그러던 중 백두산을 실사할 때 접반사 박권이 동행하지 못하게 되면서 교섭과정에서 역관 김지남의 비중은 훨씬 커졌다. 김지남은 이때 능숙한 화술로 목극등을 설득하여 백두산이 조선의 경계에 속한다는 사실을 확인받았다. 김지남은 백두산과 국경선을 표시한 지도를 만들어 교환하였고, 백두산에 정계비를 세우게 함으로써 이 문제를 확실히 매듭지었다.

김지남은 이외에도 중국을 왕래하면서 국방상 중요 기밀이었던 화약 만드는 법을 몰래 익혀오는 공을 세웠다. 그는 수년간 죽을 고비를 넘겨가며 화약 만드는 법을 익혔는데, 그렇게 해서 만들어진 화약의 화력은 강했고 습기가 차지 않으며 재료를 아

『해동지도』 중 「함경도」, 종이에 채색, 178.7×232cm, 보물 제1591호, 1750년대, 규장각한국학연구원. 역판 김지남은 백두산에 정계비를 세워 국경선을 확정하는 데 결정적인 역할을 한 인물로 기록되고 있다. 백두산을 중심으로 우리나라와 중국 사이에 국경선 확정 문제는 오래전부터 첨예하게 맞부딪쳐온 민감한 사안이었는데, 역판의 화술이 중요한 역할을 했던 것이다.

낄 수도 있는 이점을 두루 갖추고 있었다. 조선 정부가 이 방법을 전국적으로 널리 알리려 함에 따라 김지남은 『신전자초방新傳煮硝方』(1698)을 저술하였다. 『신전자초방』은 그 당시 화약 제조법을 집대성하였다는 평가를 받는다.

인삼 팔고 비단 사들여 재력을 갖춰나가다

조선은 전후기를 막론하고 사행을 통해 외국과 교역했고, 민간 차원에서의 무역은 거의 금했다. 조선 정부는 사행의 공무역公貿易을 위해 의사소통이 가능한 역관들이 물품 구매를 담당하도록 하였고, 이를 위해 공금을 제공해주었다. 또한 사행 기간 동안 정보 수집비, 사행 임무 수행에 따르는 각종 교제비 등을 역관이 부담하게 되면서 이를 마련할 수 있도록 은銀을 빌려주었다. 물론 귀국 후 상환해야 한다는 조건이 뒤따랐지만, 역관들은 이 비용으로 무역에서의 이득을 취해 필요한 경비를 충당할 수 있었던 것이다.

뿐만 아니라 역관들에게는 개인적인 무역을 할 권한이 공식적으로 허용되었다. 원칙상으로 조선에서 개인 무역은 허용된 사항이 아니었다. 그런데도 정사·부사·서장관 등을 비롯한 사신단의 정관正官에게 무역이 허락된 것은, 여비 그리고 사행 여정에서 직면해야 하는 신변의 위협과 죽음 등에 대한 일종의 보상 차원에서였다. 물론 정부는 개인 무역을 위해 가져갈 수 있는 물품을

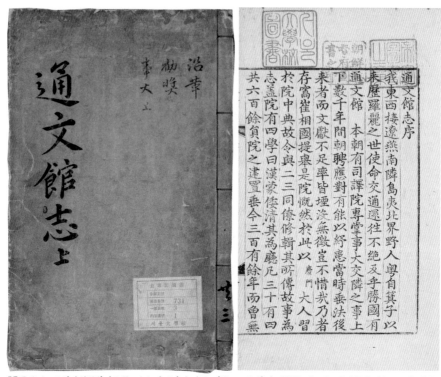

『통문관지』, 규장각한국학연구원. 역관 김지남이 아들 경문慶門과 함께 편찬한 것으로, 사역원의 연혁沿革과 중국 및 일본과의 외교관계가 상세히 기록되어 있다.

엄격히 규정하였다. 이는 조선초기에는 10승포升布 3~10필이었다가, 후기에는 청에 갈 경우 인삼 80근을 휴대하는 팔포八包로 관행화되었고, 은 2000냥으로 환산하여 가져갈 수도 있었다.

이처럼 역관은 사행시 국가에서 필요로 하는 물품들을 구입하거나 그들에게 특별히 허용된 사무역私貿易의 기회를 통해 국제무역 활동에 종사할 수 있었다. 이때 역관들이 가장 많은 관심을 기울였던 무역 물품은 인삼과 은, 백사白絲, 비단 등이었다. 인삼은 일찍부터 주목받았던 조선의 주요 수출품으로서, 17세기 말에는 조선에서 산출되는 인삼의 80~90퍼센트가 청과 일본으로 수출될 정도였다. 백사와 비단은 사치품의 일종으로서, 청에서 들여오는 주요 수입품이었다. 한편 은은 왜관倭館을 통해 일본으로부터 들어와 청의 물품을 구입할 때 중요 결제 수단으로 쓰였다. 청에서 역관들이 수입한 백사는 왜관을 통해 일본으로 수출되었는데, 1670년 100근당 수입가가 은 60냥이었던 데 비해, 수출가는 160냥으로 거의 2.7배에 달하였다.

역관들은 이처럼 청·일의 중개무역에 종사하면서 막대한 부를 축적할 기회를 얻을 수 있었다. 이러한 것이 가능했던 이유는 청이 해금정책海禁政策을 취하면서 일본과 직접 교역하지 않았기 때문이다. 그러나 청의 해금령이 1684년 해제되고, 이듬해부터는 청의 상선商船들이 일본의 나가사키로 건너가기 시작하였다. 나아가 1689년에는 청 정부가 나가사키에 상관商館을 설치하였다. 이로부터 30여 년이 지나자 그간 백사나 비단을 수입하기 위해 왜관

『금문사목禁紋事目』, 1788, 규장각한국학연구원. 역관들이 펼친 사무역에서 가장 주목받은 수입품은 청의 비단이었다. 이러한 무역이 성행하자, 정조 22년에는 『금문사목』을 간행해 중국에서 수입한 무늬 있는 비단의 사용을 금지시켰다.

으로 몰려들었던 일본 상인들은 청 상인들과의 직교역을 도모하였다. 따라서 청일 간의 중개무역으로 큰 차익을 얻었던 통로는 막혀버리고, 이에 역관들은 다른 물품 무역으로 탈출구를 찾기도 하였다.

역관들이 자기 직무와 재능을 활용해 국가 간 무역에 편승해 부를 축적한 것은, 사실 그들이 처해 있던 열악한 경제 현실을 극복하기 위한 필요성에서 비롯된 것이었다. 하지만 이러한 구조적인 문제를 도외시한 양반 사대부들은 역관들의 경제활동을 부정적으로만 바라볼 뿐이었다. 양반들은 역관의 다른 명칭인 '상역象譯'을 '상역商譯'이라고 바꾸어 부르며 폄하하였던 것이다. 그러나 역관의 무역활동은 국내의 상업과 경제활동에 자극을 주어 조선후기의 상업이 발전하는 데 중요한 기여를 하였다.

'작은 기예'로 천대받던 역관 세습과 통혼으로 기득권을 유지하다

외교관계 유지나 무역활동에서 역관의 업무는 중요했지만, 유학 제일의 원칙이 표방된 조선사회에서는 어쨌든 부차적이거나 보조적일 수밖에 없는 처지였다. 통역은 외교관계에서 쌍방의 의사소통에 도움을 주는 수단으로서, '작은 기예' '작은 임무' '잡기雜技' '가벼운 임무' 등으로 폄하되었다. 역관 역시 장래의 관리자가 아닌 유교적 소양을 갖춘 양반 중심의 국가 운영에서

『해동지도』 중 '북경궁궐도', 1750년대, 규장각한국학연구원.

「연행도」, 숭실대 기독교박물관. 북경 거리를 지나고 있는 조선의 사신 일행. 사신이나 역관들은 조선의 글씨나 그림, 또는 인삼 등을 가지고 북경에 가서 팔기도 했고, 중국의 진귀한 것들을 들여와 조선에 되팔아서 많은 이익을 남겼다. 그리하여 조선후기에는 상당한 부와 재력을 갖춘 중인층 역관이 등장한다.

보조적 역할자로 인식되었다. 따라서 역관들은 사대부들이 추진하는 외교정책의 실행자에 불과할 뿐 사대부들과 결코 같은 반열에 설 수 없는 존재로 여겨졌다. 사대부들은 역관을 높은 관직에 등용하여 사대부의 직임에 종사하게 하는 것에도 반대하였다. 사역원의 최고 관직은 정3품 정正으로 당하관堂下官에 불과하여 역관들이 3품까지 진출할 수 있지만, 주요 국가 정책의 논의와 결정과정에 참여할 수 없었음을 나타낸다. 또한 역관들의 관직은 대부분 체아직遞兒職으로서, 1년에 3~6개월만 녹봉을 받으며 재직할 수 있었다. 그리고 관료들에게 주어졌던 직전職田도 받을 수 없었다. 또한 역관들은 잉임제仍任制 때문에 다른 관직으로 이동할 수도 없었다. 이는 당시 기술관에 대해 업무의 지속성과 전문성을 확보하다는 명분으로 반드시 기술관서에만 근무하도록 한 조치였다. 뿐만 아니라 기술관이 현직 관료가 아니더라도 각 기술 관서에 계속 근무하도록 강제할 수 있었다.

이처럼 역관에 대한 구별된 인식과 제도적 차별이 가해질 때, 역관들은 여러 방식으로 이에 대응해나갔다. 갖은 방법을 동원하여 고위직으로 진출하려고 애쓰거나, 집단적으로 처우 개선을 요구하고 나서기도 했다. 하지만 이러한 시도는 번번이 좌절되고 현실적인 성과를 이뤄내지 못하면서 역관들은 오히려 제한된 특권을 향유하는 방향으로 나아갔다. 역관들은 자신의 업무를 이용해 경제적 이익을 도모할 수 있었을 뿐만 아니라 일반 민에 비하여 훨씬 안정된 사회적 생존 기반과 관직 진출 기회를 얻는 게 가능했기 때문이다. 더욱이 역관의 업무는 일반인이 대행할

조선 전문가의
일생

330

수 없을 정도의 전문지식과 기능의 숙달을 요하는 만큼, 전문가로서의 지위를 유지하고 전수하는 것은 자신들의 기득권과 직결된 문제였다. 따라서 이들은 세습과 통혼通婚을 통한 가문의 형성에 관심을 기울였다. 즉 가문을 통하여 통역능력을 전수하고 사회적인 연결망을 형성함으로써, 관직 진출과 인사·승진에서 훨씬 유리한 입장에 설 수 있었다. 또한 같은 혼인권을 형성하여 재능과 기능 습득의 방법을 상호 전수함으로써 전문성을 향유하고 그들만의 독특한 생활문화를 이룰 수 있었다. 이렇게 형성된 조선시대 명문 역관 가문으로는 밀양변씨密陽卞氏, 전주이씨全州李氏, 남양홍씨南陽洪氏, 천녕현씨川寧玄氏, 우봉김씨牛峯金氏, 청주한씨淸州韓氏 등을 꼽을 수 있다.

서학과 개화사상의 유입
시대 변화의 선두에 서다

역관들은 자신들이 경험한 사회적인 한계를 다른 방식으로도 승화시켜나갔다. 그것은 조선후기 사대부 문화에 필적할 만한 문화운동을 전개하거나, 새로운 사상 및 체제 수용에 앞장서는 등 시대적인 변화를 주도해나가는 것이었다.

　역관들은 경제적 안정을 바탕으로 시詩·서書·화畵 등 문예적인 소양을 발휘하며 조선후기 문학과 예술 분야에서 괄목할 만한 성과를 거두었다. 특히 홍세태洪世泰(1653~1725)는 17~18세기에 일본과 청에서 이름을 날린 역관이었는데, 청에서 온 사신이 막대한 뇌물 대신 그의 시를 얻어간 것은 하나의 예화에 불과하다. 그는 중인 이하에게 관직을 제한하는 사회제도 때문에 슬퍼할 것이 아니라 타고난 천기天氣와 글재주를 마음껏 발휘하라며 중인들의 문학활동을 독려하였다. 이러한 사회적 분위기 속에서 조선후기에는 요절한 천재 시인 이언진李彦瑱(1740~1766), 거리낌 없는 자기표현을 보여줬던 시인 정지윤鄭芝潤(1808~1858), 청나라 문인들과 지속적으로 교류하며 그 이름을 날린 이상적李尙迪(1803~1865) 등 다양한 역관 문인이 활동했다.

한편 역관들은 서학西學과 천주교, 개화사상 등 새로운 사상을 수용하는 데도 매우 적극적이었다. 역관들은 천주교 수용과정이나 동학을 비롯한 한말의 민중·민족 종교활동에서 상당히 중요한 역할을 했던 것으로 평가되고 있다. 또한 개화기에 오경석吳慶錫(1831~1879)은 연행을 통해 서양 세력들 앞에서 무너져가는 청나라를 목격한 뒤, 서양 문명을 빨리 받아들일 것을 강조하며

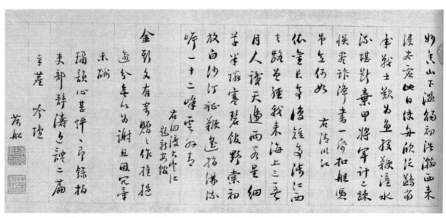

시고詩稿, 이상적, 22×48.1cm. 역관 이상적이 중국 가는 길에 청천강을 건너며 지은 시의 원고

개화사상을 수용하고 전파하는 데 앞장섰다. 그는 청나라를 열세 차례나 왕래하면서 각종 서적을 수입하는 한편, 박영효·김옥균 등 개화파에게 신지식을 역설해 큰 영향을 미쳤다.

또한 역관은 개항 이후의 격변하는 시대 변화에도 빠르게 적응하였다. 미국 및 유럽 각국과 수교를 맺은 뒤 다양한 외국어를 습득해야 할 필요성이 제기되자, 역관들은 선교사나 국가에서 건립한 외국어 학교를 다니기 시작했다. 당시 외국어 학교로는 일본어를 비롯해 영어, 프랑스어, 러시아어, 한어, 독일어까지 6개 국어의 학교가 설립되었다. 그중 인천에 설립된 관립인항외국어학교에는 대부분 역관의 자제들이 다녔다고 한다. 역관들은 대한제국 시기에 신학문과 신기술을 습득하는 데에도 적극적이어서, 신관료로 급성장하거나 법관, 무관, 경찰 등 새롭게 부상하는 관직으로 진출하기도 했다. 역관들은 개화기에서 한말까지 중인 집단 가운데 가장 많은 관료를 배출한 것으로 나타난다.

조선 최초의 세계 일주 여행기록에도 역관이 참여하였다. 1896년 러시아 황제 니콜라이 2세의 대관식에 참석한 민영환을 비롯해 사절들은 세계를 두루 거쳤다. 이때 2등 참서관으로 동행했던 역관 김득련金得鍊(1852~1930)은 중국, 일본, 캐나다, 미국, 영국, 네덜란드, 독일, 폴란드, 러시아까지 9개국을 거치며 기행문을 남겼다. 그는 한어漢語 역관으로서 사행에서 실질적인 역할을 할 수는 없었지만, 역관들이 통상적으로 작성했던 보고문을 위해 동참한 듯하다. 하지만 그는 사행 중 『환구음초環璆□艸』(지구를 한 바퀴 돌며 읊은 시집), 『환구일기環璆日記』를 남김으로써, 유럽의 문명을 보고 기록한 신문명의 관찰자로서의 역할을 다하

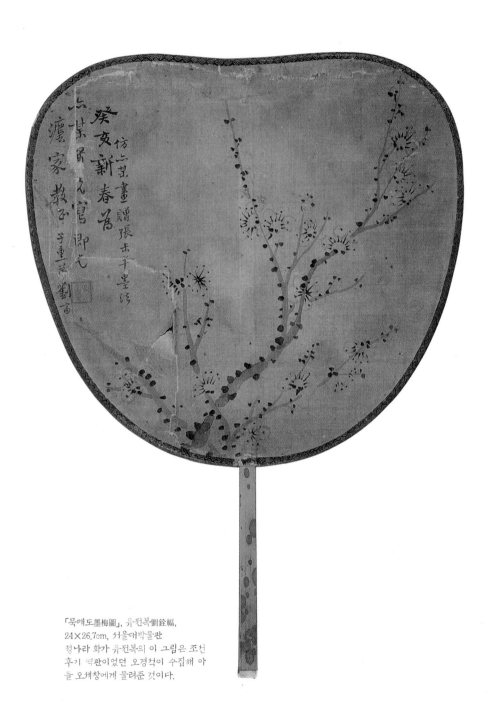

「묵매도墨梅圖」, 유전복劉銓福,
24×26.7cm, 서울대박물관
청나라 화가 유전복의 이 그림은 조선
후기 역관이었던 오경석이 수집해 아
들 오세창에게 물려준 것이다.

전서 천언대구, 오세창, 종이에 먹, 136.7×36.7cm, 1944, 고려대박물관

역관 오세창이 1944년 가을에 석정 안종원에게 써준 작품이다. 필적에 청대의 여러 서풍이 스며 있지만 획의 굵기와 길이에 변화를 준 감성적인 서풍을 보인다는 점에서 청나라 서예가 오창석으로부터의 영향을 느낄 수 있다. 오세창은 청으로부터 문물을 들여오는데 앞장서기도 했고 그 자신 많은 작품을 남기기도 했다.

環璆唫艸

春坡金得鍊

我邦通好俄羅斯國十餘年尚未報聘今值俄新
皇戴冠卽位之期在五月二十六日五洲各邦專
价相賀我邦亦爲派使
建陽元年三月十一日宮內府特進官從一品閔
泳煥爲特命全權公使學部協辦尹致昊爲隨員
三品金得鍊爲二等參書官外部主事金道一爲
三等參書官往赴俄都不佞本以謏芳蔑學不稱
是職重以慈闈風患經年彌留人子情理實難

詔勅
俄羅斯國皇帝卽位戴冠禮式慶辰이在邇호지라
朕이宮內府特進官從一品閔泳煥을命호야特命
全權公使를슴아俄羅斯國에前往호야賀儀에進
叅호노라
建陽元年三月十日奉
勅
　　叙任
　　　　　内閣總理大臣　朴定陽
　　　　　署理内府大臣
　　外部大臣　李完用
官内府特進官閔泳煥

『환구음초』, 김득련, 규장각한국학연구원. 1896년 4월 1일부터 10월 21일까지 중국, 일본, 태평양, 캐나다, 미국, 대서양, 영국, 네덜란드, 독일, 폴란드, 러시아 등을 경유한 역관 김득련은 이들 나라의 산천과 풍물, 산업 등을 소재로 글을 남겼다.

였다. 역관들은 근대기 언어와 풍습, 제도가 다른 구미 중심의 외교 무대에서 스스로 변화해나가고 있었으며, 그것은 조선사회의 새로운 흐름을 적극 이끌어나가는 것이기도 했다.

11장

조선시대엔
왜 서점이 없었을까

◉

책 파는 사람,
책 읽어주는 사람

이민희 · 강원대 국어교육과 교수

서적 유통 전문가 서적중개상

서적중개상은 독자의 요구에 따라 원하는 서적과 소설을 구해주고 이득을 취하던 사람들이었다. 이들은 서적(또는 소설)을 상품으로 여겨 이곳저곳 돌아다니며 '이동식' 영업 형태에 '흥정'을 하며 책을 매매하던 상업적 유통업자였다. 조선시대만 해도 서점이나 세책업貰冊業이 발달하지 못했고 지역 간 교류도 적어 서적 공급과 수요 창출은 이들 서적유통 전문가들이 담당했다. 말하자면 단순 유통업자가 아닌 전문적 지식을 갖춘 외판원 정도로 볼 수 있다.

조선 서적중개상의 이름, 책쾌

조선에서 활동한 서적중개상을 흔히 '서쾌書儈'라고 부른다. 박제가의 『북학의北學議』, 황윤석黃胤錫의 『이재유고頤齋遺稿』, 이건창李建昌의 「혜강惠岡 최공전崔公傳」 등에서 '서쾌'라는 명칭이 눈에 띄는데, 그러나 정작 문헌들을 살펴보면 '책쾌册儈'로 되어 있는 예가 더 많다. 16세기에 『미암일기眉巖日記』에서 유희춘柳希春이 서적중개상을 책쾌로 쓰고 있으며, 『조선왕조실록』『승정원일기』 등 공식 문헌도 마찬가지다. 18세기 유만주兪晩周가 쓴 일기 『흠영欽英』, 정조의 시문집인 『홍재전서弘齋全書』에서도 서적중개상을 책쾌로 칭하고 있다. 물론 '책장수'나 '책거간册居間' 등으로 불러도 무방했다. 그런데 유의할 것이 중국과 일본에서도 서적중개상을 '서쾌'라고 불러 삼국 공통어로 쓰였다면, '책쾌'는 조선 고유 용어였다는 사실이다.

서적중개상이 활발히 활동하게 된 요인은 조선 사회가 지닌 특수성, 즉 문文의 숭상과 지식욕, 책의 상업적 유통, 서점의 부재 등이 종합적으로 맞물려 나타난 결과였다. 지리적, 시간적, 문화적 이동의 제약 속에서 책과 지식 습득을 추구하려는 욕구는 분출했지만 이를 충족시켜줄 사회적, 제도적, 문화적 시스템은 구축되지 않아 서적중개상을 통한 자율적 상거래가 활기를 띠었던 것이다.

「태평성시도」, 필자미상, 비단에 채색, 113.6×49.1cm, 국립중앙박물관. 활기를 띠는 길 한가운데 책을 펼쳐보는 사람들이나 바깥에서 호기심을 갖고 눈여겨보는 아들이 눈에 띈다. 하지만 조선시대에는 이렇게 정해진 곳에서 책을 파는 서점은 매우 드물었다.

박아한 군자 같은 신광神光에
상업적 감각을 갖춘 책쾌들

서적중개상을 통한 책 거래는 일찍이 15세기경부터 존재한 것으로 보인다. 서적을 취급하던 행상인의 모습이 문헌에 포착된 것은 김흔金訢(1448~?)이 쓴 시 「우음偶吟」이 가장 이른 것으로 추측된다. 이 시에서 노래하고 있는 매서인賣書人의 활동 정황이 책쾌와 많이 닮아 있기 때문이다.

「우연히 읊다偶吟」

틈 사이로 저녁햇살 비스듬히 비쳐 떠도는 먼지를 희롱하는데
隙嘘斜透弄游塵

정히 앉아 향을 태우며 이 몸을 돌아보네 靜坐焚香閱此身

하루 종일 닫힌 문 왕래하는 이도 없건만 盡日掩門來往絶

때때로 책장수가 찾아오네 時時還有賣書人

－『안락당집安樂堂集』권1

김안국金安國(1478~1543)의 문집 『모재집慕齋集』(1574)에는 아예 책을 팔러 다니던 양존인楊存仁이란 인물이 있었다고 기록되어 있다. 집집마다 방문하며 책을 팔되, 외상으로 거래한 후 나중에 받아가던 영업 형태를 가늠해볼 수 있다.

양존인楊存仁이란 자가 전에 책을 팔러 다니더니 楊存仁者前行
賣書

『미암집』, 유희춘, 1869, 한국가사문학관. 미암 유희춘의 문집으로, 권5~18에는 미암일기가 포함되어 있다. 여기에는 1567년 10월 1일부터 1577년 5월 13일까지 조정의 크고 작은 일들이 세세히 기록되어 있는데, 그 가운데 책쾌에 대한 이야기도 나오고 있어 주목할 만하다.

그가 다시 와서는 책값을 받아가네 其同來者受價而去

어디 이뿐인가? 책쾌의 존재를 확실히 알려주는 자료로 유희춘이 쓴 『미암일기』(1567~1577)를 빼놓을 수 없다.

"들으니 경성 의금부의 북쪽에 이름이 박의석朴義碩이란 책쾌가 있는데 모든 곳의 서책을 반가半價로 사서 전가全價로 판다고 한다."

"책쾌 송희정宋希精이 찾아와 인사를 하고 『참동계參同契』『황화집皇華集』『소문쇄록謏聞瑣錄』『두시杜詩』 등을 가져오기로 약속하고 갔다."

조선 전문가의
일생

"책쾌 송희정이 『여지승람輿地勝覽』을 가져와 보였다. 또 (조선을 다녀간) 각각의 중국 사신들의 문집을 거래하는 일을 의논하고 돌아갔다."

　서적 거래를 하기 위해서는 서책에 관한 서지사항은 물론 책의 내용도 어느 정도 알고 있어야 하며, 최소한의 문자 독해능력과 상거래 영업 방식, 거기에다 원만한 대인관계 능력도 갖춰야 했다. 17세기 들어 상업경제가 일어나고 화폐의 통용이 활발해지자 책의 상업적 유통도 가속화되었다. 중국으로부터 신간 서적과 각종 소설·경서류가 들어오고, 교육용 책들이 간행되면서 책의 유통과 향유가 보다 많은 독자와 고객 사이에서 이루어지게 되었다. 아직 서점처럼 공식적이고 일반적인 유통 매개물이 부재한 상태에서 책의 수요와 공급은 서적중개상을 통하거나 사적으로 거래하는 방법에 의존할 수밖에 없었다. 수요가 많아진만큼 서적중개상의 활동도 활발해졌다. 그렇기에 18세기는 가히 책쾌의 최고 전성기라 할 만했다. 이 당시 수백 명의 책쾌가 서울에서 활동했다. 그중 책쾌로서 이름을 날린 이가 바로 영·정조대에 활동한 조신선曺神仙이었다.

"조신선이라는 자는 책을 파는 아쾌牙儈로 붉은 수염에 우스갯소리를 잘하였는데, 눈에는 번쩍번쩍 신광神光이 있었다. 모든 구류九流·백가百家의 서책에 대해 문목門目과 의례義例를 모르는 것이 없어, 술술 이야기하는 품이 마치 박아한 군자博雅君子와 같았다. 그러나 욕심이 많아 고아나 과부의 집에 소장

조선시대엔 왜
서점이 없을까

345

되어 있는 서책을 싼값에 사들여 팔 때에는 배로 받았다. 그러므로 책을 판 사람들이 모두 언짢게 생각하였다."(정약용, 「조신선전曹神仙傳」 『다산 시문집』 7)

"조생(조신선)은 그 출신을 알 수 없으나 책을 팔아 업을 삼았으니 날이 밝으면 시장으로, 저잣거리로, 의원 집으로, 관청으로 달려가 위로는 양반들로부터 아래로는 학동이나 마부에 이르기까지 가리지 않고 만나 책을 팔았다. 소매에 잔뜩 넣어가지고 다니는 것은 오직 서적뿐이었다. 그가 말하기를 '천하의 책이 모두 내 책이요, 이 세상에서 책을 아는 이는 오직 나밖에 없다'고 했다."(장지연, 「조생」 『일사유사』)

정약용과 장지연을 비롯해 조수삼(「죽서조생전鬻書曹生傳」), 조희룡(「조신선전曹神仙傳」), 『대동기문大東奇聞』 등이 조신선에 관한 다양한 증언을 기록하고 있다. 이로써 미루어보건대 조신선은 당대와 후대에 장안의 화젯거리였음이 틀림없다.

명기집략 사건

한편 1771년(영조 47) 5월에 일어난 소위 '명기집략明紀輯略 사건'은 당시 책쾌의 활동이 얼마나 활발했으며, 그들의 사회적 영향력이 어떠했는지 짐작해볼 만한 흥미로운 사건이다. 청나라 문인 주린朱璘이 쓴 『명기집략』에 조선 태조가 이인임李仁任의 아들이라고 모독하는 내용이 들어 있는 것을 발견한 영조가 주린이 쓴 모든 책을 수거해 불태우는 과정에서 이를 유통시킨 책쾌와 주린의 책을 구입하거나 소지하고 있던 이들과 가족들까지 잡아들여 죽이거나 유배 보낸 사건을 말한다. 잘 알려지지 않았던 주린의 또 다른 책인 『강감회찬綱鑑會纂』만 하더라도 이 책을 자발적으로 내놓은 이들이 13명이나 됐는데, 소지자들은 전직 판관, 참판 벼슬을 한 관리, 진사인 일반 유생, 중인 신분의 의관 등 다양했다. 이때 영조가 책 소지자보다 이를 유통시킨 책쾌들에게 분노를 폭발시키고 극형을 내린 이유는 이처럼 다양한 계층의 사람들이 불온서적을 하나씩 소유할 수 있었던 것이 바로 책쾌로 인한 것이라고 여겼기 때문이다. 영조는 "이런 음험하고 참혹한 글을 책쾌에게 팔고 책쾌에게서 사서 몇 차례 왕복했다니 이를 생각하면 마음이 오싹하고 몸서리쳐진다"(『승정원일기』)고 할 만큼 그 충격은 자못 컸다. 이 일로 책쾌가 중국에서 새로 발간된 서적을 매매하는 일이 금지되었고, 도성 내 책쾌의 왕래 또한 금지되었다.

"이때 상역商譯과 책쾌로서 『청암집靑菴集』을 바치지 않았다는 것으로 벌거벗긴 채 두 손을 뒤로 합쳐 묶어 이글거리는 태양 아래 나란히 엎드려 거의 죽게 된 자가 100명 가까운 수효였다."(『영조실록』 47년 6월 2일 신미辛未조).

책쾌 체포 및 심문과정에서 책쾌들이 『명기집략』 같은 불온한 서적뿐 아니라 중국의 일반 서적까지 폭넓게 유통시켰다는 사실이 새로 밝혀졌다. 또한 책쾌의 서적 유통에 역관이 관련되어 있다는 사실까지 포착해내 역관들까지 체포해 심문했다. 『영조실록』에는 이 사건으로 죽게 된 역관과 책쾌의 수가 100여 명에 이른다고 적고 있다.

이 사건 이후로 역관들의 서적 수입 검열이 강화되고 서적 유통이 위축되었지만, 그렇다고 책쾌들이 모두 사라진 것은 아니었다. 사건이 터진 지 13년이 지난 1784년에 유만주俞晩周가 쓴 일기 『흠영』을 보더라도, 예전처럼 책을 구입하고자 하는 수요자와 책쾌 조신선이 더욱 밀접하게 책을 거래하고 있음을 확인할 수 있다.

"책쾌가 와서 『통감집람通鑑輯覽』과 『한위총서漢魏叢書』를 무역하는 일에 대해 의논을 했다. 그가 말하기를 『명사明史』는 결국 선본善本이 없으며, 『경산사강瓊山史綱』 역시 구하기 어렵다고 했다. 내가 듣기를 『정씨전사鄭氏全史』는 세자전의 장서가 되었고, 『김씨전서金氏全書』는 일찍이 서씨 집안의 장서각 소유가 되었는데 그것을 값으로 따졌을 때 사만여 문이나 될 정도라고 했다. 그 밖에 『절강서목浙江書目』을 보여달라고 부탁하니, 내어서 보여주었다. 돋보기를 가지고 글자 모양과 크기를 들여다보니 마치 사정전思政殿의 각본刻本 같았다. 거듭 이와 같은 판본을 요구하며 경經·사史·자子·기기·소설小說을 막론하고 하나의 책이든, 열 가지 책이든, 백 가지 책이든 구애받지 말고 다만 힘써 구해오라고 하니 (책쾌가) 말하기를, '그것은 심히 어렵습니다. 다만 당연히 별도로 한번 힘써보도록 하겠습니다'라고 했다. 송판경서宋板經書 대본이 있다고 하므로, 구해올 수 있는지 물어보고 (가능하다면) 가져와 보이게 했다."(유만주, 『흠영』 18책, 1784년 11월 9일조)

19세기 말 마지막 한학자였던 이건창이 실학자 혜강惠岡 최한기崔漢綺(1803~1877)에 관해 쓴 글(「혜강 최공전」)을 보자. 여기서 최한기는 서양 책과 중국 책 가릴 것 없이 닥치는 대로 구해 읽고, 다 읽은 책은 헐값에 팔아 다시 새 책 사는 비용으로 충당했다. 그러니 책쾌들이 책을 사고팔기 위해 최한기의 집 문턱을 발이 닳도록 드나든 것은 자연스런 현상이었는지도 모른다.

"좋은 책이 있다는 것을 들으면 비싼 값을 아끼지 않고 그것을 구입하여 읽었으며, 오랫동안 열망하고는 헐값으로 팔았다. 이 때문에 나라 안의 서쾌들이 다투어 와서 팔기를 요구하였다. 북경 서점의 신간 서적들이 서울에 들어오기만 하면 혜강이 열람하지 않은 것이 없었다."(이건창, 「혜강 최공전」 『명미당산고 明美堂散稿』 제10권)

개항 이후 19세기 말~20세기 초 근대적 의미의 출판사가 등장하고, 서점도 점차 활성화되어 대중 독자를 겨냥한 상업적인 서적이 쏟아져 나왔다. 그러니 특별 고객을 위주로 한 고서를 주로 취급하던 책쾌 입장에서는 상대적으로 역할이 축소될 수밖에 없었다. 그래서 20세기 전반기에 활동한 책쾌들은 일반인들이 구하기 어려운 고서나 고문헌 자료를 위주로 학자나 문인, 식자

「부신독서도負薪讀書圖」, 유운홍, 비단에 담채, 16.1×22.1cm, 19세기, 서울대박물관. 등에 나뭇짐을 진 채 책을 읽고 있
는 이의 모습에서 책 읽기의 고단함이 느껴지지만, 19세기 조선에서는 책 읽기가 그만큼 대중화되어 있었음을 보여주
고 있다. 이에 따라 책쾌들의 활동이 더 활발해진 것은 당연했다.

층을 상대로 거래를 해나갔다. 이성의李聖儀, 송신용宋申用(1884~1962), 한상윤韓相允(?~1963), 김효식金孝植 등이 20세기에 마지막으로 활동한 서적중개상들이었다.

서적중개상의 유형과 그 역할

서적중개상 중에는 서울에서만 활동했던 이들뿐만 아니라 반경을 지방까지 넓혀 먼 거리를 오간 이들, 아예 지방 장시와 개인집을 돌며 거래하던 이들이 있었다. 또한 성격에 따라 조신선처럼 서적중개업을 전문으로 하던 전문가형 서적중개상이 있었는가 하면, 생계 유지를 위해 어쩔 수 없이 생업 전선에 뛰어든 지식인형 서적중개상도 있었다. 서적중개업과 다른 상업활동을 동시에 하던 겸업형(일명 투잡형) 서적중개상도 있었다. 영화「음란서생」에 등장하는 황가처럼 놋그릇 가게를 운영하며 세책업과 서적중개업을 동시에 하던 이들이 겸업형 서적상이라 할 것이다.

조선후기 서적중개상은 서점과 세책점을 대신해 소설·경서·교재 등 실용서적과 문학작품 등 신구 도서를 쉽게 구해다 주고 거기서 이윤을 창출해냈다. 이들의 경영 노하우와 서적 유통 방식은 후에 정착형 유통업소라 할 세책점과 서점 운영 및 유통에 적지 않은 영향을 미쳤던 것으로 보인다.

"근래에 안방의 부녀자들이 경쟁하는 것 중에 능히 기록할 **만**

한 것으로 오직 패설稗說이 있는데, 이를 좋아함이 나날이 늘고 달마다 증가하여 그 수가 천백千百 종에 이르렀다. 패가僧家는 이것을 깨끗이 베껴 쓰고 무릇 빌려주는 것이 있었는데, 번번이 그 값을 받아 이익으로 삼았다. 부녀자들은 식견이 없어 혹 비녀나 팔찌를 팔거나 혹 빚을 내면서까지 서로 싸우듯이 빌려가지고 가 그것으로 긴 해를 보냈다."(채제공, 「여사서서女四書序」『번암집』)

『번암집』, 채재공, 규장각한국학연구원

이들은 독자의 반응을 세책업자나 작자, 필사자에게 전해줌으로써 소위 독자의 요구와 관심사 등 일반인의 여론을 전달해주는 정보원 노릇까지 했다. 궁극적으로 이들의 존재는 조선후기 사회에서 각종 서적 및 소설이 성행하고 독자층을 확대시키는 데 적잖이 기여했다. 그 밖에 서적중개상의 주 단골 고객으로 상층 독자인 지식인과 장서가들이 많았는데, 조선후기 장서가의 출현과 장서 문화 발달에 서적중개상이 끼친 영향을 간과할 수 없다. 소위 사대부 및 상층 독서 문화의 에디터로서, 책의 상업적 유통의 원천으로서 서적중개상이 조선후기 지식·문화 사회에 끼친 영향은 적지 않다.

조선 전문가의
일생

외국의 서적중개상

중국·일본·유럽 등지에서도 비슷한 시기(16~19세기)에 서적
중개상이 활동했다. 예를 들어 일본의 교우쇼우혼야[行商本屋]·
서쾌, 중국의 서쾌·서선書船·서반序班, 러시아의 오페냐ОФЕ
НЯ, 프랑스의 콜포르퇴르Colporteur, 영국의 챕맨Chapman, 폴란
드의 크시옹쉬코노쉬Książkonoszy, 리투아니아의 크닉네셰야
Knygnešiai 등이 바로 각국의 서적중개상들이다. 이들 서적중개상
은 대개 16~17세기경에 책의 상업적 거래가 활기를 띠고 민중
과 시민계급의 성장이 가시화되면서 교화와 계몽, 오락용 독서
를 위한 책의 수요에 부응해나갔던 상인들이었다. 이들이 도시
와 지방을 직접 돌아다니며 각종 서적을 매매하면서 자국 내 지
식의 확산과 독서생활의 발달에 촉매자 노릇을 담당한 사실이
세계사에서 공통적으로 확인된다.

무형의 서적 유통업자 전기수

조선후기에 인기 있는 국문소설을 길거리에서 돈을 받고 전문적
으로 읽어주던 낭독자를 '전기수傳奇叟'라고 불렀다. 이들은 사
람들이 많이 모이는 저잣거리, 담뱃가게, 다리 밑 등에서 소설을
외워 구성지게 들려주었다. 전기수의 활동 모습을 우리에게 들
려주고 있는 조수삼의 글을 보도록 하자.

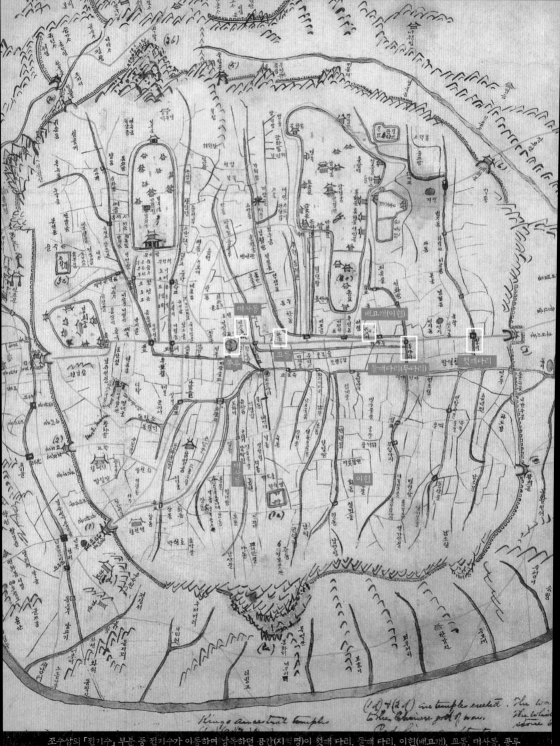

조수삼의「전기수」부분 중 전기수가 이동하며 낭독하던 공간(지역명)이 첫째 다리, 둘째 다리, 이현(배고개), 교동, 대사동, 종루

"전기수傳奇叟는 동문 밖에 살고 있다. 언파패설言課稗說을 입으로 외는데, 그것은 『숙향전淑香傳』『소대성전蘇大成傳』『심청전沈淸傳』『설인귀전薛仁貴傳』 등이다. 월초月初에 하루는 첫째 다리 밑에 앉고, 이튿날은 둘째 다리에 앉고, 사흘째는 이현梨峴에 앉고, 나흘째는 교동校洞 입구에 자리 잡고, 닷새째는 대사동大寺洞 입구에 자리를 잡고 엿새째는 종루鍾樓 앞에 자리를 잡고 앉아 읽는다. 이렇게 올라갔다가 이레부터는 도로 내려온다. 이처럼 내려갔다가 다시 올라가고, 또 올라갔다가 내려오고 하여 한 달을 마친다. 다음 달에도 그렇게 한다. 그가 워낙 읽는 솜씨가 훌륭하기 때문에, 청중들이 많이 모여들어 주위를 빙 둘러싼다. 그는 읽다가 가장 긴요하게 꼭 들어야 할 대목에 이르면 문득 소리를 멈춘다. 그러면 청중들이 그다음 대목이 궁금해 서로 다투어 돈을 던진다. 이것을 일컬어 요전법邀錢法이라 한다."(조수삼, '전기수', 「기이紀異」, 『추재집秋齋集』 권7)

전기수는 이야기가 절정에 이르면 일부러 낭독을 멈추고 뜸을 들인다. 다음 대목이 궁금한 청중은 이야기를 듣고 싶어 안달을 하며 돈을 던진다. 그러면 전기수는 청중의 기대에 부응할 만한 레퍼토리로 감정을 넣어가며 다음 부분을 구성지게 들려줌으로써 그 이야기판을 쥐락펴락하는 것이다. 전기수가 돈을 버는 이런 방법을 '요전법邀錢法'이라 했다.

많은 사람이 모여 재미난 소설 이야기를 듣다보니 기이한 일도 일어났다. '전기수 살해 사건'이 그중 하나이다. 종로 담뱃가게에서 전기수가 소설 『임경업전』을 낭독하는데, 주인공 임경업 장군이 김자점에게 죽임을 당하는 대목에 이르자, 이를 듣던 청중 가운데 하나가 흥분한 나머지 그곳에 있던 담배 써는 칼로 전기수를 찔러 죽인 것이다.

> "옛날에 어떤 남자가 종로의 담뱃가게에서 어떤 사람이 패사稗史 읽는 것을 듣다가 영웅이 가장 실의하는 대목에 이르러서는 갑자기 눈을 부릅뜨고 입에 거품을 물고서는 담배 써는 칼로 패사 읽는 사람을 찔러 죽였다."(이덕무, 『아정유고雅亭遺稿』2)

당시 하층민이 소설 내용에 얼마나 흠뻑 빠져들었는지 짐작하고도 남음이 있다. 그 밖에 서리 부부를 후원자로 삼았던 이업복李業福, 빈곤을 타개하기 위해 소설을 잘 읽는 재능으로 재상가에 출입하였던 이자상李子常, 여성의 복색을 하고 규방에 출입하면서 소설을 읽어주다가 남녀 간의 일로 인하여 장붕익張鵬翼에게 죽임을 당한 낭독자, 마을 사람들에게 소설을 읽어주고 소설책을 팔기도 했다던 방물장수인 책장수 등도 넓은 의미에서 함께 포함시켜 이해할 수 있다. 이처럼 '읽는 독자'가 아닌 '듣는 독자'를 위한 소설의 구비적 유통 방식은 주로 전문적 이야기꾼에 의해 구연되는 형태로 나타났다. 전기수 또한 서적중개상처럼 소설 같은 인기 있는 책의 상업적 유통과 지식의 확산에 적지 않은 기여를 한 전문직 종사자들이었다. 오늘날 마지막 전기수 정규헌 선생이 우리 곁에서 소설을 낭독하는 소리를 언제까지 들을 수 있을지 불안하기만 하다.

12장

100년 전 서울의
일수장부를 엿보다

◉

조선의
금융업자

조영준 · 서울대 규장각한국학연구원 HK연구교수

도박과 환락으로 유명한 미국의 라스베이거스는 전 세계에서 가장 번화한 도시 중의 하나이다. 하지만 화려한 건물과 휘황찬란한 불빛의 이면에는 하수구를 전전하는 노숙자들이 있으며, 이들 중 일부는 길거리에서 구걸을 하기도 한다. 도박이나 마약 때문에 가산을 탕진한 경우도 있겠지만, 노숙을 하게 된 이유는 대개 따로 있다. "노숙을 하기 전에 당신을 괴롭힌 가장 힘든 문제가 무엇이었나?"라는 질문에 대해 많은 사람들이 '청구서'라고 답한다. 제대로 교육받은 멀쩡한 직장인도 갑작스럽게 실직을 당한 상황에서 날아드는 청구서를 막지 못하면 노숙자로 전락할 수밖에 없으며, 이는 비단 라스베이거스에서만 일어나는 일은 아니다.

자본주의 사회를 살아가는 현대인이라면 누구나 본의 아니게 의존할 수밖에 없는 것이 바로 금융finance이며, 청구서가 그 일례이다. 매월 배달되는 각종 요금 고지서, 할부금이나 임대료 청

조선 전문가의
일생

구서 등은 우리로 하여금 '잠재적 채무자'임을 각인시키며, 동시에 우리는 미래의 불확실성에 대비하기 위하여 소득의 일부를 적금, 펀드, 연금, 보험 등의 형태로 정기적으로 납입한다. 현대인이 금융과 분리되어 살아가기란 애초에 불가능한 것이다. 금융의 기법에는 여러 가지가 있지만, 일반인의 생계와 직접적인 관련을 갖는 것은 역시 사채私債이다. 최근에는 정부가 나서서 미소금융microcredit 같은 정책을 펼치기도 하지만, 소액의 사私금융은 역시 '사채'로 인식되고 있다.

사채 중에서도 우리 머릿속에 전형적으로 떠오르는 것이 바로 일수日收이다. 일수는 일종의 분할납부 방식의 금융으로서, 납부 빈도와 방식에서 차이가 있을 뿐 '정기적'으로 상환한다는 점에서 통상적 할부거래인 월부月賦와 마찬가지의 기법이다. 한국 전통의 사금융 기법으로는 장리長利, 계채楔債, 시변市邊, 낙변落邊, 월수月收 등이 있지만, 일수처럼 현대까지 존속되는 사례는 드물다. '일수쟁이'가 까만색의 조그만 손가방을 옆구리에 끼고 점포와 점포를 돌며 수금하는, 소위 일수 '찍는' 모습이 우리에겐 전혀 새삼스럽지 않다.

일수란 "원금과 이자의 합元利合計을 상환할 날짜 수로 나눈 금액을 매일 수취하는 것"으로 정의된다. 1920년에 조선총독부에서 발간한 『조선어사전朝鮮語辭典』에도 표제어로 수록되어 있으며, 그보다 앞선 1905년의 「대금포규칙貸金舖規則」에서도 등장한다.

규장각에 소장되어 있는 어느 일수쟁이의 회계 장부는 조선 최대의 도시 서울에서의 '일수놀이'가 19세기 말에도 활발히 이루어지고 있었음을 보여준다. 현재까지 알려진 바에 따르면 1890년부터 기록된 『순봉장책順捧長冊』『순봉책順捧冊』『일봉책日捧冊』이 일수쟁이의 대표적인 장부이다. 이들 장부에는 1908년 초에 이르기까지 443명을 대상으로 이루어진 2120건의 일수 거래가 기록되어 있다.

장부의 속을 들여다보면, 한 면에 네 건씩의 일수 거래가 기재되어 있음이 확인된다. 매 건의 대부貸付는 일자(대부 일자), 성명(차입자), 금액(원금), 일수(매일 상환할 금액), 기간(상환 일수)의 기록으로 시작되며, 월별로 행을 구분하여 매일의 상환 내역을 오른쪽에서 왼쪽으로 적어나가고 있다. 여백에 남대문의 싸전을 의미하는 '남문 미전'이나 석우石隅를 가리키는 '돌모우'가 기재되어 있는 것처럼, 차입자의 전호廛號나 동네를 적기도

日梳(일人소) 圖 日日頭髮を梳ろこと。

日數(일人·수) 圖 其の日の運數。

日守(일人수) 圖 地方の官隷の一。

日收(일人슈) 圖 每日元利を取り立つる貸金。

日時(일人시) 圖 日と時間。

日食(일人식) 圖 [日飩](일人식)に同じ。

『조선어사전』, 규장각한국학연구원. 이 사전에 '일수'라는 표제어가 수록되어 있다.

했다. 해당 일자의 납입 실적은 돈이 들어왔음을 뜻하는 '입入'으로 표기하였는데, 이것이 바로 일수를 '찍는' 행위였던 것이다. 만기까지의 상환이 완료되면 마지막에 'ㄱ'이라고 표시하여 (고문서에서 통상적으로 사용하는 인원물제人原物際의 '제際'에 해당) 일수 찍기가 끝났음을 확인하였고, 전체 상환 내역 위에 커다랗게 '×'표시를 해서 대부가 청산되었음을 다시 한번 확인하

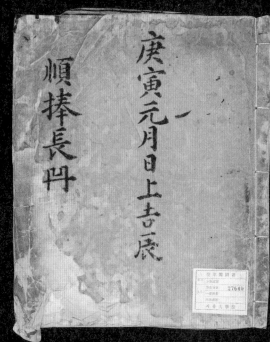

『순봉장책』(위), 『순봉책』(아래 오른쪽), 『일봉책』, 규장각한국학연구원. 1890년대부터 기록된 일수쟁이의 대표적인 장부이다. 이 자료들에 1908년까지 총 2120건의 일수 거래가 기록되어 있다.

였다.

전호나 동네를 확인할 수 있는 대다수의 차입자가 분포한 지역은 지금은 소실된 남대문 일대였다. 서울의 대표적 관문으로서 출입 인구가 독보적으로 많았던 남대문 안팎에는 창내장倉內場과 칠패七牌라는 두 개의 큰 시장이 있었다. 이들 시장에서 상업에 종사한 상인들을 포함해 서민들이 일수 금융을 주로 이용하였던 것이다. 예를 들어 거래 빈도가 높았던 주요 고객은 쌀가게[米廛], 잡화상[床廛], 술집[酒家], 과일가게[毛廛], 신발가게[繩鞋廛] 등을 운영하는 자들이었다.

고지도를 참조하여 차입자들의 소재지를 복원해보니, 남대문을 중심으로 반경 2킬로미터 이내에 위치한 도성 내외의 약 25개 동리洞里였다. 이 정도면 걸어서도 하루 동안 차입자들의 점포를 모두 방문하여 충분히 일수를 찍을 수 있는 범위이다. 달리 보면, 이 일수쟁이는 매일 일수를 찍으러 다니는 것을 업으로 삼았던 전업적專業的 대금업자였을 것으로 추정할 수 있는데, 이는 포구浦口의 객주가 상업(위탁매매)과 금융업(환換 또는 어음)을 겸하고 있었던 것과 차별화되는 특징이다. 또한 차입자들의 일숫돈 사용이 일회성에 그치는 경우는 적었으며, 오히려 같은 사람이 반복적으로 돈을 빌려 쓰는 쪽이 일반적이었다. 전체 443명의 차입자 중에서 62명이 10회 이상의 잦은 빈도로 거래했는데, 이들의 대출 건수는 1000건이 넘어 전체의 절반가량을 차지하였다. 불특정 다수를 대상으로 하는 익명성에 기반한 금융시장이었다기보다는 신뢰를 바탕으로 한 단골과의 대면거래face-to-face transaction였다고 할 수 있다.

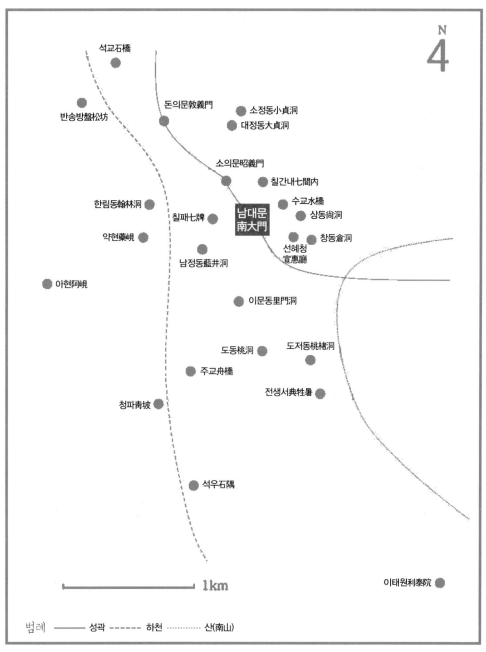

석교石橋

돈의문敦義門

소정동小貞洞

대정동大貞洞

반송방盤松坊

소의문昭義門

칠간내七間内

한림동翰林洞

칠패七牌

수교水橋

남대문
南大門

상동尙洞

약현藥峴

창동倉洞

선혜청
宣惠廳

아현阿峴

남정동藍井洞

이문동里門洞

도동桃洞

도저동桃楮洞

주교舟橋

전생서典牲署

청파靑坡

석우石隅

이태원利泰院

1km

범례 ——— 성곽 ------ 하천 .... 산(南山)

일수 거래의 주요 차입자 분포

3전이 문낭

계사

壬辰二月十五日 金㮾植 三百兩 每日三両四戔 限二百五十日

우몸들

동양

壬辰二月初八日 宋僉知 六百兩 每四日八戔 限一百五十日

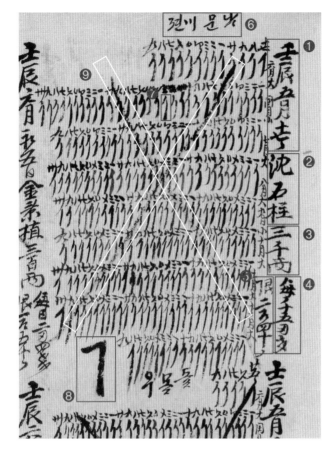

대부일자				성명	원금	일수금	기간	원리	이자/	전호
간지	서기	월	일	(차입자)	(냥)	(냥)	(일)	합계(냥)	원금(%)	(지명)
임진	1892	5	17	심석주	3000	15	240	3600	20	남문 미전
임진	1892	5	25	조운선	1000	6	200	1200	20	돌모우
임진	1892	6	5	김경식	300	2.4	150	360	20	사계
임진	1892	6	8	송첨지	600	4.8	150	720	20	양동

데이터베이스의 일례

임진 5월 17일부터 6월 8일까지 『순봉책』에 기록된 네 건의 일수 자물의 사례이다.(왼쪽) 대부일자와 채무자, 매일 같은 금액의 기록, 지불 완료 등에 관한 내용이 꼼꼼히 기록되어 있다. 오른쪽 상단의 자료를 해석하여 제시한 것이 위의 그림이다.

1894년 남대문 전경

1908년 남대문 전경. 이 일대에 대다수의 차입자가 분포해 있었는데, 즉 주로 시장의 소상인들이 일수를 이용했음을 알 수 있다.

개별 거래 내역을 전산 입력한 데이터베이스를 통해 분석한 결과에 따르면, '일수놀이'의 전형적인 특징이 그대로 나타난다. 대부를 개시한 초기에는 자본금의 투입을 통해 거금이 연속적으로 빠져나감으로써 일시적으로 순익이 마이너스가 되지만, 매일의 상환이 누적되는 일정 기간을 경과하면 손익분기점을 쉽게 돌파하여 자금 팽창의 가파른 상승세를 타게 된다. 연평균 순이익은 7000여 냥(『일봉책』)에서 1만6000여 냥(『순봉책』) 사이로 계산되는데, 이를 토대로 역산해보면 각 장부 기준의 자본금이 약 4만 냥(『일봉책』)에서 8만 냥(『순봉책』) 사이였던 것으로 추산할 수 있다.

당시의 서울에서는 대한천일은행大韓天一銀行(현재의 우리은행)이나 한성은행漢城銀行(현재의 신한은행)과 같은 근대적 금융기관인 은행을 정점으로 하여 전당포나 대금포貸金舖에 이르기까지 일정한 위계를 갖는 금융시장이 형성되어 있었고, 각 금융기관은 예금 및 대출 업무를 비롯해 국고금(조세금)이나 어음까지 취급했다. 1898년을 기준으로 보았을 때, 이 '일수쟁이' 정도의 자금력은 상등上等의 전당포 2~4개에 해당하는 규모였다. 이는 서울 내의 수십 곳에 난립하고 있었던 전당포와는 대조적으로, 이 일수쟁이가 망라한 상권은 남대문 인근의 하층 상인 전체를 대상으로 한 것이었음을 알려준다. 당대 하층 상인들이 참여한 금융시장은 근대적 금융기관 중심의 상층 금융시장과는 분리되어 있었던 것이다.

일수가 고리대의 일종임은 지금도 마찬가지인데, 당시의 이 자율은 과연 얼마나 높았을까? 이를 판단하기 위해서는 한 가지

조선 전문가의
일생

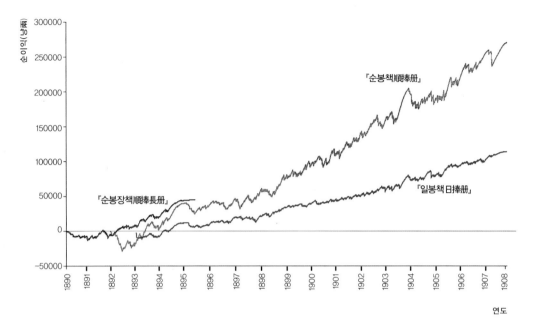

순이익(냥兩)

『순봉책順俸册』

『순봉장책順俸長册』

『일봉책日俸册』

연도

장부별 누적 순이익을 추정한 그래프

짚고 넘어가야 할 문제가 있다. 예를 들어, 장부상의 기록 중에 는 100냥을 빌려가서 매일 1냥 2전씩 100일 동안 갚는 경우와 매일 1냥씩 120일간 갚는 경우가 보인다. 둘 다 원리합계가 120 냥이므로 원금에 대한 이자의 비율은 20퍼센트로 동일하다. 500냥을 빌려 쓰든 1000냥을 빌려 쓰든 대출의 규모에 관계없 이 전체 거래의 열 건 중 아홉 건 이상에서 이 '20퍼센트'라는 숫자가 도출되지만, 이것을 일컬어 이자율이라고 할 수는 없다. 이자율을 이야기하기 위해서는 반드시 기간 개념이 들어가야 하기 때문이다.

기간을 고려한 실제의 이자율을 구하기 위해서는 기초적 경제

이론을 활용할 필요가 있다. 여기서의 이자율은 사실상 채권債權의 수익률에 해당하는 것이므로, 내부수익률(IRR)을 계산하면 된다. 복잡한 산식이지만 재무용 계산기나 컴퓨터를 활용하면 쉽게 답을 구할 수 있다. 원금에 대한 이자의 비율이 '20퍼센트'인 상황에서 실제의 이자율은 오직 상환 일수에 의해 결정되며, 앞의 예에서 100일간 갚는 경우와 120일간 갚는 경우 연간 이자율이 각각 136퍼센트와 114퍼센트로 차이가 남을 쉽게 알 수 있다. 상환 일수가 길어질수록 연간 이자율이 하락하는, 상환 일수와 연리 사이의 역관계가 기간 구조 그래프에서 확연히 드러난다. 현대 경제에서의 전형적인 수익률 곡선이 우상향하는 것과는 정반대의 현상이다.

$$\text{원금} = \frac{\text{일수금}}{1+IRR} + \frac{\text{일수금}}{(1+IRR)^2} + \cdots + \frac{\text{일수금}}{(1+IRR)^n}$$

$$n = \text{상환일수}$$

또한 실제의 연평균 이자율을 계산해보면 무려 84퍼센트나 된다. 당대의 농촌 이자율이 연 30~50퍼센트였고, 도시의 전당포에서는 연리를 최대 60퍼센트까지 적용하고 있었던 것에 비하면 훨씬 높은 이자율이 도출되고 있음을 알 수 있다. 물론 현대 한국에서 가끔 기사 거리가 되곤 하는 200퍼센트 이상의 사채 금리에 비교할 수는 없겠지만, 엄청난 고리高利임에는 틀림없다. 예나 지금이나 일수라는 금융 기법에서는 상환 기간이 200일을

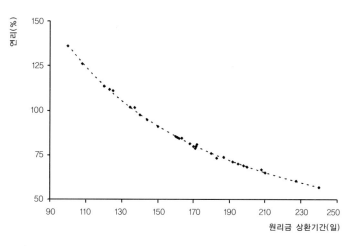

일수 이자율의 기간 구조 그래프

초과하는 경우가 드물다. 이러한 단기 금융으로서의 특징이 있기 때문에, 급전急錢을 차입하는 사람이 체감하는 금리는 원금에 대한 이자의 비율인 '20퍼센트'보다는 높았을지 몰라도 실제 이자율인 80퍼센트대까지 이르지는 않았을 것이다.

그렇다면 원금 대 이자의 비율이 '20퍼센트'로 고정된 사례가 많았던 이유는 무엇일까? 그 연원은 영조대인 1746년에 반포된 법전 『속대전續大典』에서 찾을 수 있다. 잘 알려진 바와 같이 「호전戶典」의 '징채徵債' 조를 보면, "모든 채무의 징수에서 공과 사를 막론하고 10분의 2가 넘는 이자를 받는 자는 장杖 80대, 도徒 2년에 처한다"라고 되어 있다. 정부가 규정하는 연 이자율은 18세기 중반부터 이미 20퍼센트로 동결되어 있었던 것이다. 물론 농촌의 사금융이나 도시의 전당포에서 20퍼센트라는 이자율 제한 규정이 그대로 지켜지긴 어려웠고, 개항 이후인 19세기 말이 되면 사실상 유명무실해진다. 1906년에 제정된 법률인 『이식규례利息規例』에서는 계약상의 이자가 원금에 대하여 연 40퍼센트를 넘지 못한다고 규정할 정도였다. 하지만 이자에 관한 당사자 간의 계약이 없을 때에는 원금에 대한 이자를 연 20퍼센트로 정한다는 단서 조항을 삽입해 둠으로써, 정부는 사실상의 금융 관행을 인정하면서도 『속대전』에서의 규정을 폐기하지는 않고 있었다.

그렇다면 이미 20세기에 들어선 시점에도 이 일수 장부에서 『속대전』의 규정에 강하게 속박되고 있는 듯한, 마치 경로의존적인 양상을 보인다는 점은 이 일수쟁이가 사인私人이 아니었을 것이라는 추정을 가능

『속대전』, 규장각한국학연구원. 『속대전』 「호전」 '징채' 조에 2할을 초과하는 이자를 받을 경우 장杖 80대, 도徒 2년에 처한다고 기록돼 있다.

조선 전문가의 일생

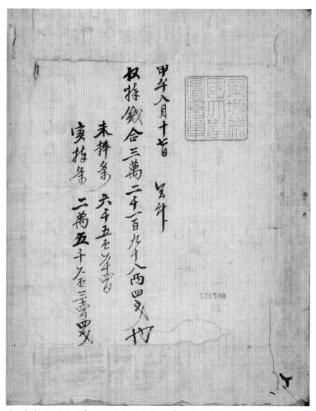

『순봉책』의 면지 기록. 1894년의 것인데, 기록으로 미루어 채권액의 20퍼센트 정도가 연체되고 있음을 알 수 있다.

케 한다. 국가가 규정하는 범위 내에서의 금융을 지향하고 있었다는 점에서, 왕실과 밀접한 관계를 맺고 있었거나 관영官營이었을 수도 있다. 특히 대출이 1907년 말까지만 이루어지고 1908년부터는 새로운 기록이 시작되지 않는다는 점에서 더욱 그러하다. 1907년에서 그 이듬해까지는 통감부에서 황실의 조달기관인 1사7궁一司七宮을 폐지하고 국유國有와 제실유帝室有의 재산을 분리하는 등 황실 재정의 정리 작업이 이루어진 시기이다. 그 과정에서 이 일수업도 명맥을 유지할 수 없게 된 것이 아닐까?

만약 국가나 왕실이 관계한 사업으로서의 일수놀이였다면, 채권의 회수 상황에서도 어떤 특징이 발견될 수 있을 것이다. 작성자 스스로 상환의 현상現狀을 적고 있는 사례는 단 한 건밖에 없

100년 전 서울의
일수장부를 엿보다

373

다. 『순봉책』의 면지에 '1894년(갑오) 8월 17일 회계會計'라고 하여 받을 돈[收捧錢]이 모두 합해 3만2198냥 4전인데 아직 받지 못한 돈[未捧條]이 6564냥이고 받은 돈[實捧條]이 2만5634냥 4전이라고 적고 있는 것이다. 총 채권액의 20퍼센트 정도가 연체되고 있었음을 알 수 있다.

앞서 언급한 데이터베이스를 활용하여 보다 자세히 분석해보면, 만기일 이전에 전액을 상환한 사례가 전체 거래 건수의 68퍼센트 정도였음을 알 수 있다. 나머지 중에서 27퍼센트 정도는 연체되기는 했지만 결국 전액 회수되었다. 회수 불능의 채권, 즉 채무 불이행의 사례가 전체 건수의 5퍼센트 수준이었다. 현대 한국의 정책금융 시대와 비교해보더라도 불량채권의 비율이 낮은, 의외의 결과를 보여주고 있다.

그런데 그 5퍼센트에 속하는 불량채권을 유발한 차입자에게도 다시금 대출을 해주는 사례가 발견되며, 다른 사례에서는 원리금의 일부를 탕감해주는 경우도 더러 보이고 있다. 전형적인 '온정적' 대부자의 모습이다. 이러한 특징은 담보 설정에서도 나타난다. 인적 담보로서의 보증인 설정과 물적 담보로서의 전당(주로 집문서[家券])이 모두 행해지고 있었지만, 둘 다 전체 건수의 10퍼센트도 되지 않았다.

이상의 정보들을 종합해볼 때, 이 일수쟁이는 소규모 영세 금융을 필요로 하는 하층 상인들을 동반자로서 끌어안고 있었다고 볼 수 있겠다. 거액의 자본금을 투하했으면서도 광범한 운용 범위를 보이고 있었고, 안정적 인간관계에 기반한 대면적 신용거래를 행하고 있었던 것이다. 교섭 비용도 필요하지 않았고, 불이

익도 부여되지 않았다.

　이 일수쟁이의 기록은 근대적 금융기관이 포말회사 형태로 출몰을 거듭하던 전환기 조선의 수도 서울에서 근대적 합리성과는 거리가 있는 전통의 금융 기법이 어떤 형태로 잔존하고 있었는지를 보여주는 하나의 사례이다. 또한 『조선왕조실록』과 같은 기념비 위주의 거대 담론에서는 기술되지 않았던, 상층의 금융시장과는 분리된 서민 경제생활의 일면을 엿볼 수 있게 해준다.

1장 군사부일체 사회의 버팀목, 그러나 불우한 삶

『조선왕조실록』『사설』『퇴계선생언행록』『추안급국안』

양승태, 『앎과 잘남』, 책세상, 2006

오천석, 『스승』, 교육과학사, 2004

이병휴, 「여말선초의 과업교육」, 『역사학보』 67집, 1975

정만조, 『조선시대 서원연구』, 집문당, 1997

정순우, 「18세기 서당연구」, 한국학대학원, 1985

――――, 『공부의 발견』, 현암사, 2007

정순목, 「경사와 인사」, 『교육사교육철학』 제3집, 1980

정석종, 「홍경래란」, 『전통시대의 민중운동』, 풀빛, 1981

헨리 지루, 『교사는 지성인이다』, 아침이슬, 2003

2장 왕의 허락을 얻어 하늘을 관찰하다

문중양, 『우리 역사 과학 기행』, 동아시아, 2006

연세대학교 국학연구원 편, 『한국실학사상연구 4: 과학기술편』, 혜안, 2005

정다함, 「朝鮮前期 兩班 雜學兼修官 研究」, 고려대 박사학위논문, 2008

정옥자, 「朝鮮 後期의 技術職中人」, 『진단학보』 61집, 1986

허윤섭, 「조선후기 觀象監 天文學 부문의 조직과 업무―18세기 후반 이후를 중심으로」, 서울대학교 석사학위논문, 2000

3장 의관으로 출세하기 위한 험난한 길

신동원, 「조선사람 허준」, 한겨레, 2001

――――, 『호열자 조선을 습격하다―몸과 의학의 한국사』, 역사비평사, 2004

――――, 「조선후기 의원의 존재 양태」, 『한국과학사학회지』 26권 2호, 2004

4장 팔도를 뒤흔든 대중 스타, 달문의 삶

강명관, 『조선의 뒷골목 풍경』, 푸른역사, 2003

『병세재언록』, 민족문학사연구회 옮김, 창작과비평사, 1997

박준원, 「광문자전 분석」, 『한국한문학연구』 8, 한국한문학연구회, 1985

사진실, 「조선시대 서울지역 연극의 공연상황」, 『한국연극사 연구』, 태학사, 1997

아세아문화사 편, 『추안급국안』 22, 1979

이우성·임형택 편역, 『이조한문단편집』 상·중·하, 일조각, 1973~1978

임형택 편역, 『이조시대서사시』 하, 창작과비평사, 1992

차충환, 「상하 경향을 아우른 휴머니즘과 자유인의 형상, 달문」, 『조선후기 소수자의 삶과 형상』, 보고사, 2007

5장 배척과 존중의 위태로운 경계에 서다

강덕우, 「조선중기 불교계의 동향─명종대의 불교시책을 중심으로」, 『국사관논총』 56, 1994

高橋亨, 『李朝佛敎』, 寶文館, 1929

─────, 「虛應堂集及び普雨大師」 『朝鮮學報』 14, 1959

권정웅, 「세조대의 불교정책」, 『진단학보』 75, 1993

김동화, 「해설: 보우 / 허응당집」, 『한국의 사상대전집』 15, 1977

김용조, 「허응당 보우의 불교부흥운동」, 『경상대논문집』 인문계편 25, 1986

김용태, 『조선중기 불교계의 변화와 '서산계'의 대두』, 서울대 석사학위논문, 1999

김우기, 「문정왕후의 정치참여와 정국운영」, 『역사교육논집』 23·24합본, 1999

김정희, 「문정왕후의 중흥불사와 16세기의 왕실 발현 불화」, 『미술사학연구』 231, 2001

박영기, 『순교자 보우 선사』, 한길사, 2000

보우사상연구회, 『허응당보우대사연구』, 불사리탑, 1993

서윤길, 「보우대사의 사상」, 『숭산박길진박사화갑기념 한국불교사상사』, 원광대, 1974

송석구, 「보우대사─조선불교 중흥 기초 다진 순교자」, 『한국불교인물사상사』, 민족사, 1990

이봉춘, 「조선초기 배불사 연구─왕조실록을 중심으로」, 동국대 박사학위논문, 1990

이종익, 「보우대사의 중흥불사─그 전말과 순교」, 『불교학보』 27, 1990

조선 전문가의
일생

이종찬, 「허웅당의 시」, 『현대불교신서』 66, 1991

최병헌, 「조선시대 불교법통설의 문제」, 『한국사론』 19, 서울대 국사학과, 1988

한우근, 『유교정치와 불교―여말선초 대불교시책』 重版, 일조각, 1997

허흥식, 「14·5세기 조계종의 계승과 법통」, 『동방학지』 73, 1991

황패강, 「보우론」, 『나손선생추모논총 한국문학작가론』, 현대문학사, 1991

6장 음악은 직업, 혹은 인격 수양의 방편

김수장, 『해동가요』

송지원, 『마음은 입을 잊고, 입은 소리를 잊고』, 태학사, 2009

───, 『장악원, 우주의 선율을 담다』, 추수밭, 2010

이우성·임형택, 『이조한문단편집』 상·중·하, 일조각, 1978

7장 조선시대 궁녀의 계보학

신명호, 『궁녀: 궁궐의 꽃』, 시공사, 2004

정은임 외, 『궁궐 사람들의 삶과 문화』, 태학사 2007

홍순민, 「조선시대의 궁녀의 위상」, 『역사비평』 68, 역사문제연구소, 2004

───, 「조선시대 여성 의례와 궁녀」, 『역사비평』 70, 역사문제연구소, 2005

8장 목장木匠의 종류만 스물들

김동욱, 『한국건축 공장사 연구』, 기문당, 1993

───, 『18세기 건축사상과 실천: 수원성』, 발언, 1996

김왕직, 『조선후기 건축경제사』, 한국학술정보, 2005

9장 붓끝에서 탄생한 무명의 예술혼

강관식, 『조선후기 궁중화원 연구』 上·下, 돌베개, 2001

박정혜, 『조선시대 궁중기록화 연구』, 일지사, 2000

안휘준, 『옛 궁궐 그림』, 대원사, 1997

───, 『한국 회화사 연구』, 시공사, 2000

안휘준 외, 『한국의 미술가』, 사회평론, 2006

연세대국학연구원 편, 『한국근대이행기 중인 연구』, 신서원, 1999

이남희, 『朝鮮後期 雜科中人 硏究』, 이회문화사, 1999

이성미·강신항·유송옥, 『藏書閣所藏嘉禮都監儀軌』, 한국정신문화연구원, 1994

이성미·강신항·유송옥, 『朝鮮時代御眞關係都監儀軌』, 한국정신문화연구원, 1997

이성미 외, 『조선왕실의 미술문화』, 대원사, 2005

정옥자, 『朝鮮後期 中人文化 硏究』, 일지사, 2003

10장 작은 거여를 부리던 자에서 문화 신봉장이 되기까지

김양수, 『조선 후기 역관신분에 관한 연구』, 연세대학교 박사학위논문, 1987

김양수 외, 『조선후기 외교의 주인공들』, 백산자료원, 2008

김종원, 『근세 동아시아관계사 연구』, 혜안, 1999

김필동, 『차별과 연대-조선사회의 신분과 조직』, 문학과지성사, 1999

김현목, 「조선후기 역학생도의 피천과 역과진출」, 『인하사학』 2, 1994

김현영, 「조선후기 중인中人의 가계家系와 경력經歷-역관 천녕현씨가川寧玄氏家 고문서의 분석」, 『한국문화』 8, 1987

백옥경, 『조선 전기 역관연구』, 한국연구원, 2006

정옥자, 『조선후기 중인문화연구』, 일지사, 2003

허경진, 『조선의 르네상스인 중인』, 랜덤하우스, 2008

11장 조선시대엔 왜 서점이 없었을까

강명관, 『책벌레들 조선을 만들다』, 푸른역사, 2008

안대회, 「책장수, 조신선」, 『조선의 프로페셔널』, 휴머니스트, 2007

이민희, 『16~19세기 서적중개상과 소설·서적 유통 관계 연구』, 역락, 2007

──, 『조선을 훔친 위험한 책들』, 글항아리, 2008

──, 『마지막 서적중개상 송신용 연구』, 보고사, 2009

이상택 외, 『한국 고전소설의 세계』, 돌베개, 2005

이중연, 『책의 운명』, 혜안, 2007

12장 100년 전 서울의 일수장부를 엿보다

李榮薰·趙映俊, 「19世紀 末~20世紀 初 서울 金融市場의 特質: 南大門 一帶의 '日收' 金融을 中心으로」, 『經濟論集』 44-3·4, 2005

이영훈·배영목·박원암·김석진·연강흠, 『한국의 은행 100년사』, 산하, 2004

崔承熙, 「朝鮮後期 古文書를 통해 본 高利貸의 實態」, 『古文書를 통해 본 朝鮮後期 社會身分史硏究』, 지식산업사, 2003

金載昊, 「農村社會의 信用과 契: 1853~1934」, 『맛질의 농민들─韓國近世村落生

活史—』, 일조각, 2001

金載昊, 「'保護國期'(1904~1910)의 皇室財政整理」, 『經濟史學』 16, 1992

홍희유, 『조선상업사(고대·중세)』, 과학백과사전종합출판사, 1989 (백산자료원
에서 복간)

朝鮮總督府, 『朝鮮人の商業』, 調査資料 第11輯, 1925(민속원에서 영인 간행)

MBC, 「라스베이거스의 지하 생활자들」, W(World Wide Weekly) 192회, 2009년
6월 19일 방송분

김왕직___ 명지대 건축학부 교수, 저서 『조선후기 건축경제사』 『알기쉬운 한국건축 용어사전』 외 다수.

남동신___ 서울대 국사학과 교수, 저서 『원효』, 공저 『동아시아 구법승과 인도의 불교 유적』, 역서 『혜능』 외 다수.

문중양___ 서울대 국사학과 교수, 저서 『우리역사 과학기행: 역사 속 우리 과학을 어떻게 볼 것인가?』 『조선후기 수리학과 수리 담론』, 역서 『중국의 우주론과 청대의 과학혁명』 외 다수.

백옥경___ 이화여대 사학과 교수, 저서 『조선 전기 역관 연구』, 역서 『동사록』, 논문 「조선 전기의 사행 밀무역 연구」 외 다수.

사진실___ 중앙대 음악극과 교수, 저서 『연희, 신명과 축원의 한마당』 『한국연극사 연구』 외 다수.

송지원___ 서울대 규장각한국학연구원 HK연구교수, 저서 『정조의 음악정책』 『마음은 입을 잊고 입은 소리를 잊고』 『장악원, 우주의 선율을 담다』, 공역 『다산의 경학세계』 『역주 시경강의』 1-5 외 다수.

신동원___ 한국과학기술원 인문사회과학부 교수, 저서 『호열자 조선을 습격하다』 『한국근대보건의료사』, 공저 『의학 오디세이』 외 다수.

이민희___ 강원대 국어교육과 교수, 저서 『16~19세기 서적중개상과 소설 서적 유통 관계 연구』 『마지막 서적중개상 송신용 연구』 『조선을 훔친 위험한 책들』 외 다수.

정순우___ 한국학중앙연구원 사회과학부 교수, 저서 『공부의 발견』, 공저 『이재난고로 보는 조선 지식인의 생활사』 『도산서원』 외 다수.

조영준___ 서울대 규장각한국학연구원 HK연구교수, 공저 『조선후기 재정과 시장』, 논문 「조선후기 왕실의 조달절차와 소통체계」 「19-20세기 보부상 조직에 대한 재평가」 외 다수.

홍순민___ 명지대 방목기초교육대학 교수, 저서 『우리 궁궐 이야기』, 공저 『서울 풍광』, 논문 「조선시대 여성 의례와 궁녀」 외 다수.

황정연___ 문화재청 국립문화재연구소 학예연구사, 공저 『조선왕실의 미술문화』, 논문 「『흠영(欽英)』을 통해 본 유만주兪晩柱의 서화 감상과 수집 활동」 「高宗 年間(1863~1907) 宮中 書畵收藏의 전개와 변모 양상」 외 다수.

조선 전문가의 일생
ⓒ 규장각한국학연구원 2010

1판 1쇄 2010년 12월 20일
1판 6쇄 2014년 4월 16일

엮은이   규장각한국학연구원
펴낸이   강성민
기   획 송지원 정긍식 권기석
편   집 이은혜 박민수 이두루
편집보조   유지영 곽우정
마 케 팅 이연실 정현민 지문희
온라인 마케팅 김희숙 김상만 한수진 이천희

펴낸곳 (주)글항아리 | 출판등록 2009년 1월 19일 제406-2009-000002호

주소 413-120 경기도 파주시 회동길 210
전자우편 bookpot@hanmail.net
전화번호 031-955-8891(마케팅) 031-955-8898(편집부)
팩스 031-955-2557

ISBN 978-89-93905-46-5 03900

글항아리는 (주)문학동네의 계열사입니다.

이 도서의 국립중앙도서관 출판시도서목록(CIP)은 e-CIP 홈페이지(http://www.nl.go.kr/ecip)에서
이용하실 수 있습니다.(CIP제어번호: CIP2010004373)

*도판 자료 게재를 허락해주신 분들께 감사드립니다. 이 책에 실린 도판 중 저작권 협의를 거치지 못한 것이
있습니다. 연락이 닿는 대로 게재 허락 절차를 밟고 사용료를 지불하겠습니다.

碧空清江闊

萬里寄蒼茫

遊居善子不住

自可為爾之人